新装改訂版

アウトカムを改善する

ステロイド治療戦略

東京ベイ・浦安市川医療センター
膠原病内科医長
岩波慶一 編

謹告

序文

ステロイド治療の課題。それは，如何にステロイドによる臓器障害を回避しながら疾患のコントロールを行うか，これに尽きる。この課題に向き合うべく，本書では「エビデンス」の有無を意識しながら「医療者の臨床的経験」をもとに各専門家にステロイドの使用法について解説して頂いた。

本書は一見すると，各領域におけるステロイドの使い方を集めただけのまとまりのない書籍に思われるかもしれない。しかし，その感想を有する限りステロイド治療の真髄は掴めない。編者が読者に望むのは，総論（1章）とクリニカルクエスチョン（3章）を基礎に，各論（2章）を統合してゲシュタルトを形成することである。臓器という境界線を飛び越え，感染症内科や腫瘍内科という病態で括られた診療科のように，免疫疾患の病態や治療法に精通した「免疫内科」という診療科の一員であると自らを想定することで，ステロイド治療の本質が徐々にわかってくる。

本書は「ステロイド単剤が治療の基本」「ステロイドは止められない」という従来型治療に対するアンチテーゼになることを意識してまとめられている。残念ながら疾患によってはアンチテーゼに至っていないものもある。これはエビデンスの不足やオピニオン・リーダーを中心に形成されるコンセンサスに帰する部分が大きいが，脱ステロイドという大きな潮流の途上にあるだけで最終地点ではない。

ステロイド治療では，ほとんどの疾患において質の高いエビデンスは存在しない。しかし，エビデンスは真実に迫るためのアプローチの1つにすぎず，「エビデンスがない＝真実ではない」ということではない。EBMとは，「エビデンス」だけではなく「患者の病状と周囲を取り巻く環境」「患者の価値観」「医療者の臨床的経験」を含めて総合的に判断する医療のことである。読者におかれては，各々で本書の内容を咀嚼して，病態生理，薬理作用，疾患背景を統合し，目の前の患者ごとに考察を加え，ステロイド治療を個別化されることを望む。決して従来型の治療法や本書の内容に固執せず，患者ごとにベストな治療方針を探って頂きたい。これこそまさにEBMの実践である。

最後に，隔月刊誌jmedmook 63からの書籍化を提案して下さった日本医事新報社，改訂や執筆を快諾して下さった先生方に深謝申し上げる。

疾患とともに生きる人々の幸福を祈って

2022年12月

東京ベイ・浦安市川医療センター膠原病内科医長　**岩波慶一**

CONTENTS

1章 ステロイド治療の基礎知識

2章 疾患別のステロイドの使い方

3章 クリニカルクエスチョン

執筆者一覧（掲載順）

編者

岩波慶一　東京ベイ・浦安市川医療センター膠原病内科医長

田巻弘道　聖路加国際病院 Immuno-Rheumatology Center医長

金城　徹　琉球大学病院光学医療診療部助教

東野　誠　市立宇和島病院消化器内科医長

永井達也　亀田総合病院呼吸器内科医長

北村浩一　東京ベイ・浦安市川医療センター腎臓・内分泌・糖尿病内科副部長

林　幼偉　国立精神・神経医療研究センター病院脳神経内科／神経研究所免疫研究部

安部涼平　埼玉医科大学病院血液内科講師

片岡　惇　練馬光が丘病院総合救急診療科集中治療部門科長

森　恵莉　東京慈恵会医科大学耳鼻咽喉科学教室講師

中島大輝　東京慈恵会医科大学耳鼻咽喉科学教室

鎌田昌洋　帝京大学医学部皮膚科学講座准教授

大上智弘　宮久保眼科院長

岩田太志　聖路加国際病院 Immuno-Rheumatology Center

髙井千夏　国立成育医療研究センター 妊娠と薬情報センター

榎本貴一　練馬光が丘病院薬剤室

１章　ステロイド治療の基礎知識

1. 免疫学，薬理学から考える免疫疾患の治療戦略

副作用への対策のコツ

- ▶ステロイドは即効性がある強力な抗炎症薬であり，初期に十分量のステロイドを投与することで炎症を抑えます（寛解導入療法）。
- ▶ステロイドは減量すると免疫抑制効果が弱まるので，免疫抑制薬などのsteroid-sparing agentを併用しながら減量するのが基本です。
- ▶免疫抑制薬は遅効性なので，早めに併用を開始することで病態が早期に安定し，ステロイドの早期減量が可能になります。
- ▶病勢がコントロールされたら免疫抑制薬のみ，または少量ステロイドとの併用による治療を行います（寛解維持療法）。
- ▶各免疫抑制薬の特徴を頭に入れ，病態ごとに使いわけましょう。
- ▶免疫抑制薬との併用で感染症が増えるという考えは，必ずしも正しいとは言えません。

1 免疫系と炎症

- 免疫系は病原体を体内から排除するように進化してきました。病原体が免疫系により速やかに排除されてしまえば感染は成立しませんが，免疫系が排除しにくい病原体は体内で増殖を始め感染が成立します。
- 感染した病原体に体内を支配されないように，免疫系は「肉を切らせて骨を断つ」戦略を生み出してきました。周りの組織，病原体もろとも破壊する戦略です。この戦略を「炎症」と呼びます。病原体が排除されれば炎症は治り，組織の修復が始まります。
- 自己免疫疾患，アレルギーなどの免疫疾患は，平たく言えば病原体がないのに炎症が起こる疾患です。免疫系の標的となる物質（抗原）は絶え間なく供給さ

れるので，炎症は慢性化します。炎症が慢性化すると，組織は破壊され続けます。組織は破壊されすぎると修復可能な閾値を超え，不可逆的な臓器障害となり，臓器不全に至ります。

ここがPOINT！

◉免疫系は抗原を排除するために炎症を引き起こします。

◉炎症は組織を破壊します。

◉慢性炎症は不可逆的な臓器障害を引き起こします。

2 なぜステロイドを開始するのか？

- 不可逆的な臓器障害にならないために，炎症は可能な限り早く抑えなければなりません。
- 炎症をすばやく抑えるのに最も有効な手段がステロイドを投与することです。
- ステロイドは1948年に初めて臨床応用されました。その後，様々な抗炎症薬が開発され，炎症性サイトカインを標的とした生物学的製剤も使えるようになりました。炎症性サイトカインを無力化する薬剤があるのに，なぜいまだに70年前に開発されたステロイドが最も有力な抗炎症薬であり続けるのでしょうか？
- 免疫系は**図1**のようにネットワークを形成しています。慢性炎症では，このネットワークを利用して個々の細胞，抗体，サイトカイン，補体が互いに刺激し合っています。このような状況下では，単一の細胞やサイトカインを抑えても炎症を制御することは困難です。ステロイドは炎症に関わるほぼすべての細胞やサイトカインを抑制することができ，炎症を速やかに制御できます。

MEMO

▶上手な例えではないかもしれませんが，教室の中で生徒全員が授業中にもかかわらず大騒ぎしている状況を思い浮かべて下さい。

▶このような状況では，先生が個別に指導しても教室は静かになりません。静かにさせるには，先生が大声を出して生徒全員を一喝しなければなりません。

▶「個別指導」が特定の細胞やサイトカインを標的とした治療で，「大声」がス

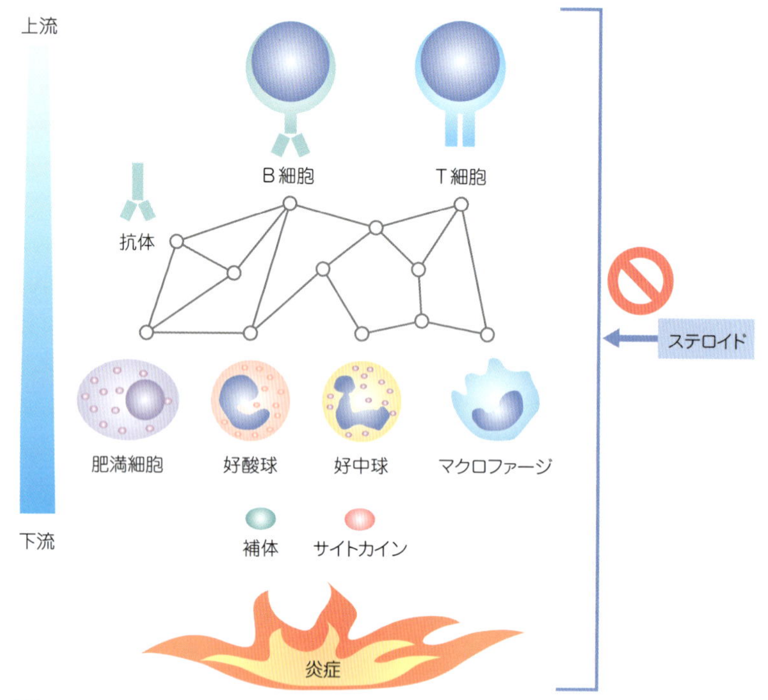

図1　免疫系のネットワーク

テロイドだとすると，ステロイドが最も有力な抗炎症薬であることがわかるのではないでしょうか。

ここがPOINT！

◉ステロイドは即効性があり，複数の免疫細胞，炎症性物質を同時に抑えることができるため，最も有効な抗炎症薬と位置づけられます。

3　なぜステロイドは中止をめざしたほうがよいのか？

- ステロイドは最も有効な抗炎症薬なので，ステロイドを投与しておけば免疫疾患は制御できると考える人がいても不思議ではありません。少なくとも70年前の医師らはそのように考えていました。しかし，残念ながらそう上手くはいきませんでした。

- ステロイドを長期投与すると，必ずと言ってよいほど副作用が出現することがわかりました。しかも副作用は1つや2つではなく，長く投与すればするほど，1人の患者に多数の副作用が出現することがわかりました（☞**1章2**）。つまり，治療前は免疫疾患だけであったのに，ステロイドを開始したら患者はたくさんの病気を抱えることになったわけです。
- 一方で，副作用のためステロイドを減らそうとすると今度は免疫疾患が再燃し，医師と患者は免疫疾患とステロイド副作用とのジレンマに苛まれることとなりました。
- ステロイド単剤で治療していた時代には，繰り返す原疾患の再燃（炎症）とステロイドの副作用（動脈硬化，感染，代謝異常など）の2つの原因により患者は臓器障害に苦しんでいました。

ここがPOINT！

◉ステロイドの副作用も臓器障害の原因になります。

MEMO

▶ステロイドを長期（60日以上）服薬している患者の90%が何らかの副作用を自覚しているという報告があります[1)]。

4 免疫疾患の寛解を維持したままステロイドを減量・中止するにはどうすればよいのか？

- 免疫疾患の寛解を維持したままステロイドの減量・中止をめざすなんてことは，かつては平仄が合わない話でした。この無理難題を解決可能にしたのが免疫抑制薬です。
- 免疫抑制薬は，ステロイドのような即効性はなく，特定の細胞しか制御することはできません。先ほどの教室の例を用いると，生徒全員が大騒ぎしている状況では，特定の人物に時間をかけてゆっくり諭していく免疫抑制薬単剤では教室を静かにすることができません。しかし，大声（ステロイド）で教室がいったん静かになれば，「主犯格」である生徒に対してゆっくり諭していくことで，大声を出さなくても教室の静穏を維持することは可能になります（☞p.3 MEMO）。

- それでは，免疫疾患での「主犯格」はどの細胞になるのでしょうか？ **図1**をもう一度眺めてみて下さい。免疫系では，獲得免疫系に属するリンパ球（T細胞，B細胞）が病態の上流に位置します。T細胞（ヘルパーT細胞）が司令塔となり，B細胞に抗体産生を促し，T細胞が出すサイトカインや抗体により自然免疫系に属するマクロファージ，好中球，好酸球，肥満細胞が活性化し炎症を起こします。つまり，教室の例での「主犯格」はT細胞やB細胞になります。
- 免疫抑制薬は主にT細胞，B細胞を抑制します。「主犯格」を制御することで，ステロイドを減量・中止することが容易になるため，免疫抑制薬はsteroid-sparing agent（ステロイドを節約する薬剤）とも呼ばれます。

ここがPOINT！

◉免疫疾患では，リンパ球（T細胞やB細胞）が病態の上流に位置します。

◉免疫疾患の治療では，ステロイドで炎症を抑えたら，免疫系の上流に位置するリンパ球を免疫抑制薬で制御しつつ，ステロイドを減量・中止していくことが基本的な戦略となります。

5 steroid-sparing agentは免疫抑制薬だけか？

- 免疫疾患により，病態に関わるネットワークは異なります。**図2**は免疫疾患をGell & Coombsの分類でわかりやすくするために単純化して表したものです。
- Ⅰ型では，肥満細胞の細胞膜に結合したIgEが抗原により架橋され，肥満細胞からケミカルメディエーターが放出されます。この反応は抗原曝露から30分以内に生じるため「即時型」とも呼ばれます。Ⅱ型では，抗体（主にIgG）と結合した抗原がナチュラルキラー（NK）細胞や補体に破壊されたり，マクロファージに貪食されたりします。Ⅲ型では，免疫複合体（抗原と抗体が結合した複合体）が血管内外に沈着し，補体や好中球による炎症が起きます。
- Ⅰ～Ⅲ型は抗体（液性免疫）を介した反応ですが，Ⅳ型はT細胞（細胞性免疫）

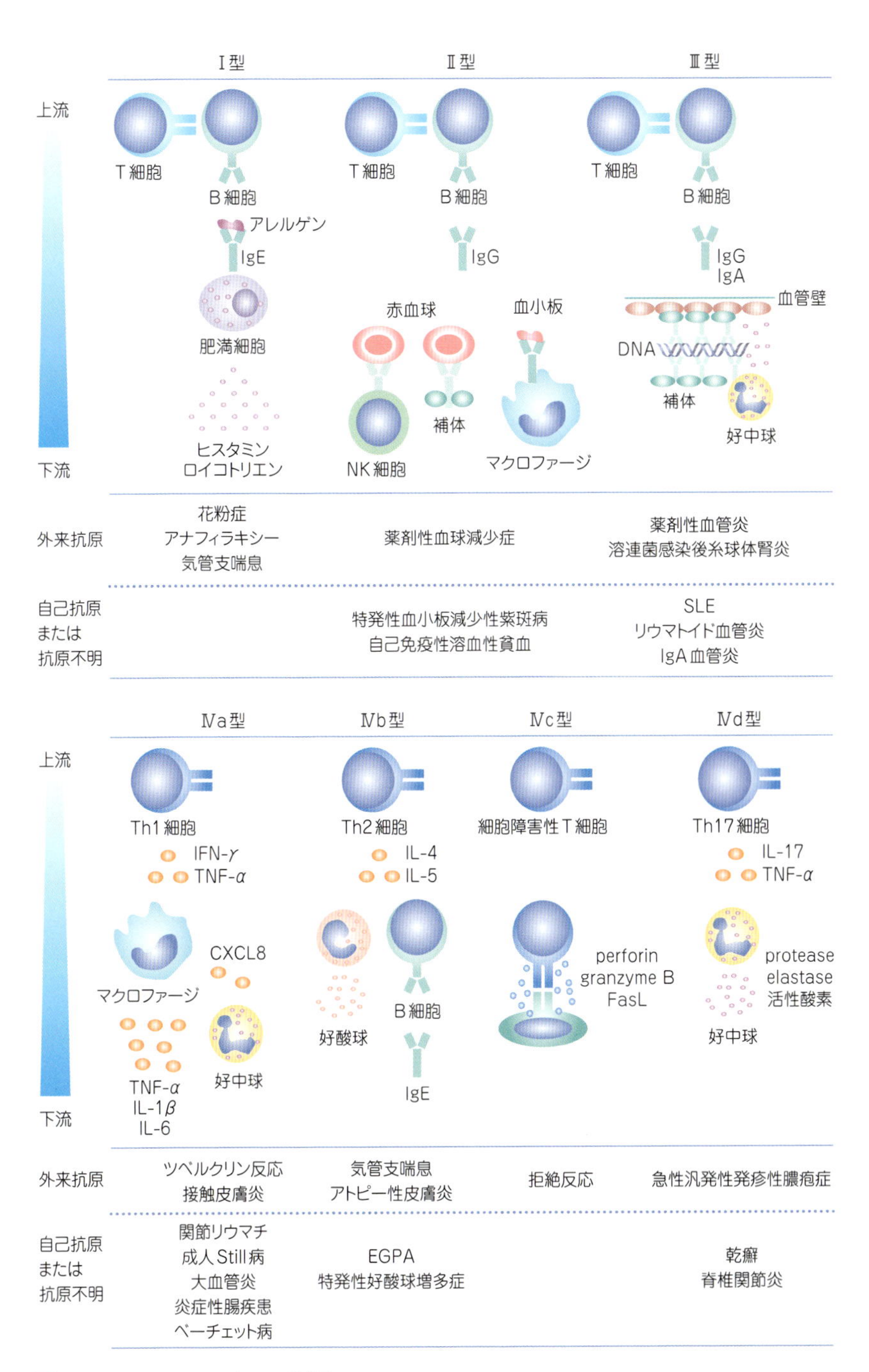

図2　Gell & Coombsの分類

を介した反応で「遅延型」とも呼ばれます。

- Ⅳa型では，Th1細胞がマクロファージを活性化し，マクロファージから放出されたケモカイン（CXCL8）により好中球が遊走してきます。Ⅳb型では，Th2細胞が好酸球，IgEを誘導します。Ⅳc型では，細胞障害性（$CD8^{+}$）T細胞が標的細胞にアポトーシスを起こす疾患です。Ⅳd型では，Th17細胞が好中球を誘導します。
- どの病型でも「主犯格」がリンパ球（T細胞，B細胞）であることには変わりませんが，その下流の「実行犯」が病型ごとに異なることに気がつくと思います。
- 疾患によっては「主犯格」であるリンパ球を抑制する免疫抑制薬に加えて，特定の「実行犯」を制御する治療薬もステロイド減量には非常に有効な手段となります。
- たとえば，Ⅰ型の気管支喘息では，抗IgE抗体を投与することで経口ステロイドの減量が可能になります。Ⅱ型の特発性血小板減少性紫斑病では，抗体を産生するB細胞に発現するCD20を標的とした抗体（リツキシマブ）を投与することでステロイドの減量が可能になります。Ⅳa型の関節リウマチでは抗TNF-α抗体や抗IL-6受容体抗体，Ⅳb型の好酸球性多発血管炎性肉芽腫症では抗IL-5抗体，Ⅳd型の乾癬*では抗IL-17抗体を投与することで病態を制御することが可能になります。

*：乾癬には通常，全身ステロイド投与は行いません。

ここがPOINT！

◉ステロイドの減量・中止に役立つsteroid-sparing agentには，リンパ球全般を標的とした免疫抑制薬だけではなく，特定の細胞や分子（サイトカインなど）を標的とした治療が含まれます。

6 ステロイドと免疫抑制薬の特徴

- ステロイドや免疫抑制薬の薬理作用は少し難しいところがあるので，ここで少し補足の説明をしておきたいと思います。薬理作用がわかると，病態ごとに変わるステロイドの用量や免疫抑制薬の選択が理解しやすくなります。

①ステロイド

- ステロイドは細胞質内にあるステロイド受容体αと結合し，核内に移行し，遺伝子の発現を調節することで抗炎症作用，免疫抑制作用，副作用を発揮します。
- ステロイドによる強力な抗炎症作用は，主に炎症性サイトカインの産生を抑制することで得られます。
- ステロイドに対する感受性は細胞ごとに違いがあります（**図3**）。
- ステロイドが一番効きやすいのは好酸球です。好酸球は顆粒やDNAを細胞外に放出することで炎症を起こしますが，ステロイドは好酸球に対してアポトーシスを誘導し炎症を制御することができます。
- 次にステロイドが効きやすいのがリンパ球です。ステロイドはサイトカイン産生，遊走，増殖を低下させます。B細胞からの抗体産生を抑制するには高用量のステロイドが必要です。ステロイドを超高用量で投与するとアポトーシスを誘導します。
- マクロファージに対してはサイトカイン産生，遊走，貪食などを低下させることができますが，ステロイドがやや効きにくい部類に入りますので，マクロファージが極度に活性化した状態（マクロファージ活性化症候群）ではステロイドパルスでなんとか抑えられるかどうかというレベルになります（抑えられないこともあります）。

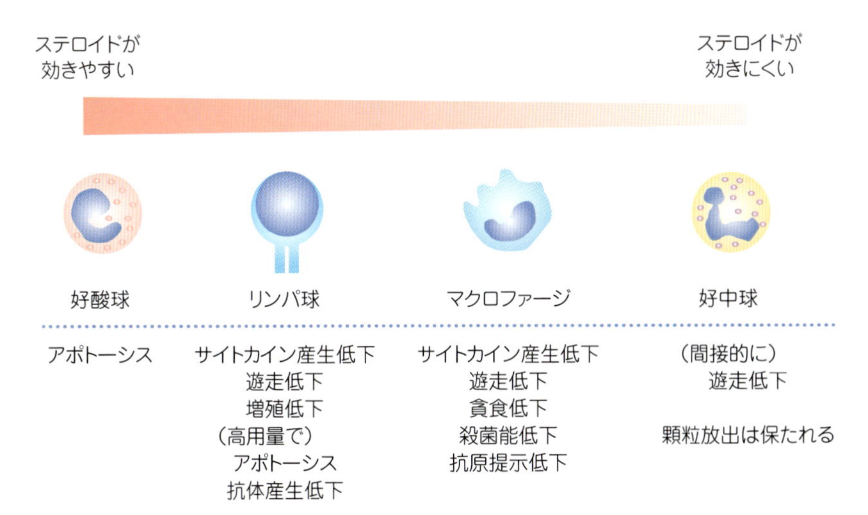

図3　細胞ごとのステロイドに対する感受性とその作用

- 最もステロイドが効きにくいのが好中球です。その理由は核にあります。好中球の核がなぜ分葉して小さいのかというと，クロマチン線維（DNAとヒストンの複合体）が強く凝集してヘテロクロマチンとなっているからです。ヘテロクロマチン構造ではDNAの複製や遺伝子の発現が制限されます。したがって，好中球は分裂せず，遺伝子の発現もほとんど行いません。ステロイドが細胞質内にあるステロイド受容体αに結合しても核内の作用点がない状態です。さらに好中球にはステロイド受容体βというステロイド受容体αを阻害する蛋白が豊富に発現しているため，ステロイドがステロイド受容体αに結合しにくい環境があります[2)]。ステロイドを投与したときに好中球による炎症もある程度抑制することができるのは，他の細胞からのサイトカインやケモカインの産生，また血管内皮細胞の接着分子の発現を低下させることで間接的に好中球の遊走を抑制するからです。しかし，好中球による炎症が激しくなると，好中球によるプロテアーゼで周囲の組織が障害を受け，細胞内からATPや尿酸などの炎症性物質であるdanger-associated molecular patterns（DAMPs）が大量に放出されるため，ステロイドを投与しても炎症がおさまらなくなります。

【ステロイドの薬理作用をどう臨床に活かすか】

- 好酸球が主体となる炎症は，ステロイドで寛解を導入しやすい病態です。
- B細胞からの自己抗体産生を低下させるには高用量のステロイドが必要で，ステロイド単剤では低用量に減らしたときに自己抗体の産生が回復し，疾患が再燃することが多くなります。また，T細胞の抑制も弱くなります（ステロイド単剤での治療はお勧めできず，免疫抑制薬が必要となる理由のひとつです）。
- マクロファージ活性化症候群ではステロイド単剤での寛解導入を期待せず，免疫抑制薬や抗サイトカイン療法を併用しましょう。
- 好中球が暴走したらステロイドでもお手上げです。

MEMO

▶病態の上流にあるT細胞，B細胞を抑制したい場合は，プレドニゾロン（PSL）0.5mg/kg/日以上を初期用量とします。

▶T細胞，B細胞を抑制する必要がなく炎症のみを抑制したい場合は，PSL 0.4mg/kg/日以下で治療を開始することが多いです（例：リウマチ性多発筋痛症）。

②シクロホスファミド

- 1958年に臨床応用された最も古い免疫抑制薬のひとつです。米国とドイツで開発された毒ガス兵器であるナイトロジェンマスタードの誘導体なので，細胞選択性はなく，毒性は高い薬剤です。造血前駆細胞にも作用する細胞障害薬(cytotoxic agent)のひとつです。
- グアニン同士を陽性荷電で架橋し，DNAの複製を阻害します。細胞周期に依存せずに作用するのが特徴です。
- 免疫抑制薬としての効果は，主にT細胞，B細胞の増殖や抗体産生を低下させる点にあります。経口で2mg/kg/日を3～4カ月投与すると末梢血中のB細胞はゼロに近いところまで減少します[3]。
- 積算量に比例して悪性腫瘍のリスク，特に膀胱癌のリスクが増加します。

【シクロホスファミドの薬理作用をどう臨床に活かすか】

- 強力な免疫抑制効果が期待できる一方，毒性も強いので，臓器不全や死に至るリスクが高い病態に限って使用します。
- 積算量が増えると毒性が増すので，投与は寛解導入期にとどめます。
- 効果で経口投与と同等のエビデンスがあれば，間欠的静脈注射(パルス)を選択することで積算量を減らすことが可能になります。
- 膀胱毒性を軽減するために，パルス療法では5%糖液やhalf saline 2,000mL程度を同時に点滴静注して利尿を行います。経口投与では朝に分1投与することで入眠中に膀胱内に貯留しないようにします。
- 一般的な用量は，以下の通りです。積算量を増やさないように，投与期間は半年以内にすることが多いです。
  ➡パルス療法の場合：500～1,000mg/m^2を月1回点滴静注
  ➡経口投与の場合：2mg/kg/日

③アザチオプリン

- アザチオプリンは，体内で抗癌剤のひとつである6-mercaptopurine(6-MP)に代謝されて，プリン塩基(アデニン，グアニン)の合成を阻害します。
- 細胞周期に依存して細胞増殖を抑制します。細胞選択性はありませんが，シクロホスファミドより毒性は低いです。造血前駆細胞にも作用する細胞障害薬の

ひとつです。

- 免疫抑制薬としての効果は，主にT細胞，B細胞の増殖や抗体産生を低下させる点にあります。
- 6-MPはTPMT，NUDT15，キサンチンオキシダーゼなどの酵素で薬理作用のない物質に代謝されます。
- 副作用としては肝障害が最も多く，1/3の症例で出現しますが，軽度であることがほとんどで，減量や休薬で回復します。

【アザチオプリンの薬理作用をどう臨床に活かすか】

- シクロホスファミドと比べて毒性が弱い一方，細胞内に蓄積するまで3カ月程度要するので，即効性がありません。そのため，寛解導入療法には不向きで，主に寛解維持療法に用いられます。多くの疾患で，標準的な寛解維持薬として位置づけられています。
- 日本人の0.3%がTPMT活性の低い遺伝子多型を有していると考えられます[4)]。最近，ゲノムワイド関連解析（GWAS）によりアジア人に*NUDT15*活性の低い遺伝子多型が多いことがわかりました[5)]。これらの酵素活性が低下している場合，予想をはるかに超える細胞障害性（無顆粒球症や激しい脱毛）が発現します。
- 新規でアザチオプリンを開始する場合は，*NUDT15*遺伝子codon 139多型解析を行います。
- 痛風，高尿酸血症の治療薬として用いられるアロプリノール，フェブキソスタットはキサンチンオキシダーゼ阻害薬なので，アザチオプリンによる細胞障害性を増強させます。前者を併用するときは，アロプリノールの用量を1/3～1/4に減量します。後者の併用は禁忌です（☞**3章4**）。
- 一般的な用量は，以下の通りです。
  ➡1mg/kg/日（50mg）で開始し，4週後に2mg/kg/日（100mg）に増量
- *NUDT15*遺伝子codon 139にArg/CysやCys/Hisの遺伝子多型を認める場合は，25mgより開始します（**表1**）[6)]。
- *NUDT15*活性が正常でもTPMT活性が低い場合があります。この場合，投与開始4～10週で急激な白血球減少症がまず現れるので，この間は2～4週間隔で定期的に採血を行います。

表1 *NUDT15*遺伝子codon 139多型解析検査結果ごとのチオプリン製剤の開始方法

*NUDT15*遺伝子codon 139多型解析検査結果	日本人での頻度	通常量で開始した場合の副作用頻度		チオプリン製剤の開始方法
		急性高度白血球減少	全脱毛	
Arg/Arg	81.1%	稀（<0.1%）	稀（<0.1%）	通常量で開始
Arg/His				
Arg/Cys	17.8%	低（<5%）	低（<5%）	減量して開始
Cys/His	<0.05%	高（>50%）		
Cys/Cys	1.1%	必発	必発	服用を回避

（文献6より転載）

④メトトレキサート

- メトトレキサート（MTX）は，葉酸アナログとしてテトラヒドロ葉酸の合成を阻害します。テトラヒドロ葉酸はDNAやアミノ酸の合成に関わります。
- 細胞選択性はなく，造血前駆細胞にも作用する細胞障害薬のひとつです。
- 免疫抑制薬としての効果は，他の免疫抑制薬と同様にT細胞，B細胞の増殖や抗体産生を低下させる点にありますが，MTXはアデノシンの細胞外への放出を促すことで抗炎症作用も示す点が特徴的です。アデノシンは，マクロファージからのサイトカイン産生を制御します。また，上皮細胞に作用して好中球の遊走を抑制します。
- MTXはポリグルタミン酸型（MTX-PG）になって薬理作用を発揮します。MTX-PGが細胞内で平衡濃度になるのには約6カ月かかります。MTX-PGは細胞外に排出されないので，細胞内半減期は約3週間，消失までに15週間かかります。

【メトトレキサートの薬理作用をどう臨床に活かすか】

- 一般的な免疫抑制効果に加えて抗炎症作用もあるので，マクロファージや好中球が関与するGell&Coombs IVa型（関節リウマチ，成人発症Still病，高安動脈炎，乾癬性関節炎）に対しては他の免疫抑制薬より効果が期待できます。同様にマクロファージや好中球が関与するサルコイドーシスや非感染性ぶどう膜炎にも有効です[7, 8]。
- 非重篤な血管炎[9]，再発性多発軟骨炎[10]，SLEの皮膚・関節症状[11]，皮膚筋炎・多発性筋炎[12]，強皮症の皮膚硬化[13]にも有効性が示されています。MTX

は使いこなせると非常に便利な薬剤です。

- 胸水，腹水が貯留している症例では，MTXが胸腹水に貯留するので，MTXによる副作用が出現しやすくなります。腎排泄なので，腎機能が低下した症例や膀胱摘出後に回腸導管を造設した症例でもMTXによる副作用が出現しやすくなります。
- 嘔気，口内炎，肝酵素上昇など軽度の副作用は，MTX投与24～48時間後に葉酸を補充することで軽減できます。
- MTXは葉酸の代謝を阻害するので，重度の骨髄抑制が生じた場合は，葉酸を補充するのではなくロイコボリン救援療法を行います。
- 一般的な用量は，以下の通りです。年齢，腎機能などにより適宜減量します。また，MTXの効果，副作用には個人差があるので，実際には症例ごとに用量を変える必要があります。

  ➡6～8mg/週で投与を開始し，2～4週後に増量し，最終的には12～16mg/週まで増量

- MTX-PGが細胞内に蓄積するのに時間がかかるため，臨床的な効果の発現には2カ月くらい要しますが，反対に細胞内半減期も長いので，感染症などで2週間くらい休薬しても効果は減弱しません。

⑤ミコフェノール酸モフェチル

- ミコフェノール酸モフェチル（MMF）は，プリン合成の *de novo* 経路に作用し，グアニン合成を阻害します。
- MMFはリンパ球を選択的に抑制します。リンパ球はプリン合成を *de novo* 経路に依存していますが，他の細胞はsalvage経路も有しているのでMMFにより抑制されにくいからです。
- 免疫抑制薬としての効果は，他の免疫抑制薬と同様にT細胞，B細胞の増殖や抗体産生を低下させる点にあります。実験レベルでは，線維芽細胞の機能が抑制されることが示されています[14)]。

【ミコフェノール酸モフェチルの薬理作用をどう臨床に活かすか】

- MMFはリンパ球に選択的に作用するので骨髄抑制を起こしにくいのですが，免疫抑制効果に優れており，ループス腎炎[15)]や強皮症による間質性肺炎[16)]で

はシクロホスファミドと同等の効果が示されています。

- 皮膚筋炎[17]や関節リウマチ[18]による間質性肺炎への有効性が示されており，免疫抑制効果に加えて線維芽細胞も抑制することが機序として想定されます。
- 一般的な用量は，以下の通りです。
  ➡1g/日 分2から開始し，2〜4週ごとに増量し，3g/日まで増量
- 日本人を含むアジア人では，消化器系の副作用（下痢，嘔気，腹痛）が出現しやすく，2〜2.5g/日が上限となることが多いです。

⑥シクロスポリン・タクロリムス

- シクロスポリン・タクロリムスは，カルシニューリンの活性を阻害し，転写因子であるNFATの核内への移行を阻害します。NFATはIL-2の産生に関与します。 また，AP-1，Maf，T-betなどの転写因子と協力してIFN-γやIL-4の産生にも関与します[19]。
- カルシニューリンはT細胞受容体のシグナル分子なので，シクロスポリン・タクロリムスは主にT細胞の増殖，サイトカイン産生を抑制します。
- シクロスポリン・タクロリムスは，主にCYP3A4で代謝されます。タクロリムスはCYP3A5でも代謝されます。シクロスポリン・タクロリムスはP糖蛋白により細胞外に排出されます。シクロスポリン・タクロリムスはP糖蛋白を阻害する作用，そして肝臓の有機アニオントランスポーターを阻害する作用を有します。

【シクロスポリン・タクロリムスの薬理作用をどう臨床に活かすか】

- シクロスポリン・タクロリムスは免疫系の司令塔であるヘルパーT細胞を抑制するので，様々な免疫疾患に幅広く使用されます。また，細胞障害性T細胞も抑制するので，臓器移植後の拒絶反応を抑制する目的にも多用されます。
- CYP3A4で代謝されるので，CYP3A4を阻害する薬剤や誘導する薬剤との併用には注意が必要です（☞**3章4**）。
- CYP3A5は遺伝子多型の頻度が高く，日本人の約6割はCYP3A5を発現しないためタクロリムスの血中濃度を維持しやすいのですが，CYP3A5を発現する場合は，発現しない場合と比して約2倍以上の用量が必要となります[20]。タクロリムスを増量しても血中濃度が上がらない場合は，シクロスポリンへ

の変更を検討します。

- P糖蛋白を阻害するため，コルヒチンと併用すると筋毒性が出現することがあります。
- 有機アニオントランスポーターを阻害するため，ボセンタンとの併用は禁忌です。また，シクロスポリンは，ピタバスタチン（リバロ），ロスバスタチン（クレストール®）との併用も禁忌です〔米国ではシンバスタチン（リポバス®）の併用も禁忌〕（☞**3章4**）。
- カリウム保持性利尿薬との併用で高カリウム血症が起こりやすくなり，タクロリムスでは併用禁忌です。
- 一般的な用量は，以下の通りです。
  ➡シクロスポリンの場合：2.5mg/kg/日から開始し，4～8週おきに増量し，5mg/kgを上限とする（5mg/kg/日を超えると腎障害の頻度が増加）
  ➡タクロリムスの場合：0.075mg/kg/日もしくは3mg/日で投与を開始
- 血中濃度と治療効果に関するエビデンスは不足しています。シクロスポリンはピーク（内服2時間後）またはトラフ血中濃度のいずれかをモニタリングします。ピーク値のほうがAUCと相関するとされますが，トラフ値より臨床的に優れているのかは議論があります。 ピーク値であれば400～800ng/mL，トラフ値であれば50～150ng/mL程度を目標に用量調節をすることが多いです。タクロリムスの場合は，トラフ値で5～10ng/mLを目標に治療を開始し，病態が改善したら3～7ng/mL程度を目標に用量調節をすることが多いです。
- 頻度の高い副作用は腎機能障害で，血清クレアチニンが30％以上上昇したら，血中濃度を測定しながら減量します。

7 複数の免疫抑制薬を併用することは可能か？

- 免疫疾患の治療は，ステロイド＋免疫抑制薬の併用が基本になります。投与する免疫抑制薬は1剤のことが多いのですが，病態によっては2剤併用することがあります。
- 併用する免疫抑制薬は，効果・副作用の観点から作用機序の異なるものを組み合わせるのが通常です。免疫疾患で用いられる免疫抑制薬は，細胞周期を直接阻害する作用のある細胞増殖抑制薬（cytostatic）とカルシニューリン阻害薬の

表2　免疫抑制薬の分類と薬剤ごとの特徴

細胞増殖抑制薬	細胞選択性	造血前駆細胞への影響	直接的抗炎症作用
シクロホスファミド	−	＋	−
アザチオプリン	−	＋	−
メトトレキサート	−	＋	＋
ミコフェノール酸モフェチル	T細胞，B細胞	−	−
カルシニューリン阻害薬	**細胞選択性**	**造血前駆細胞への影響**	**直接的抗炎症作用**
シクロスポリン	T細胞	−	−
タクロリムス	T細胞	−	−

2つに大きくわけることができます（**表2**）。

- 免疫抑制薬を併用する場合は，細胞増殖抑制薬1剤＋カルシニューリン阻害薬1剤の組み合わせとします。

ここがPOINT！

◉免疫抑制薬を2剤用いることで寛解導入や寛解維持が上手くいくことがあります。

◉免疫抑制薬1剤で無効である場合は免疫抑制作用が不足していることがほとんどです。その場合は，作用機序の異なる免疫抑制薬を追加することで病態が改善します。

◉作用機序が同じ免疫抑制薬を併用すると副作用の発現頻度が上昇するので避けましょう。

8　免疫抑制薬を早めに開始することがステロイド治療を成功させるための鍵

- 前述のように免疫抑制薬は遅効性なので，投与を開始してもすぐには効いてきません。最も強力なシクロホスファミドでも，投与を開始してから効果が出現するまで，早くても2～4週かかります。しかも，一度に大量に投与するパルス療法でも初回投与は至適用量以下で開始することが多く，白血球のnadirが3,000/μL程度となるように2回目以降に投与量を増量していくこともあるので[21]，月1回のパルス療法の場合，十分な免疫抑制効果が出現するのは2カ月後以降になることもめずらしくありません。

- その他の免疫抑制薬でも効果が出現するまで1～2カ月を要し，アザチオプリンに至っては3カ月程度を要します。
- 病勢をコントロールしながらステロイドを早期に減量するには，免疫抑制薬を早期に開始することをお勧めします。

ピットフォール

➡免疫抑制薬を併用すると感染症リスクが上昇するという考えは，必ずしも正しくありません。

➡SLEを対象に行った症例対照研究では，多変量解析にて免疫抑制薬による感染症の増加は示されず，ステロイドがリスク因子であることが示されています[22]。他の免疫疾患でもステロイドが感染症の最大リスクであると考えるのが一般的です[23]。

文 献

1) Curtis JR, et al:Arthritis Rheum. 2006;55(3):420-6.
2) Barnes PJ, et al:Lancet. 2009;373(9678):1905-17.
3) Specks U, et al:N Engl J Med. 2013;369(5):417-27. Supplement Figure S7.
4) Sasaki T, et al:Drug Metab Pharmacokinet. 2006;21(4):332-6.
5) Moriyama T, et al:Nat Genet. 2016;48(4):367-73.
6) 日本リウマチ学会，他：リウマチ性疾患に対するアザチオプリン使用に関する通知（NUDT15遺伝子多型検査の保険承認を受けて）.
[https://www.ryumachi-jp.com/info/news190222.pdf]（2022年12月閲覧）
7) Baughman RP, et al:Sarcoidosis Vasc Diffuse Lung Dis. 2000;17(1):60-6.
8) Samson CM, et al:Ophthalmology. 2001;108(6):1134-9.
9) Stone JH, et al:J Rheumatol. 1999;26(5):1134-9.
10) Park J, et al:J Rheumatol. 1996;23(5):937-8.
11) Carneiro JR, et al:J Rheumatol. 1999;26(6):1275-9.
12) Choy EH, et al:Cochrane Database Syst Rev. 2005;(3):CD003643.
13) Pope JE, et al:Arthritis Rheum. 2001;44(6):1351-8.
14) Roos N, et al:J Pharmacol Exp Ther. 2007;321(2):583-9.
15) Chan TM, et al:N Engl J Med. 2000;343(16):1156-62.
16) Tashkin DP, et al:Lancet Respir Med. 2016;4(9):708-19.
17) Morganroth PA, et al:Arthritis Care Res (Hoboken). 2010;62(10):1496-501.

18) Saketkoo LA, et al:Arch Intern Med. 2008;168(15):1718-9.
19) Macian F, et al:Nat Rev Immunol. 2005;5(6):472-84.
20) Tsuchiya N, et al:Transplantation. 2004;78(8):1182-7.
21) Gourley MF, et al:Ann Intern Med. 1996;125(7):549-57.
22) Ruiz-Irastorza G, et al:Arthritis Res Ther. 2009;11(4):R109.
23) Wolfe F, et al:Arthritis Rheum. 2006;54(2):628-34.

（岩波慶一）

2. ステロイドの副作用と対策 —ステロイド治療の心構え

副作用への対策のコツ

▶副作用の機序はステロイドホルモンの薬理学的作用に基づいており，大部分の副作用は予測できます。

▶副作用を予測し，先回りして対処しておくことでステロイドの副作用を減らすことができます。

▶ステロイドの減量・中止が，最も効果のある副作用対策です。

▶原疾患による臓器障害だけでなく，ステロイドによる臓器障害にも敏感になりましょう。

1 ステロイドの薬理作用と副作用の関係

- 大部分の副作用は薬理学的作用に基づいています。想定外の副作用の出現は稀です。
- 副作用をあらかじめ頭に入れておけば，事前に対策を立てて，副作用を最小限にすることができます。

2 副作用の閾値

- ステロイドを開始したらすべての副作用が出現するわけではありません。
- ステロイドの副作用には，用量の閾値，投与期間の閾値があり，両者の閾値を超えたときに副作用が出現します（**図1**）。副作用がいったん出現すると，用量閾値以下に減量しても副作用は持続する傾向があります。
- 数ある副作用の中で最も注意を払わなければならないのは，視床下部－下垂体－副腎系（HPA）抑制です。HPAが抑制されるとステロイドを短期間では中止できなくなるからです。

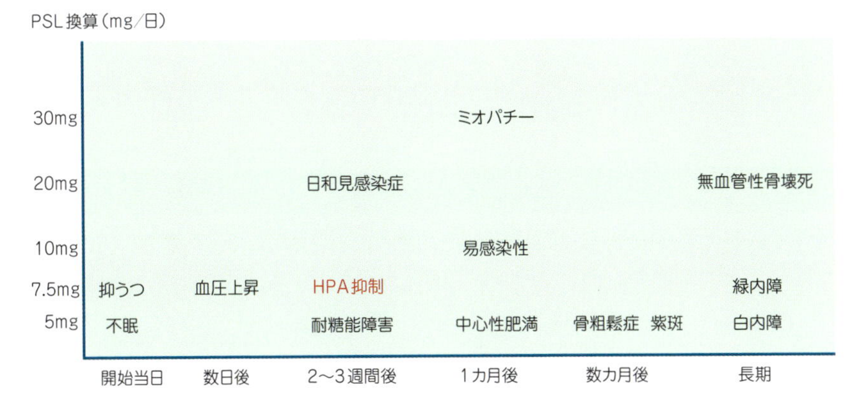

図1　ステロイドの副作用が出現する閾値（用量，投与期間）

- HPA抑制の用量閾値はプレドニゾロン（PSL）7.5mg/日，期間閾値は3週間が目安となります。実際には，副作用の発現には個体差があり，この閾値では約半数でHPAが抑制されると考えられます[1]。
- PSL 7.5mg/日未満でもHPA系は抑制される可能性があります。関節リウマチを対象とした研究では，PSL 5mg/日を少なくとも6カ月以上服薬していると，39%の症例でrapid ACTHテストの反応が不十分でした。ステロイドの関節内注射や筋肉内注射が行われた症例まで含めると，48%の症例でHPA系は抑制されていました[2]。
- 用量を問わず3週未満のステロイド投与では，長期間HPAが抑制される可能性は低いです。また，高用量のPSLでも隔日投与であればHPAが抑制される可能性は低くなります。しかし，半減期の長いデキサメタゾンでは隔日投与でも副腎機能は抑制されます[3]。

MEMO

▶副作用の発現に個体差があるのは，ステロイド受容体の遺伝子多型に起因すると考えられています。

▶ムーンフェイスになる症例はHPAが抑制されている可能性が高く，PSL 3mg/日以下に減量したときにステロイド離脱症候群が出現することがあります（☞**3章2**）。

▶HPAが抑制されると回復までに9カ月～1年を要するので，減量中にステロイド離脱症候群が出現した場合は，半年～1年ごとに1mgずつ緩徐に減量していきます。

ここがPOINT！

◉ステロイドが補助的な治療となり，短期間の投与にとどまる疾患（例：関節リウマチ，強皮症）では，ステロイドを隔日投与することでHPA抑制を回避し，速やかにステロイドを中止することができます。

MEMO

▶PSL 20mg/日が日和見感染症の用量閾値となるのは，T細胞が減少して細胞性免疫が低下するためであると考えられます[4]。このため，PSL 20mg/日を2～3週間投与すると口腔カンジダ症が出現することがしばしばあります。重篤な日和見感染症は投与1カ月後以降に出現します。

▶一方，PSL 20mg/日ではB細胞は減少しません[4]。

3 スクリーニングにより行う副作用予防

- 大部分の副作用は予測できるので，事前にスクリーニングを行い，リスクが高い症例では予防しておく必要があります（**表1**）。

①潜在性結核感染症スクリーニング

- PSL 15mg/日を1カ月以上投与する場合がリスク因子として知られていますが[5]，ステロイド量によらず免疫抑制薬や抗サイトカイン療法を併用する際は胸部X線，インターフェロンγ遊離試験（T-SPOTやQuantiFERON：QFT）によるスクリーニングを行います。潜在性結核感染症であることが判明したらイソニアジドによる治療を6～9カ月行います。
- イソニアジドが副作用で投与できない場合は，リファンピシンによる治療を4カ月間行いますが[6]，ステロイドと薬剤相互作用があり，プレドニゾロンでは2倍に増量しなければなりません（ステロイドの種類によって増量幅は異なります）（☞**3章4**）。

表1　免疫抑制療法前のチェックリスト

チェックリスト	ステロイド		免疫抑制薬,抗サイトカイン療法（ステロイドの有無は問わない）
	短期間（2～3週未満）	長期（左記以上）	
胸部X線	✓	✓	✓
T-SPOT or QFT		✓	✓
HBsAg	✓	✓	✓
HBcAb, HBsAb		✓	✓
HCVAb		✓	✓
HbA1c 血糖	✓	✓	
LDL-C, HDL-C, TG		✓	
ガイドラインでリスク評価（3カ月以上投与予定の場合）		✓	
緑内障（家族歴,糖尿病,強度近視の場合）		✓	
NSAIDs中止 or PPI併用（NSAIDs中止不可能なら）	✓	✓	

LDL-C：LDLコレステロール, HDL-C：HDLコレステロール

処方例

- イソニアジド錠（100mg）1回3錠　1日1回　朝食後　6～9カ月
- イソニアジドが投与できない場合,
  リファンピシンカプセル（150mg）1回4カプセル　1日1回　朝食後　4カ月
  （プレドニゾロンを倍量にする）

②B型肝炎スクリーニング

- 本邦では1～3％がHBs抗原陽性（慢性B型肝炎，無症候キャリア），20～25％がHBc・HBs抗体陽性（既感染）と考えられています。これらの患者にステロイドを投与することで劇症肝炎を発症する可能性があります。2週以上ステロイドを投与する予定があれば，事前にHBs抗原，HBc抗体，HBs抗体によるスクリーニングを行います。
- HBs抗原陽性例には核酸アナログによる治療を行います。
- HBc抗体またはHBs抗体陽性例（ワクチン接種によるHBs抗体単独陽性例は除く）でHBV-DNA定量1.3 log copies/mL未満ではHBV-DNAリアルタイムPCRによるモニタリングを1～3カ月に1回行い，HBV-DNA定量1.3 log copies/

mL以上になれば核酸アナログによる治療を行います（HBV-DNAの治療閾値は頻回に変更されていますので，日本肝臓学会が作成した最新の「免疫抑制・化学療法により発症するB型肝炎対策ガイドライン」[7]を確認して下さい）。

処方例

- エンテカビル錠（0.5mg）1回1錠　1日1回　空腹時
- またはテノホビル・ジソプロキシルフマル酸塩錠（テノゼット）（300mg）1回1錠　1日1回
- またはテノホビル・アラフェナミド錠（ベムリディ®）（25mg）1回1錠　1日1回

MEMO

▶ C型肝炎へのステロイドの影響は，報告により異なっています。現時点では事前にC型肝炎ウイルス（HCV）のスクリーニングをして肝酵素を経過観察していくのが妥当であると考えられます。Direct acting antivirals（DAA）によるHCVの排除も選択肢として考えられます。

▶ HCVとHBVの重複感染またはHCV感染＋HBV既感染では，HCVが治療により排除されるとHBVの再活性化や重症肝炎が起こる可能性があります。特に免疫抑制薬を投与している場合は，HCV治療後にHBV再活性化リスクがあり，HBV-DNAが上昇してくるようであれば拡散アナログによる治療を行う必要があります。

③耐糖能・脂質代謝スクリーニング

- 耐糖能異常，脂質代謝異常があるとステロイド治療により治療を要する高血糖，脂質異常症になる可能性があります。HbA1c，血糖，LDLコレステロール，HDLコレステロール，中性脂肪を事前に確認しておきます。

④緑内障スクリーニング

- ステロイドは開放隅角緑内障のリスクとなります。ステロイド点眼薬が最もリスクとなりますが，内服薬でもリスクとなりえます。
- 開放隅角緑内障の家族歴，40歳以上の糖尿病，強度近視を有する例では緑内障のリスクがあるので，PSL 7.5mg/日以上を長期投与する際は緑内障のスクリーニングを行います。

- 投与経路によらず2週間未満の投与であれば緑内障リスクは低いですが，点眼では眼圧が上昇することがあります（☞2章25）。

MEMO

▶開放隅角緑内障では点眼薬以外の抗コリン薬は使用できます（2019年に添付文書の「禁忌」の項から「慎重投与」の項に変更）。

▶ステロイド緑内障を併発していても内視鏡前処置でブスコパン®を選択することが可能になりました。

⑤非ステロイド性抗炎症薬（NSAIDs）の中止

- NSAIDsとステロイドの併用は上部消化管潰瘍のリスクを上げます。
- 炎症による発熱，疼痛はステロイドにより改善するのでNSAIDsは可能な限り中止するように心がけましょう。やむをえずNSAIDsを併用する場合は，COX-2阻害薬を選択するかプロトンポンプ阻害薬（PPI）で予防を行います。

MEMO

▶ステロイド単剤では上部消化管潰瘍の有意な増加はないことが知られていますが[8]，入院患者においてはステロイドが消化管出血や穿孔のリスクになることを示唆する報告もあります[9]。

▶IL-6のシグナルを阻害する生物学的製剤（トシリズマブ，サリルマブ），JAK阻害薬は上下部消化管穿孔のリスクであることが知られています[10]。ステロイドと併用することで穿孔リスクが高まる可能性があります[11, 12]。

4 副作用の閾値を超えたら行う予防

①ニューモシスチス肺炎予防

- 免疫抑制療法に伴って出現するニューモシスチス肺炎（pneumocystis pneumonia；PCP）は致死率が高いことが知られています。
- PSL 20mg/日を1カ月以上投与すると日和見感染症が増加するため，PCP予防を開始する目安となりますが[13]，実際はこの条件に当てはまらなくてもPCPを発症することが知られています。

- ステロイドはPCPのリスク因子のひとつにすぎず，PCP発症の必要条件ではありません。ステロイドを投与しなくても，免疫抑制薬や抗サイトカイン療法でPCPを発症することが知られています[14, 15]。
- PSL 20mg/日を1カ月以上投与する場合に加え，免疫抑制薬や抗サイトカイン療法を用いる場合，高齢または既存肺疾患のリスク因子があればステロイドの有無を問わずPCP予防を考慮します[16]。
- 同様に，ステロイドを中止してもPCPを発症することが知られています。上記リスク因子があり，ステロイド中止後も免疫抑制薬や抗サイトカイン療法を継続する場合はPCP予防も継続したほうが無難です[17]。

処方例

- 第一選択薬：ST合剤錠　1回1錠　1日1回　連日

ST合剤が副作用で使用できないときに下記のいずれかを用いますが，予防効果は低下します。

1) アトバコン　10mL　1日1回　食後　連日
2) ペンタミジン　300mg　蒸留水5mLに溶解し，生理食塩水またはブドウ糖で稀釈し30分かけてネブライザー吸入　月1回

ここがPOINT！

◉ST合剤は副作用が多い薬剤ですが，最も有効なPCP予防薬なので，可能な限り継続するようにします。

◉過敏型反応（発熱，非重症薬疹など）は脱感作で忍容性が得られる場合があり，積極的に検討すべきです。

◉脱感作のプロトコールは施設ごとに異なりますが，筆者は**表2**のプロトコールで脱感作を行っています。9割近い成功率であることが報告されています[18]。

◉電解質異常は減量すると忍容性が得られることがあります。ST合剤1/4錠（バクタミニ®配合錠 1錠）の連日または隔日投与でも予防効果が得られるとする報告があります[19]。

◉重症薬疹，無顆粒球症，薬剤性血管炎，肝障害が出現したら他剤に変更せざるをえません。

表2　ST合剤顆粒を用いた脱感作プロトコール

	朝	夕
1日目	0.005g	0.01g
2日目	0.02g	0.04g
3日目	0.1g	0.2g
4日目	0.4g	0.8g
5日目	1g(1錠)	—

②ステロイド性骨粗鬆症予防

- 日本骨代謝学会の「ステロイド性骨粗鬆症の管理と治療ガイドライン(2014年版)」[20]のスコアリングシステムを参考に治療適応を判断します(**表3**)。既存骨折，65歳以上または腰椎骨密度YAM 70%未満ではステロイド量によらず治療適応となります。
- 治療はアレンドロン酸，リセドロン酸を第一選択とします。

処方例

下記のいずれかを用います。
1) アレンドロン酸錠(35mg)1回1錠　週1回　起床時
2) リセドロン酸錠(17.5mg)1回1錠　週1回　起床時

表3　ステロイド性骨粗鬆症の管理と治療ガイドライン：2014年改訂版

危険因子		スコア
既存骨折	なし	0
	あり	7
年齢	50歳未満	0
	50歳以上，65歳未満	2
	65歳以上	4
ステロイド投与量(PSL換算)	5mg/日未満	0
	5mg/日以上，7.5mg/日未満	1
	7.5mg/日以上	4
腰椎骨密度(%YAM)	80%以上	0
	70%以上，80%未満	2
	70%未満	4

スコア3以上で治療適応　　(文献20より改変)

ピットフォール

➡骨粗鬆症ガイドラインは国によって異なります。国際的にはFRAX®(骨折リスク評価ツール)を用いて治療適応を判断することが多いのですが，閉経前の女性と50歳未満の男性には適応できない制限があります。

➡そもそも本邦ではガイドライン遵守率の低さが問題となっています。日本骨代謝学会が作成した以前のガイドラインの遵守率は20%と非常に低い状況でした。

➡FRAX®を推奨しても遵守されなければ意味がないので，「PSL 7.5mg/日以上を3カ月以上投与する予定では，年齢を問わず骨粗鬆症予防が必要となる」とまずは記憶し，次に「65歳以上では，ステロイド量を問わず骨粗鬆症予防が必要となる」と記憶しておきましょう。

MEMO

▶骨吸収抑制薬関連顎骨壊死のリスクを軽減するために，口腔内衛生が悪い症例では，ビスホスホネートなど骨吸収抑制薬を投与する前に歯科にコンサルテーションを行うことをお勧めします(顎骨壊死検討委員会ポジションペーパー2016)[21]。

5 ステロイド特有の副作用

- 下記の副作用は残念ながら予防策がありませんが，知識がないと見逃されて患者のQOLを大きく損なう可能性があります。

①ステロイドミオパチー

- PSL 30mg/日以上を数週間以上続けると出現することがあります。フッ素基を含む長時間型ステロイド(デキサメタゾン，ベタメタゾン)で出現しやすくなりますが，PSLでも出現します。
- 骨盤周囲～大腿近位筋から筋力低下を自覚することが多いです。「なんとなく足がだるい」「足に力が入りにくい」という訴えが多いです。重症化すると嚥下障害や呼吸筋障害をきたすこともあります。
- 唯一の治療はステロイドの減量です。PSL 10mg/日まで減量すれば筋力低下は回復しますが，十分に回復するまで1カ月程度要します。

②無血管性骨壊死

- PSL 20mg/日以上の投与歴があると発症することがあります。減量後に発症することもあります。
- ステロイド投与中に原因不明の関節痛（主に股関節痛）が出現したら，無血管性骨壊死を鑑別に挙げます。
- 早期に発見し，荷重負荷を避けることで壊死部の圧潰を防ぐことができれば保存的加療で経過観察が可能です。圧潰に至ると手術が必要となります。
- 早期診断にはX線ではなく，MRIが有用です。

MEMO

▶無血管性骨壊死の好発部位は大腿骨頭ですが，大腿骨顆部，上腕骨頭，脛骨近位部にも出現することがあります[22)]。

文 献

1） Alten R, et al:J Rheumatol. 2010;37(10):2025-31.
2） Borresen SW, et al:Eur J Endocrinol. 2017;177(4):287-95.
3） Rabhan NB:Ann Intern Med. 1968;69(6):1141-8.
4） Slade JD, et al:J Lab Clin Med. 1983;101(3):479-87.
5） Am J Respir Crit Care Med. 2000;161(4 Pt 2):S221-47.
6） Menzies D, et al:N Engl J Med. 2018;379(5):440-53.
7） 日本肝臓学会：資料3 免疫抑制・化学療法により発症するB型肝炎対策ガイドライン（第3.4版）.[https://www.jsh.or.jp/lib/files/medical/guidelines/jsh_guidlines/B_document-3_20200716.pdf]（2022年12月閲覧）
8） Piper JM, et al:Ann Intern Med. 1991;114(9):735-40.
9） Narum S, et al:BMJ Open. 2014;4(5):e004587.
10） Choy EH:Rheumatology (Oxford). 2019;58(6):953-62.
11） Strangfeld A, et al:Ann Rheum Dis. 2017;76(3):504-10.
12） Xie F, et al:Arthritis Rheumatol. 2016;68(11):2612-7.
13） Kovacs JA, et al:JAMA. 2009;301(24):2578-85.
14） Wollner A, et al:Thorax. 1991;46(3):205-7.
15） Kameda H, et al:Intern Med. 2011;50(4):305-13.
16） Harigai M, et al:N Engl J Med. 2007;357(18):1874-6.

17) Suryaprasad A, et al:Arthritis Rheum. 2008;59(7):1034-9.
18) Yoshizawa S, et al:Ann Allergy Asthma Immunol. 2000;85(3):241-4.
19) Chen RY, et al:Int J Infect Dis. 2022;125:209-15.
20) 日本骨代謝学会:ステロイド性骨粗鬆症の管理と治療ガイドライン(2014年版).
[http://jsbmr.umin.jp/guide/pdf/gioguideline.pdf](2022年12月閲覧)
21) 顎骨壊死検討委員会:骨吸収抑制薬関連顎骨壊死の病態と管理:顎骨壊死検討委員会ポジションペーパー2016.
[https://www.jsoms.or.jp/medical/wp-content/uploads/2015/08/position_paper2016.pdf](2022年12月閲覧)
22) Caplan A, et al:J Am Acad Dermatol. 2017;76(1):1-9.

(岩波慶一)

コラム

ステロイドの定説を暴く

科学ではデータをもとに仮説が立てられ，その仮説が事実に合致するか検証が行われます。仮説が事実に合致すれば定説と名を変えて，真実の衣を纏い，以後の批判的吟味を免れます（むしろ定説に挑戦する研究者が批判の的になりうる）。しかし，新しいデータが発見され，それが定説と矛盾していれば，その定説は真実ではないとみなされるべきです。新しいデータが定説と矛盾するときに，新しい仮説が萌芽し，それが発展すれば新定説が生まれます。科学とはこの繰り返しであり，定説も仮説のひとつにすぎないのです。

各種ステロイドの比較を**表1**[1)]に示します。

この表は誰もが目にしたことがあるはずで，定説とみなされています。周知の事実として引用文献がないことも多いです。引用文献があったとしても孫引き，いや何世代後の子孫かもしれぬ論文や書籍であることが多いです。もはや覆しがたい定説ですが，長時間作用型ステロイドの力価や半減期に関しては，教科書や文献によって少し差があることがわかります。例としてリウマチ学の定番教科書であるFirestein & Kelley's Textbook of Rheumatologyに解説されている内容を**表2**[2)]に示します。

表を比較すると抗炎症作用（糖質コルチコイド作用）には幅があり，作用時間の幅は狭くなっています。また，別の書籍では「デキサメタゾン錠0.5mgはプレドニゾロン（PSL）錠5mgと等価である」と，異なる力価で解説されることもあります[3)]。添付文書でも「セレスタミン1錠（ベタメタゾン0.25mg含有）はプレドニゾロン換算で2.5mg相当量の副腎皮質ホルモンを含有する」と換算表と異なる内容が記載されています。どうやら長時間作用型ステロイドに関しては，いわゆる「定説」にもブレ幅があるようです。

一方で，ステロイドに習熟した医師は「“同じ力価”であれば，PSLよりデキサメタゾンやベタメタゾンのほうが効果はあり，代謝系の副作用も多い」ということを知りながら診療を行っています。定説と実臨床の“データ”が一致しないこ

表1　ステロイド等価用量の比較（UpToDateからの引用）

ステロイド	等価用量（mg）	抗炎症効果	作用時間（時間）
ヒドロコルチゾン	20	1	8〜12
コルチゾン酢酸塩	25	0.8	8〜12
プレドニゾン	5	4	12〜36
プレドニゾロン	5	4	12〜36
メチルプレドニゾロン	4	5	12〜36
トリアムシノロン	4	5	12〜36
デキサメタゾン	0.75	30	36〜72
ベタメタゾン	0.60	30	36〜72

（文献1より改変）

表2　ステロイド等価用量の比較（Firestein&kelley's Textbook of Rheumatology）からの引用

ステロイド	等価用量（mg）	糖質コルチコイド作用	作用時間（時間）
ヒドロコルチゾン	20	1	8〜12
コルチゾン酢酸塩	25	0.8	8〜12
プレドニゾン	5	4	12〜36
プレドニゾロン	5	4	12〜36
メチルプレドニゾロン	4	5	12〜36
トリアムシノロン	4	5	12〜36
デキサメタゾン	0.75	20〜30	36〜54
ベタメタゾン	0.60	20〜30	36〜54

（文献2より改変）

とに薄々気づきながら，定説は正しいとみなして日々の仕事を遂行しているのです。

もしかしたら定説は誤りではないだろうか？　定説が事実と一致しないのであれば科学の原則に従い，これまでの定説を棄却し，新しい仮説を立てるべきではないだろうか？　長年気になっていた疑問を晴らすべく，筆者は定説がつくられた根拠を探ってみました。

1936年にMayo財団のKendallらによって，牛の副腎からcompound Eという物質が分離されました。この物質は後にコルチゾンと呼ばれるようになりました。

1946年にMerck社の研究所で，Sarettらは胆汁酸からcompound Eの合成に成功しました[4)]。

1949年にHenchらは，compound Eで関節リウマチが劇的に改善したことを報告しました[5)]。しかし，まもなくcompound Eには様々な副作用があることがわかりました。

1950年代は，より有効かつ副作用の少ない薬を求めて，様々なステロイドが合成されました。

1958年にBunimらは，関節リウマチに対するデキサメタゾンの効果を報告しました[6)]。この研究では，12名の関節リウマチ患者にデキサメタゾンが入院下で投与されました。デキサメタゾン投与前の抗リウマチ薬（当時はアスピリンとステロイド）は1剤のみ許され，3名はアスピリン，8名はプレドニゾン（PSLのプロドラッグ），1名はトリアムシノロンが投与されました。ステロイド（プレドニゾンまたはトリアムシノロン）が投与されている9名は，関節炎が再燃するまで数日おきにステロイドの減量が行われました。再燃する直前のステロイド用量は“minimal hospital dose”と定義されました。再燃後，直ちにminimal hospital doseへ増量が行われ，その後デキサメタゾンへ変更となり，6時間おきに投与されました。7名に対しては，偽薬を使うことで単盲検試験としました（評価する医師には盲検化されませんでした）。治療効果は，痛み，可動域，圧痛，腫脹，赤沈，CRP（当時は半定量）によって評価されました。デキサメタゾンの用量は“trial and error”で決められ，1～4mgが投与されましたが，重症の2名には6mgが選択されました。効果が得られたデキサメタゾンの用量とプレドニゾンのminimal hospital doseの比較が行われ，論文著者は，デキサメタゾンはプレドニゾンより6倍の抗炎症作用があると結論づけました（**表3**）[6)]。

しかし，この研究デザインは，治療効果判定に主観が入る余地が大きいことが問題です。また，いったん関節炎を再燃させてからデキサメタゾンを当てずっぽうの用量（論文では“trial and error”）で投与し，効果があったデキサメタゾンの用量と再燃直前のプレドニゾンの用量の抗炎症作用が同等であると大雑把に断定しています。症例ごとの結果をみてもデキサメタゾンの「抗炎症作用」はプレドニゾンの2.5～10倍と幅が広く，6倍と結論づけるには何とも心もとない感じです。現代の研究と比較すると，雑な研究デザインであることは間違いないです（論文著者も“crude”であることを認めています）が，この研究はデキサメタゾンの力価を示す有力な根拠として引用され続けています。

この論文には，デキサメタゾンを投与された症例の経過も示されています。プレドニゾンから変更した症例を抜粋して**表4**[6)]に示します。ほとんどの症例で，プレドニゾンとアスピリンで治療していた頃より関節リウマチは改善し，1名を

表3　抗リウマチ効果を指標としたプレドニゾンとデキサメタゾンの比較

症例番号	入院前の維持量	minimal hospital dose（mg/日）	等価DEX（mg/日）	PREDとDEXの等価比率
2	PRED 10mg ASP 3.6g	10	2	5
4	PRED 25mg ASP 8.0g COD 240mg	15	6	2.5
6	PRED 30mg ASP 2.4g	16	1.5	10
7	PRED 15mg PB 300mg CQ 250mg	10	1.5	6.6
9	PRED 18mg ASP 2.4g	18	2	9
10	PRED 10mg ASP 4.5g	20	4	5
11	PRED 15mg ASP 2.4g	24	4	6
12	PRED 30mg ASP 3.6g COD大量	24	6	4
平均	PRED 19.1mg ASP 3.8g	17.1	3.4	6.0

DEX：デキサメタゾン，PRED：プレドニゾン，ASP：アスピリン，COD：コデイン，PB：フェニルブタゾン，CQ：クロロキン

（文献6より改変）

表4　プレドニゾンからデキサメタゾンに変更した症例の経過

症例番号	罹病期間（年）	重症度	DEX治療期間（日）	DEX（mg/日）	ASP（g/日）	以前の治療との比較
2	1.5	中等	75	2.4	0	著効
4	10	重症	72	2.8	3.6	著効
6	8	中等	40	0.8	0	中等度改善
7	2	中等	34	2.0	0	中等度改善
9	7	重症	21	2.0	0	中等度改善
10	9	中等	21	4.0	0	軽度改善
11	6	重症	21	4.0	0	著効
12	9	重症	14	6.0	0	軽度改善
平均	6.6		37.3	3.0	0.5	

DEX：デキサメタゾン，ASP：アスピリン

（文献6より改変）

除いてアスピリンも中止することが可能となり，一部の症例ではデキサメタゾンの用量も減らすことができています。この経過をみると，デキサメタゾンはプレドニゾンより6倍以上の効果があるとも解釈できますが，論文著者は「疾患活動性が低下した可能性があり，プレドニゾンとの比較には考慮しなかった」と説明し，恣意的な解釈にて，この結果はデキサメタゾンの力価には考慮されませんでした。

1959年にBolandらも，PSLとデキサメタゾンの抗炎症作用を比較した研究を報告しました[7]。この研究でも，関節リウマチ患者の治療をPSLからデキサメタゾンに変更しています。平均PSL 11.25mg/日でコントロール良好な患者28名（“very marked”6名，“marked”22名）を対象とした場合，デキサメタゾンに変更すると平均1.35mg/日でコントロールされました。コントロールが最良の“very marked”は15名に増加しており，デキサメタゾンはPSLより少なくとも8倍以上の抗リウマチ効果があることが示されました。平均PSL 10.4mg/日でコントロール不十分な患者45名（“moderate”41名，“slight”4名）を対象とした場合は，デキサメタゾンに変更すると平均1.5mg/日となり，“very marked”2名，“marked”15名，“moderate”25名，“slight”3名と，計17名はコントロール良好になりました。コントロール不良の症例でも，用量比較でデキサメタゾンはPSLより6.9倍以上の治療効果があることが示されました。

この2つの論文が「デキサメタゾンはプレドニゾン（プレドニゾロン；PSL）より6～8倍の抗炎症作用がある」という根拠です。「抗炎症作用」といっても，関節リウマチのコントロールに必要なステロイド量を主観的に比較しているだけであり，しかもデキサメタゾンに変更した後はコントロールが改善しているため，これでは力価の比較はできないと考えるのが妥当ですが，これが現在まで生き続ける定説の根拠となっているのです。

1950年代にステロイドの適応疾患は，関節リウマチから他の膠原病や気管支喘息など様々な炎症性疾患に拡大しました。その一方で，ステロイドの副作用は引き続き大きな問題でした。鉱質コルチコイド作用が少ないステロイドの合成には成功しましたが，糖質コルチコイドの作用である抗炎症作用を維持しつつ，副作用であるCushing症候群がないステロイドの合成は不可能でした。そこで，1960年代はステロイドの副作用を減らすための投与方法が盛んに研究され，隔日投与の有用性が続々と報告されました。

1963年にHarterらは，PSL 80mg隔日投与では1カ月後もCushing症候群やHPA（視床下部－下垂体－副腎）系の抑制が出現しないことを報告しました[8)]。

1965年にHarterらは米国リウマチ学会で，同等の抗炎症効果とされているデキサメタゾン5mg，ベタメタゾン6mg，プレドニゾン50mg，メチルプレドニゾロン40mg，ヒドロコルチゾン250mgは，副腎抑制の作用時間が異なることを報告しました[9)]。この研究で，単回ステロイド投与による内因性ステロイドの抑制期間は，デキサメタゾン2.75日，ベタメタゾン3.25日でしたが，それ以外のステロイドでは1.25～1.5日程度の抑制期間であることが示されました。デキサメタゾンやベタメタゾンが長時間作用型ステロイドであることを示した初期の報告のひとつでした。

1968年にRabhanらは，デキサメタゾンは隔日投与でも副腎抑制作用が出現することを示しました。同論文のdiscussionで，デキサメタゾン4.5mg隔日投与ではHPA系抑制やCushing症候群が起きるが，同力価（6.6倍で計算）であるプレドニゾン30mg隔日投与では，そのようなことは生じず，副作用には力価だけではなく半減期も重要であると論文著者は主張しました[10)]。この論文では，合成ステロイドの比較表が作成されました（**表5**）[10)]。臨床的等価用量の根拠となったのは，1958年のBunimら，1959年のBolandらの研究[6, 7)]でした。ここに現在に至る定説となった表（**表1**）の原型をみることができます（ちなみにRabhanらの論文には，Bolandらの論文はAnn NY Acad Sci 1959年「84巻」と引用されていますが，筆者がこのコラムのために原著を検索したところ，正しくは「82巻」でした）。

副腎抑制作用の定説についても考察してみましょう。現在受け入れられている

表5　1968年に発表された合成ステロイドの比較

化合物	臨床的等価用量（mg）	血漿半減期（分）	下垂体ー副腎抑制
コルチゾン	25	30	短時間
ヒドロコルチゾン	20	110	短時間
プレドニゾン	5	60	短時間
プレドニゾロン	4	200	短時間
トリアムシノロン	4	300	中時間
デキサメタゾン	0.75	200	長時間
ベタメタゾン	0.60	不明	長時間

（文献10より改変）

定説は，副腎抑制作用は「糖質コルチコイド作用」に包含され，デキサメタゾンの副腎抑制作用も抗炎症作用と同一で，プレドニゾンの6～7倍（デキサメタゾン錠0.5mgとPSL錠5mgが等価であれば10倍）ということです。しかし，1958年のBunimらの論文では異なる主張がなされています[6)]。

この研究では，デキサメタゾン0.5mgを夜12時に投与しても翌朝のヒドロコルチゾンの分泌は完全には抑制されませんが，1mgを投与することで完全に抑制されることが示されました（この研究成果は，現在でもデキサメタゾン抑制試験に活かされています）。論文著者は，この結果と過去の研究を比較して，デキサメタゾンはプレドニゾンより30倍の副腎抑制作用があり，抗炎症作用と副腎抑制作用の力価は異なると主張しました。

比較的最近の研究で，デキサメタゾンとプレドニゾンの副腎抑制作用を比較したものがないか検索したところ，2002年に発表された研究がみつかりました[11)]。この論文では，デキサメタゾン0.5mg/日を夜10時に単回投与すると早朝血漿コルチゾールは80％抑制されるのに対して，PSL 10mg/日では35％しか抑制されないことが示されています。コルチゾールの測定ではPSLとの交差反応が懸念されますが，PSLの血中半減期は短く，投与翌日のPSL血漿濃度がコルチゾールと比較して低値であることや，PSL 2.5mg，5mg，10mgと増量するに従いコルチゾールの血漿濃度が低下していることから，交差反応がコルチゾール値に影響した可能性は否定されています。両群ともに翌日9～17時までコルチゾールは抑制されており，この差は半減期ではなく力価によるものです。つまり，デキサメタゾン1mgで抑制試験を行う代わりに，換算表を参考にして10倍用量のPSL 10mgで代用してもコルチゾールは十分に抑制されないということになります。しかも，デキサメタゾン0.5mgでもPSL 10mg（20倍用量）より強力な副腎抑制効果があるとなると，デキサメタゾンはプレドニゾン（プレドニゾロン；PSL）より30倍の副腎抑制作用があるというのは確からしさがあります。

この「30倍」という力価は，ステロイドの比較表に含まれないだけではなく，より重大なことを含意しています。単回投与でこれだけ副腎抑制作用に差があり，さらに半減期が長いほうの副腎抑制作用が強ければ，反復投与では差がさらに増幅されるからです。そこで，同じ力価で半減期の異なる薬剤を反復投与したときの差をシミュレーションしてみました（**図1～図4**）。ステロイドの場合は，血中半減期を比較しても意味をなさないため，定説として示されている作用時間の幅の最短を半減期と仮定し，消失速度定数を求めました。また，ステロイドの作用をシミュレーションするソフトウェアが見当たらなかったため，インターネット上で使用できる血中濃度シミュレーション「pharmaToolz」（https://pharmatoolz.me/bloodconc/）で代用しました（したがって，グラフの縦軸のメモリは相対比較としてとらえて下さい）。

シミュレーションした**図1**と**図2**を比較すると，PSL隔日投与のほうがピークは高く形成されますが，48時間おきに作用がほぼ消失するnadirが形成されるため，副腎抑制やCushing症候群に陥らないことが推察されます。隔日投与では連日投与より治療効果が落ちるのも，このnadirで説明ができそうです。一方で，デキサメタゾン（**図3**，**図4**）は隔日投与でも半減期が長いため作用が消失せず，副腎抑制やCushing症候群が出現しやすく，治療効果も維持されやすいことが推

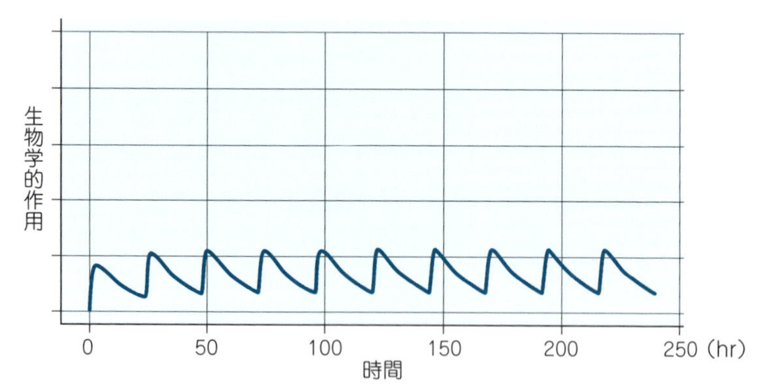

図1　PSL：24時間おきに反復投与したときの生物学的作用

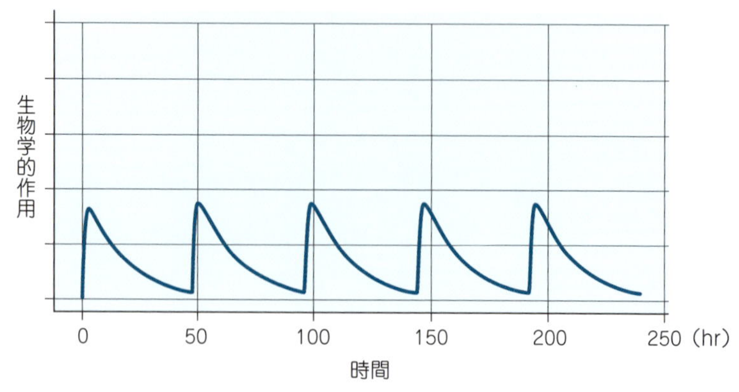

図2　PSL：倍量を48時間おきに反復投与したときの生物学的作用（隔日投与）

察できます。

また，PSLとデキサメタゾンの連日投与の比較（**図1**，**図3**）では，単回投与では同じ力価であっても反復投与によりnadirは約3倍の差になることがわかります。

このことから，デキサメタゾンがPSLの30倍の副腎抑制作用があると仮定すれば，0.5mgであっても反復投与を続けることで，PSL 45mgの連日投与に匹敵する代謝系副作用が出現しうることになります。抗炎症作用がこれまでの定説通りPSLの6～10倍と仮定しても，デキサメタゾンの反復投与ではPSL 9～15mgの連日投与に匹敵する効果となります。 セレスタミン®1錠（ベタメタゾン0.25mg含有）がPSL 2.5mg相当と仮定しても，反復投与ではPSL 7.5mgの連日投与に匹敵することになります。30倍の副腎抑制作用であれば，PSL 22.5mgの連日投与に匹敵します。“同じ力価”であっても，長時間作用型ステロイドのほう

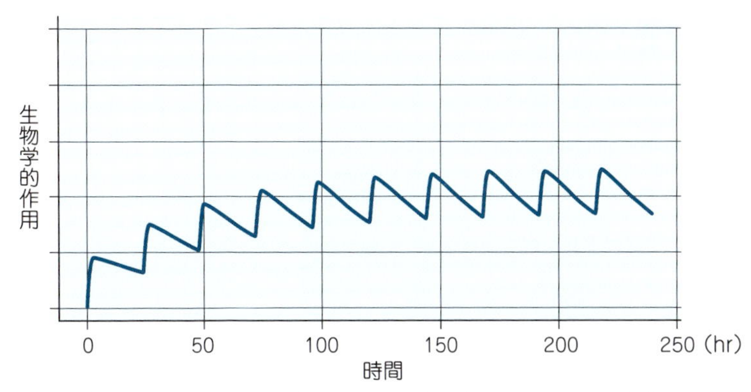

図3　デキサメタゾン：24時間おきに反復投与したときの生物学的作用

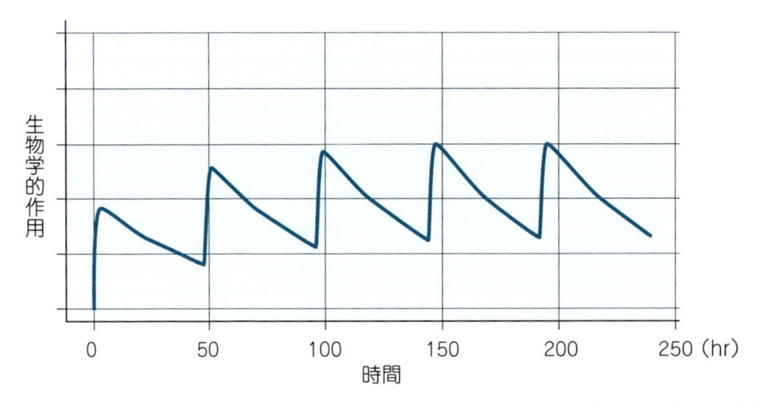

図4　デキサメタゾン：倍量を48時間おきに反復投与したときの生物学的作用（隔日投与）

が効果も副作用も強いという臨床医の実感は間違っていないようです。

◆

このように，長時間作用型ステロイドの抗炎症作用は黎明期に行われた原始的な研究が根拠となっています。その研究は，現代では根拠とも言えない"crude"なものであり，これまでの定説は今後棄却される可能性がある「仮説」としてとらえるべきです。また，長時間作用型ステロイドの反復投与による作用・副作用の増強効果は，十分に周知されているとは言いがたいでしょう。半減期が異なる場合，単回投与が同力価であっても，反復投与では作用・副作用に大きな差が生じるという薬理学で当たり前の知識は，ステロイドでも認識されるべきです。

現在の定説は，棄却される可能性がある仮説にすぎません。新しい定説が形成されるまでは，「長時間作用型ステロイドは少なくともPSLと比較して8～10倍以上の抗炎症作用があり，副腎抑制作用は単回投与でも30倍の可能性がある。反復投与ではHPA系抑制やCushing症候群などの代謝系副作用は増強され，デキサメタゾン0.5mgはもちろんのこと，セレスタミン®1錠でも長期投与ではHPA系抑制やCushing症候群などの代謝系副作用が生じうる」という新たな仮説を抱きつつ，古い定説にとらわれることなく，実診療から得られる事実と向き合っていきたいと思います。

（岩波慶一）

文献

1） UpToDate：Comparison of systemic glucocorticoid preparations：UpToDate Inc. [https://www.uptodate.com/contents/image?csi=2fd23513-fc47-4c66-9d31-82c5fca71a5f&source=contentShare&imageKey=ENDO%2F64138]（Accessed on December 4, 2022）
2） Firestein GS, et al：Firestein & Kelley' s Textbook of Rheumatology. 11th ed. ELSEVIER, 2021.
3） 川合眞一：ステロイドのエビデンス. 羊土社, 2015, p19.
4） Carlisle JM：Br Med J. 1950；2（4679）：590-5.
5） Hench PS, et al：Proc Staff Meet Mayo Clin. 1949；24（8）：181-97.
6） Bunim JJ, et al：Arthritis Rheum. 1958；1（4）：313-31.
7） Boland EW：Ann NY Acad Sci. 1959；82：887-901.
8） Harter JG, et al：N Engl J Med. 1963；269：591-6.
9） Harter JG, et al：Arthritis Rheum. 1965；8：445.
10） Rabhan NB, et al：Ann Intern Med. 1968；69（6）：1141-8.
11） Pariante CM, et al：Biol Psychiatry. 2002；51（11）：922-30.

2章　疾患別のステロイドの使い方

A 膠原病

1. 関節リウマチ

ステロイド治療の心構え

▶ADLが制限されている症例に限り，ステロイドを短期的に使用します。
▶ステロイドは抗リウマチ薬（DMARDs）の効果が発現するまでのつなぎの治療であり，3カ月間の投与にとどめます。
▶関節以外の臓器病変がある場合は，ステロイドを長期使用することがあります。

1 疾患の概要

- 関節リウマチは慢性多関節炎を起こす自己免疫疾患です。
- 自己反応性T細胞，B細胞，抗CCP抗体などの自己抗体，マクロファージ，滑膜線維芽細胞，好中球，TNF-α・IL-6などの炎症性サイトカインが病態に関与していると考えられています。
- 炎症が慢性化すると不可逆的な軟骨・関節破壊を引き起こします。
- 一部の症例では，間質性肺炎，血管炎などの関節外病変を合併します。
- 治療の目標は，炎症を抑え，自己免疫反応を抑制することで不可逆的な軟骨・関節破壊，臓器障害を防ぐことです。

2 どういうときにステロイドを使うか？

- 全例にステロイドを使う必要はありません。
- 関節炎によりADLが制限されている症例では，抗リウマチ薬（DMARDs）が効いてくるまでの橋渡し治療（bridging therapy）としてステロイドを使うことを考慮します。
- 間質性肺炎，血管炎などの関節外病変がある場合は，ステロイドの投与を検討します。

MEMO

- ▶ DMARDsは一般的に遅効性であり，効果発現に1カ月，最大効果が得られるまで約半年かかります。
- ▶「非ステロイド性抗炎症薬（NSAIDs）で改善しない関節痛」が初診時の主訴になることも多く，その場合はDMARDsの効果が得られるまでステロイドを投与することを検討します。

3 ステロイドの根拠は？

- ステロイドとプラセボを比べた無作為化比較対照試験はありません。
- 初期に大量ステロイドをDMARDsと併用することは，早期の疾患コントロールと骨破壊抑制につながることが証明されていますが[1]，副作用の観点から短期の使用にとどめるようにガイドライン・リコメンデーションには書かれています（**表1**）[2, 3]。
- 重要な点は，ステロイドはDMARDsが効いてくるまでの一時的な治療であり，決して単剤では使用しないことです（**表1**）[2, 3]。

表1　各リウマチ学会（日・米・欧）のガイドライン・リコメンデーションにおけるステロイドの推奨

	European League Against Rheumatism (2019)	American College of Rheumatology (2020)	日本リウマチ学会 (2020)
ステロイドの推奨	•csDMARDs（従来型合成抗リウマチ薬）を開始したり変更する際には，患者およびリウマチ医に応じて異なる用量および投与経路で短期間ステロイドを併用することを考慮すべきであるが，臨床的に可能な限り早期（3カ月以内）に減量すべきである	•中等度～高疾患活動性にcsDMARDs（従来型抗リウマチ薬）の治療を開始する際にステロイドを使用しないことを条件付きで推奨する。しかし，csDMARDsの効果が発現する前に症状緩和目的でステロイドが必要となることは多くの専門家が認めている。その際は必要最低限の量を必要最低限の期間（3カ月以内）にとどめるべきである	•疾患活動性を有する早期RA患者にcsDMARDs（従来型抗リウマチ薬）に短期間の副腎皮質ステロイド投与の併用を推奨する（条件付き） •長期的には重症感染症，重篤有害事象，死亡のリスクとなる •csDMARDs治療の最適化を行い，可能な限り短期間（数カ月以内）で漸減中止することが望ましい

（文献2，3をもとに作成）

4 ステロイドの初期用量は？

- 米国リウマチ学会や欧州リウマチ学会の推奨では症状緩和のために「必要最低限の量」と記載されています（**表1**）[2,3]。
- かつて欧州リウマチ学会ではPSL 7.5mg/日以下を目安としていましたが，より高用量のステロイドが早期の寛解導入に有効であることを示唆したCareRA trial[4]を受けて，2016年から欧州リウマチ学会の推奨では目安となる用量の上限を撤廃しました[5]（**表1**）[2,3]。
- 実臨床でも，入院を要するほどADLが強く制限されている高疾患活動性の症例ではPSL 10mg/日では効果が不十分であることが多く，PSL 30mg/日程度を初期用量とすることがあります。
- 入院を要しない程度であれば，PSL 7.5～15mg/日（15～30mg/隔日）程度で十分であることが多いです。
- 血管炎や間質性肺炎に対しては，PSL 0.5～1mg/kg/日を初期用量の目安とします。
- 間質性肺炎の急性増悪に対しては，mPSL 1g/日，3日間のステロイドパルス療法を行います。

MEMO

▶関節炎のみであれば，経口ステロイドは隔日投与がお勧めです。副腎抑制のリスクを回避して3カ月以内にステロイドを中止するためです。

▶隔日投与であれば副腎抑制を起こさないので，連日投与より早期に中止できて，感染症も少なかったとする報告があります[6]。

▶特定部位の関節炎がADL制限の原因となっている場合は，トリアムシノロン（ケナコルト-A®）の関節腔内注射が有効です。

5 治療への反応性は？

- 関節痛は投与した日に軽減します。
- 隔日投与では，投与初期には内服日と非内服日で効果に差が出ますが，DMARDsの効果が出る頃にはその差も消失します。
- 血管炎や間質性肺炎の場合，2週間以内に改善を認めることが多いですが，間質性肺炎急性増悪の場合はステロイド治療が無効であることもあります。

6 寛解導入療法はステロイド単剤でよいか？

- 関節炎に対してステロイド単剤で治療することは基本的にありません。必ずDMARDsを併用します。
- DMARDsは禁忌（**表2**）[7] がなければ，メトトレキサート（MTX）を第一選択とします。
- MTXが禁忌であれば，他の従来型合成抗リウマチ薬（csDMARDs）を選択します（**表3**）。
- MTXや他のcsDMARDsの効果が不十分であれば，生物学的抗リウマチ薬（bDMARDs）や分子標的型合成抗リウマチ薬（tsDMARDs，JAK阻害薬）を追加します（**表4**，**表5**）。

表2 メトトレキサートの投与禁忌患者

1. 妊婦または妊娠している可能性やその計画のある患者，授乳中の患者
2. 本剤の成分に対して過敏症の既往歴のある患者
3. 重症感染症を有する患者
4. 重大な血液・リンパ系障害を有する患者 ①骨髄異形成症候群，再生不良性貧血，赤芽球癆の病歴のある場合 ②過去5年以内のリンパ増殖性疾患の診断あるいは治療歴のある場合 ③著しい白血球減少あるいは血小板減少 上記の判定には以下の基準を目安とするが，合併症の有無などを考慮して判断する ❶白血球数＜3,000/μL ❷血小板数＜5万/μL
5. 肝障害を有する患者 ①B型またはC型の急性・慢性活動性ウイルス性肝炎を合併している場合 ②肝硬変と診断された場合 ③その他の重大な肝障害を有する場合
6. 高度な腎障害を有する患者（判定には，以下の基準を参考とする） ➡透析患者や腎糸球体濾過量（GFR）＜30mL/分/1.73m^{2}に相当する腎機能障害
7. 胸水，腹水が存在する患者
8. 高度な呼吸器障害を有する患者（判定には，以下の基準を参考とする） ①低酸素血症の存在（室内気でPaO_2＜70Torr） ②呼吸機能検査で%VC＜80%の拘束性障害 ③胸部画像検査で高度の肺線維症の存在

（文献7をもとに作成）

- MTXを含めたcsDMARDsを3剤併用する治療（csDMARDs triple therapy）では長期的にはbDMARDsと同等の効果であったことが示されており[8, 9]，経済的理由でbDMARDs，tsDMARDsが導入できない症例ではcsDMARDs triple therapyを行います。

表3　本邦で承認されている主な従来型合成抗リウマチ薬（csDMARDs）

一般名	商品名	免疫抑制作用
免疫抑制系		
メトトレキサート	リウマトレックス®	＋
タクロリムス	プログラフ®	＋
非免疫抑制系		
サラゾスルファピリジン	アザルフィジン®EN	−
ブシラミン	リマチル®	−
イグラチモド	ケアラム® コルベット®	−

表4　生物学的抗リウマチ薬（bDMARDs）

一般名	商品名	免疫抑制作用
TNF阻害薬		
インフリキシマブ	レミケード® インフリキシマブBS	＋
エタネルセプト	エンブレル® エタネルセプトBS	＋
アダリムマブ	ヒュミラ®	＋
ゴリムマブ	シンポニー®	＋
セルトリズマブ ペゴル	シムジア®	＋
IL-6受容体阻害薬		
トシリズマブ	アクテムラ®	＋
サリルマブ	ケブザラ®	＋
T細胞共刺激阻害薬		
アバタセプト	オレンシア®	＋

表5　分子標的型合成抗リウマチ薬（tsDMARDs）

一般名	商品名	免疫抑制作用
トファシチニブ	ゼルヤンツ®	＋
バリシチニブ	オルミエント®	＋
ペフィシチニブ	スマイラフ®	＋
ウパダシチニブ	リンヴォック®	＋
フィルゴチニブ	ジセレカ®	＋

- 血管炎，間質性肺炎の場合は，原発性に準じて免疫抑制薬を投与します。

MEMO

▶間質性肺炎の場合は，原則的にMTXの投与は行いませんが，器質化肺炎の場合は例外的にMTXの投与を行います[10]。

7 寛解維持療法としてsteroid sparing agentは何かあるか？

- 通常は寛解導入療法に用いたDMARDsをそのまま継続します。

8 ステロイド減量のスピードは？

- PSL 15～30mg/隔日で開始した場合は，2～4週ごとに5～10mg/隔日ずつ減量します。
- 入院を要するほど疾患活動性が高くPSL 30mg/日で開始した場合は，1～2週ごとに5～10mg/日ずつ減量します。
- 血管炎，間質性肺炎の場合は，原発性に準じて免疫抑制薬を使用しながら減量を行います。

ピットフォール

➡ステロイド減量中に疾患が再燃した場合は，ステロイドを長期投与するのではなく，DMARDsによる治療を強化します。

9 減量は何を指標にすればよいか？

- Clinical Disease Activity Index (CDAI)，Simple Disease Activity Index (SDAI) などの疾患活動性を指標とします（**図1**）。
- Disease Activity Score 28 (DAS28) は計算式が複雑であることや，DAS28での寛解が必ずしも骨破壊の抑制と相関するとは限らないため実診療には向いていません。
- 治療目標は寛解を基本とし，困難な場合は疾患活動性を低くすることを目標と

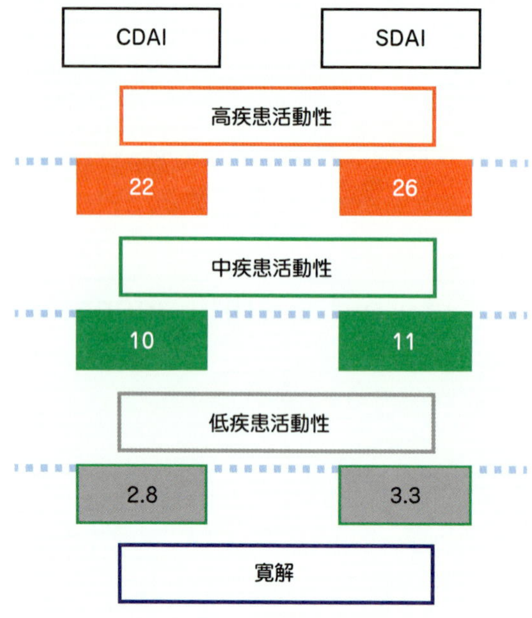

CDAI：腫脹関節数＋圧痛関節数＋医師による全般的評価（10cm VAS）＋患者による全般的評価（10cm VAS）
SDAI：腫脹関節数＋圧痛関節数＋医師による全般的評価（10cm VAS）＋患者による全般的評価（10cm VAS）＋CRP（mg/dL）

図1　CDAI, SDAIによる疾患活動性指標

します。

- 寛解や疾患活動性が低くなるまでステロイド減量を待つ必要はなく，抗リウマチ薬を増量・追加しながらステロイドは減量していきます。

10 ステロイドは中止できるか？　投与期間は？

- ステロイドは全例で中止をめざします。
- ステロイドの投与期間は，DMARDsの効果が十分に得られるまでの3カ月以内となります。
- その間に疾患活動性がコントロールできるように，DMARDsをmaximizeすることがステロイド中止のために最も重要なことです。関節炎のコントロールのためにステロイドを長期使用することは，現在のガイドラインやリコメンデーションでは推奨されていません。
- 血管炎，間質性肺炎の場合は，PSL 5mg/日（0.1mg/kg/日）以下を維持量として長期継続することがあります（中止できる症例もあります）。

11 モデル症例

症例：来院9カ月前から両肩，手首の痛みが出現，手指，両膝にも痛みが広がってきたため紹介受診（38歳女性）

①慢性多関節炎，抗CCP抗体陽性（RFは陰性），炎症反応高値より関節リウマチと診断した。CDAIは20.4と中疾患活動性であった。

②MTX 8mg/週を開始し，ADL制限を認めることからPSL 15mg/隔日を併用した。

③治療開始2週後にCDAI 17.4となり，MTX 12mg/週に増量し，PSL 10mg/隔日に減量した。

④治療開始4週後にCDAI 10.1となり，サラゾスルファピリジン0.5g/日を追加し，PSL 5mg/隔日とした。

⑤治療開始8週後にサラゾスルファピリジンを1g/日に増量した。

⑥治療開始12週後にCDAI 1.4となり，寛解導入に成功した。PSLは中止し，ブシラミン100mg/日を追加してcsDMARDs triple therapyとした。

文 献

1) Goekoop-Ruiterman YP, et al:Ann Intern Med. 2007;146(6):406-15.
2) Fraenkel L, et al:Arthritis Care Res (Hoboken). 2021;73(7): 924-39.
3) Smolen JS, et al:Ann Rheum Dis. 2020;79(6):685-99.
4) Verschueren P, et al:Ann Rheum Dis. 2015;74(1):27-34.
5) Smolen JS, et al:Ann Rheum Dis. 2017;76(6):960-77.
6) Suda M, et al:Clin Rheumatol. 2018;37(8):2027-34.
7) 日本リウマチ学会 MTX 診療ガイドライン策定小委員会：関節リウマチ治療におけるメトトレキサート（MTX）診療ガイドライン. 2016年改訂版. 羊土社, 2016.
8) O' Dell JR, et al:N Engl J Med. 2013;369(4):307-18.
9) Matsuno H, et al:Mod Rheumatol. 2016;26(1):51-6.
10) Mori S, et al:Clin Med Insights Circ Respir Pulm Med. 2015;9(Suppl 1):69-80.

（岩波慶一）

A 膠原病

2. 全身性エリテマトーデス(SLE)

ステロイド治療の心構え

▶全身症状，臓器病変の重症度に応じてステロイド量を決定します。

▶抗マラリア薬(ヒドロキシクロロキン)，免疫抑制薬を積極的に導入して，必要最小限のステロイドで疾患をコントロールします。

▶ヒドロキシクロロキン，免疫抑制薬を用いても高度疾患活動性でステロイドを減量できない症例では，ベリムマブやアニフロルマブを導入してステロイドを減量します。

▶最終的にはステロイドの中止をめざします。

1 疾患の概要

- 全身性エリテマトーデス(systemic lupus erythematosus；SLE)は，自己抗原－自己抗体の免疫複合体が臓器に沈着し，炎症を起こす自己免疫疾患です。
- 自己反応性T細胞，B細胞，抗DNA抗体などの自己抗体，インターフェロンαなどのI型インターフェロンが病態に関与していると考えられています。
- ステロイド治療が行われていなかった1949年以前のデータでは，約9割が1年以内に死亡していたとする報告があります[1]。
- **表1**[2]に，T2T(Treat to Target) task forceによるSLE診療の推奨ポイントを示しました。
- 治療の目標は，自己免疫応答およびステロイドによる不可逆的な臓器障害を防ぐことです(**表1**[2]**の推奨4**)。

ここがPOINT！

◉不可逆的な臓器障害はSLEによる炎症のみならず，ステロイドの副作用でも生じます[3]。

表1 T2T (Treat to Target) task forceによる全身性エリテマトーデス (SLE) 診療の推奨ポイント

1	SLEの治療目標は，全身症状および臓器病変の寛解，困難な場合は可能な限りの低疾患活動性とすべきである。活動性は，検証済みの活動性スコア，臓器特異的マーカー，もしくは両者の測定によ る
2	再燃を抑えることがSLEにおける現実的な目標であり，治療のゴールとすべきである
3	臨床的に無症状で持続的な血清学的な活動性のみで治療強化することは勧められない
4	ダメージを増やさないことがSLEの主要な治療のゴールである
5	Health related quality of life (QOL) を低下させる倦怠感や痛み，抑うつなどにも積極的に対処すべきである
6	腎病変を早期に認識し，治療することが強く勧められる
7	ループス腎炎では予後改善のため，寛解導入後に少なくとも3年間の免疫抑制維持療法が勧められる
8	維持療法では最小限の糖質コルチコイドでの疾患コントロールをめざし，可能であれば糖質コルチコイドは完全に中止する
9	抗リン脂質抗体症候群関連の病態の予防をSLE治療の到達点とすべきである
10	他の治療にかかわらず，抗マラリア薬の使用を熟慮する
11	いずれの免疫抑制療法においても，合併症コントロールのための適切な治療の追加を考慮すべきである

(文献2より改変)

2 どういうときにステロイドを使うか？

- 全例にステロイドを使う必要はありません。
- BILAG-2004 (British Isles Lupus Assessment Group) による臓器別の重症度分類 (**表2〜表12**) が，ステロイド適応の目安になります (**表13**)[4]。
- 治療が遅れた場合，不可逆的な障害を残す可能性が高い重度の臓器病変 (BILAG-2004カテゴリーA) は全身ステロイドの適応です。
- 抗マラリア薬，NSAIDs，局所ステロイドで改善しない軽度〜中等度の炎症性病態 (BILAG-2004カテゴリーBおよびC) も全身ステロイドの適応です。

表2　BILAG-2004 (British Isles Lupus Assessment Group)

- 全身症状
- 皮膚粘膜病変
- 神経精神病変
- 筋骨格病変
- 循環器・呼吸器病変
- 消化器病変
- 眼病変
- 腎病変
- 血液病変

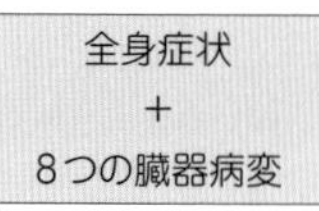

表3　BILAG-2004での重症度（カテゴリー）の定義

カテゴリー	定義
A	以下の治療を要する重症 1. PSL 20mg/日を超える高用量ステロイド 2. mPSL 500mg以上のステロイドパルス 3. 免疫調整薬の全身投与（生物学的製剤，免疫グロブリン，血漿交換を含む） 4. 高用量ステロイドまたは免疫調整薬の併用下で高用量抗凝固薬 （例：INR 3～4を治療域とするワルファリン）
B	以下の治療を要する中等症 1. PSL 20mg/日以下の少量ステロイド 2. mPSL 500mg未満相当のステロイド筋注・関節内注射・軟部組織注射 3. 局所ステロイド 4. 局所免疫調整薬 5. 抗マラリア薬，サリドマイド*，プラステロン*，アシトレチン* 6. 対症療法（例：関節炎に対するNSAIDs）
C	軽症
D	既往はあるが活動性がない
E	過去に病変がない

*：本邦未承認

表4　BILAG-2004（全身症状）

・発熱（37.5℃以上） ・体重減少（5%以上） ・リンパ節腫脹・脾腫（リンパ節＞1cm） ・食欲不振	
カテゴリーA	発熱に加えて他の2項目
カテゴリーB	発熱，あるいは他の2項目
カテゴリーC	A，Bに当てはまらない

表5　BILAG-2004(皮膚粘膜病変)

カテゴリーA
•SLEによる皮疹―重度(体表面積の18%を超える)
•血管浮腫―重度〔生命を脅かす。例:吸気性喘鳴(stridor)〕
•粘膜潰瘍―重度(日常生活に支障をきたすもの,広範で深いもの)
•脂肪織炎/水疱性ループス―重度(以下のいずれか:体表面積の9%を超える,顔面脂肪織炎,潰瘍化する脂肪織炎,有痛性硬結・結節を呈する脂肪織炎)
•皮膚血管炎/血栓症(壊疽,潰瘍,皮膚梗塞に至る)
カテゴリーB
•カテゴリーAの改善
•SLEによる皮疹―軽度(体表面積の18%以下)
•脂肪織炎/水疱性ループス―軽度(体表面積の9%以下で,カテゴリーAに当てはまらない)
•手指梗塞/結節性血管炎(手指に限局した梗塞または有痛性紅斑結節)
•脱毛―重度(頭皮の炎症を伴ったびまん性または斑状脱毛)
カテゴリーC
•カテゴリーBの改善
•血管浮腫―軽度(生命を脅かさない)
•粘膜潰瘍―軽度(限局するもの,日常生活に支障をきたすもの)
•脱毛―軽度(頭皮の炎症を伴わないびまん性または斑状脱毛)
•爪囲紅斑/凍瘡(潰瘍化することがある)
•爪床出血

表6　BILAG-2004(神経精神病変)

カテゴリーA	
•無菌性髄膜炎	•急性炎症性脱髄性多発神経根障害
•脳血管炎	•単神経障害(孤発性または多発性)
•脱髄症候群(白質病変)	•脳神経障害(眼神経を除く)
•脊髄病変(下肢不全対麻痺,四肢不全麻痺に進行する急性発症病変)	•神経叢障害
•急性錯乱状態	•多発神経障害
•精神病(妄想,幻覚)	•痙攣重積
	•小脳失調
カテゴリーB	
•カテゴリーAの改善	•運動障害
•痙攣	•自律神経障害
•脳血管障害(脳卒中,一過性脳虚血発作,頭蓋内出血。血管炎によるものを除く)	•重度の持続性頭痛(3日以上の持続的頭痛で,麻薬性鎮痛薬により寛解しない)
•認知機能障害	•頭蓋内圧上昇による頭痛(脳静脈洞血栓症を除く)
カテゴリーC	
•カテゴリーBの改善	

表7　BILAG-2004（筋骨格病変）

カテゴリーA
•筋炎─重度（筋力低下を伴う筋原性酵素の上昇） •関節炎─重度（2箇所以上の滑膜炎。可動域制限，日常生活制限があり，数日以上持続する）
カテゴリーB
•カテゴリーAの改善 •筋炎─軽度（筋痛を伴う筋原性酵素の上昇があるが，筋力低下を伴わない） •中等度の関節炎/腱炎/腱鞘滑膜炎（1箇所以上の滑膜炎または腱炎・腱鞘滑膜炎。ある程度の可動域制限を伴い，数日以上持続する）
カテゴリーC
•カテゴリーBの改善 •軽度の関節炎/関節痛/筋痛（労作で改善する朝のこわばり，疼痛）

表8　BILAG-2004（循環器・呼吸器病変）

カテゴリーA
•心筋炎/心内膜炎+心不全 •不整脈（心筋炎や非感染性心内膜炎による） •新規弁膜症（心筋炎や非感染性心内膜炎による） •心タンポナーデ •呼吸困難感を伴う胸水貯留 •肺胞出血/血管炎 •間質性肺炎 •縮小肺症候群（急速に肺活量が20%を超えて減少し，予想肺活量の70%未満となる。ガス交換は保たれているが，横隔膜機能不全がある） •大動脈炎 •冠動脈血管炎
カテゴリーB
•カテゴリーAの改善 •胸膜炎/心膜炎 •心筋炎─軽度（心原性酵素の上昇や心電図異常があるが，心不全，不整脈，弁膜症に至らない）
カテゴリーC
•カテゴリーBの改善

表9 BILAG-2004(消化器病変)

カテゴリーA
•腹膜炎(反跳痛,筋性防御を伴う急性腹症) •ループス腸炎(血管炎または小腸・大腸の炎症) •偽性腸閉塞(腸管運動不全による) •急性ループス胆嚢炎 •急性ループス膵炎
カテゴリーB
•カテゴリーAの改善 •腹部漿膜炎/腹水(急性腹症でない) •吸収不良症候群 •蛋白漏出性腸症 •ループス肝炎(自己免疫性肝炎の抗体は陰性)
カテゴリーC
•カテゴリーBの改善

表10 BILAG-2004(眼病変)

カテゴリーA
•眼窩炎(外眼筋炎,腫脹または眼球突出を伴う) •角膜炎—重度(視力を脅かす。角膜溶解,潰瘍性角膜炎を含む) •後部ぶどう膜炎/網膜血管炎—重度(視力を脅かす) •強膜炎—重度(壊死性前部強膜炎) •網膜/脈絡膜血管閉塞病変 •視神経炎(前部虚血性視神経症を除く) •前部虚血性視神経症(後毛様体動脈の閉塞による視神経乳頭の蒼白腫脹を伴う視力低下)
カテゴリーB
•カテゴリーAの改善 •角膜炎—軽度(視力を脅かさない) •前部ぶどう膜炎 •後部ぶどう膜炎/網膜血管炎—軽度(視力を脅かさない) •強膜炎—軽度(全身ステロイドを要しない前部または後部強膜炎)
カテゴリーC
•カテゴリーBの改善 •上強膜炎 •孤発性の綿花様白斑

表11　BILAG-2004（腎病変）

カテゴリーA（以下の1，4，5を含む2項目以上）
1. 悪化する蛋白尿〔定性で2段階以上の増加，1g/日（g/cre）以上の蛋白尿で25%以上減少しない，または1g/g・cre以上のアルブミン尿で25%以上減少しない〕 2. 進行性の高血圧（1カ月以内にBP＞170/110mmHgに上昇し，Grade Ⅲまたは Ⅳの網膜病変を認める） 3. 腎機能悪化（血清クレアチニン1.5mg/dL以上かつ過去より1.3倍を超える増加，クレアチニンクリアランス67%未満の低下，クレアチニンクリアランス＜50mL/分） 4. 活動性の尿沈渣（膿尿：WBC＞5/HPF，血尿：RBC＞5/HPF，赤血球円柱，白血球円柱。感染，月経を除く） 5. 3カ月以内に組織学的に証明された腎炎（ISN/RPS Class Ⅲ，Ⅳ，Ⅴまたは血管炎。硬化性病変は除く） 6. ネフローゼ症候群
カテゴリーB
•カテゴリーAの1項目 •蛋白尿―カテゴリーAを満たさない〔定性で1段階以上悪化し尿蛋白定性2+以上となる，0.5g/日（g/cre）以上の蛋白尿で25%以上減少しない，または0.5g/g・cre以上のアルブミン尿で25%以上減少しない〕 •腎機能悪化（血清クレアチニン1.5mg/dL以上かつ過去より1.15～1.3倍の増加）
カテゴリーC
•蛋白尿―カテゴリーA，Bを満たさない〔尿蛋白定性1+以上，0.25g/日（g/cre）以上の蛋白尿，または0.25g/g・cre以上のアルブミン尿〕 •血圧上昇（収縮期圧30mmHg以上または拡張期圧15mmHg以上の上昇で140/90mmHgを超える）

表12　BILAG-2004（血液病変）

カテゴリーA
•血栓性血小板減少性紫斑病（TTP） または以下のいずれか •溶血の所見がありHb＜8g/dL •血小板数＜2.5万/μL
カテゴリーB
•TTPの改善 または以下のいずれか •溶血の所見がありHb 8～9.9g/dL •Hb＜8g/dL（溶血の所見がない） •WBC＜1,000/μL •好中球＜500/μL •血小板数 2.5万～4.9万/μL
カテゴリーC
•溶血の所見がありHb＞10g/dL •Hb 8～10.9g/dL（溶血の所見がない） •WBC 1,000～3,900/μL •好中球500～1,900/μL •リンパ球＜1,000/μL •血小板数 5.0万～14.9万/μL •クームス試験陽性だが溶血の所見がない

表13 ステロイド適応の目安(The British Society of Rheumatology guidelineより)

	低疾患活動性 BILAG CまたはB1つ SLEDAI<6	中疾患活動性 BILAG B2つ以上 SLEDAI 6～12	高疾患活動性 (腎病変以外) BILAG A1つ以上 SLEDAI>12
典型的な所見	倦怠感, 頬部紅斑, びまん性脱毛, 口腔潰瘍, 関節痛, 筋痛, 血小板数5.0万～14.9万/μL	発熱, 体表面積2/9までのループス皮疹, 皮膚血管炎, 頭皮の炎症を伴う脱毛, 関節炎, 胸膜炎, 心膜炎, 肝炎, 血小板数2.5万～4.9万/μL	体表面積2/9を超えるループス皮疹, 筋炎, 重度胸膜炎/心膜炎, 腹水, 腸炎, 脊髄炎, 精神病, 急性錯乱状態, 視神経炎, 血小板数<2.5万/μL
典型的な初期治療	局所ステロイドまたは経口PSL 20mg/日以下を1～2週間, またはmPSL 80～120mgを筋注, 関節内注射 and HCQ 6.5mg/kg以下 and/or MTX 7.5～15mg/週 and/or NSAIDs(数日～数週間のみ)	PSL 0.5mg/kg以下またはmPSL 250mg 1～3回点滴またはmPSL 80～120mg筋注 and AZA 1.5～2.0mg/kg or MTX 10～25mg/週 or MMF 2～3g/日 or CsA 2mg/kg以下 and HCQ 6.5mg/kg以下	PSL 0.5mg/kg以下またはmPSL 500mg 1～3回点滴を併用またはPSL 0.75～1mg/kg and AZA 2～3mg/kg or MMF 2～3g/日 or CY静注 or CsA 2.5mg/kg以下 and HCQ 6.5mg/kg以下
典型的な維持治療	PSL 7.5mg/日 and HCQ 200mg/日 and/or MTX 10mg/週	PSL 7.5mg/日 and AZA 50～100mg/日 or MTX 10mg/週 or MMF 1g/日 or CsA 50～100mg/日 and HCQ 200mg/日	PSL 7.5mg/日 and MMF 1～1.5g/日 or AZA 50～100mg/日 or CsA 50～100mg/日 and HCQ 200mg/日
	寛解を維持していれば, 最終的にはHCQ以外の薬剤の減量・中止をめざす	寛解を維持していれば, 最終的にはHCQ以外の薬剤の減量・中止をめざす	寛解を維持していれば, 最終的にはHCQ以外の薬剤の減量・中止をめざす

HCQ:ヒドロキシクロロキン, MTX:メトトレキサート, PSL:プレドニゾロン, AZA:アザチオプリン, MMF:ミコフェノール酸モフェチル, CsA:シクロスポリン, CPA:シクロホスファミド

(文献4より改変)

3 ステロイドの根拠は？

- ステロイドとプラセボを比べた無作為化比較対照試験はありません。
- 1950年代からステロイドが使われるようになり，SLEの生存率が改善した観察研究からは，ステロイドがSLEの予後を改善することは確かなようです[1)]。

4 ステロイドの初期用量は？（表13）[4)]

- BILAG-2004カテゴリーAに該当する病変があれば，PSL 0.5～1mg/kg/日から開始します。
- 神経精神病変のカテゴリーAの場合は，mPSL 1gパルス3日間の後にPSL 1mg/kg/日を開始することが多いです。
- そのほか，生命の危険がある場合や急速に進行する臓器病変がある場合も，mPSL 1gパルス3日間の後にPSL 1mg/kg/日を開始します。
- ループス腎炎の場合は，病理組織型によってステロイドの初期用量を選択します（**表14**，**表15**[5～7)]）。
- BILAG-2004カテゴリーBに該当する病変の場合は，最大でPSL 0.5mg/kg/日が初期用量の目安となります。
- BILAG-2004カテゴリーCに該当する病変の場合は，局所ステロイド，抗マラリア薬，免疫抑制薬による治療が望ましいですが，改善しない場合は最大でPSL 20mg/日が初期治療の目安となります。

表14　ループス腎炎（ISN/RPS分類：2018年改訂）

Ⅰ型	微小メサンギウムループス腎炎
Ⅱ型	メサンギウム増殖型ループス腎炎
Ⅲ型	巣状ループス腎炎（管内性，管外性病変を持つ糸球体が50％未満）
Ⅳ型	びまん性ループス腎炎（管内性，管外性病変を持つ糸球体が50％以上）
Ⅴ型	膜性ループス腎炎（Ⅲ型，Ⅳ型が並存する場合は併記する）
Ⅵ型	進行した硬化性ループス腎炎（全節性硬化を示す糸球体が90％以上）

5 治療への反応性は？

- 病変部位にもよりますが，早くて2週間以内，遅くとも4週間以内には改善の兆しが現れることが多いです。
- 低補体血症，抗DNA抗体の値は，治療開始1カ月後くらいから改善してくるこ

表15 ループス腎炎の寛解導入療法

ISN/RPS分類	治療薬	Kidney Disease Improving Global Outcomes（KDIGO 2021）	American College of Rheumatology（ACR 2012）	European League Against Rheumatism and European Renal Association-European Dialysis and Transplant Association（EULAR/ERA-EDTA 2020）
Ⅰ		免疫抑制療法なし ネフローゼ症候群の場合は電子顕微鏡でpodocytopathyを評価し，微小変化群に準じて治療	免疫抑制療法なし	免疫抑制療法なし
Ⅱ		免疫抑制療法なし ネフローゼ症候群の場合は電子顕微鏡でpodocytopathyを評価し，微小変化群に準じて治療	免疫抑制療法なし	免疫抑制療法なし （ただし活動性の高い病型への移行が疑われれば再生検を行い治療を考慮）
Ⅲ/Ⅳ（±Ⅴ）	ステロイド	**表16**参照	mPSLパルス 500～1,000mg 3日間 PSL 0.5～1mg/kg （半月体があれば1mg/kg）	mPSLパルス 500～2,500mg 3日間 PSL 0.3～0.5mg/kg（3～6カ月以内に7.5mg以下に減量）
	免疫抑制薬	IVCYまたはMMF 上記に忍容性がなければ低用量MMF＋CNI eGFR 45以上であればMMFに1年間ボクロスポリンを併用してもよい 標準療法にBELを追加してもよい RTXは治療抵抗性や頻回な再燃で考慮する	MMF 2～3g または IVCY 500mg/2週 6回 または IVCY 500～1,000mg/m^2/月 6回	MMF 2～3g または IVCY 500mg/2週 6回 （腎機能の急速な悪化，糸球体の25％以上に細胞性半月体や壊死がある場合は下記も考慮） IVCY 500～750mg/m^2/月 6回 （ネフローゼ症候群では下記を考慮） MMF1～2gとTACの併用 治療抵抗性ではRTX1,000mg（day 0，14）を考慮
Ⅴ	ステロイド	ネフローゼでない： 免疫抑制療法なし ネフローゼの場合： 投与量記載なし	PSL 0.5mg/kg	mPSLパルス 500～2,500mg 3日間 PSL 20mg（3カ月以内に5mg以下に減量）
	免疫抑制薬	MMF，IVCY，CNI，RTX，AZA	MMF 2～3g	MMF 2～3g（第二選択として以下のいずれかを考慮） IVCY，CNI，MMF+CNI 治療抵抗性ではRTX1,000mg（day 0，14）を考慮

IVCY：シクロホスファミド静注療法，MMF：ミコフェノール酸モフェチル，CNI：カルシニューリン阻害薬，AZA：アザチオプリン，BEL：ベリムマブ，RTX：リツキシマブ

（文献5～7をもとに作成）

とが多いです。

- 蛋白尿は3カ月以内に減少を認めますが，0.5g/日以下に達するのに1年要することもあります。
- 神経障害は数カ月以上かけて改善することもあります。

6 寛解導入療法はステロイド単剤でよいか？

- 免疫抑制薬は寛解導入率を上げ，再燃を減らすので積極的に検討します（**表13**[4]，**図1**[3]）。
- 重症神経精神病変の場合は，シクロホスファミドを併用します[8]。
- 抗リン脂質抗体陽性の場合は，抗凝固療法または抗血小板療法を考慮します[9]。
- 自己免疫性血小板減少症（ITP）の急性期には免疫グロブリン大量静注療法（IVIG）を考慮し，難治性のITPや自己免疫性溶血性貧血（AIHA）では，リツキシマブの投与を検討します[9]（☞**2章20，2章21**）。
- ループス腎炎の場合は，病理組織型によって免疫抑制薬を選択します（**表14，表15**[5〜7]）。

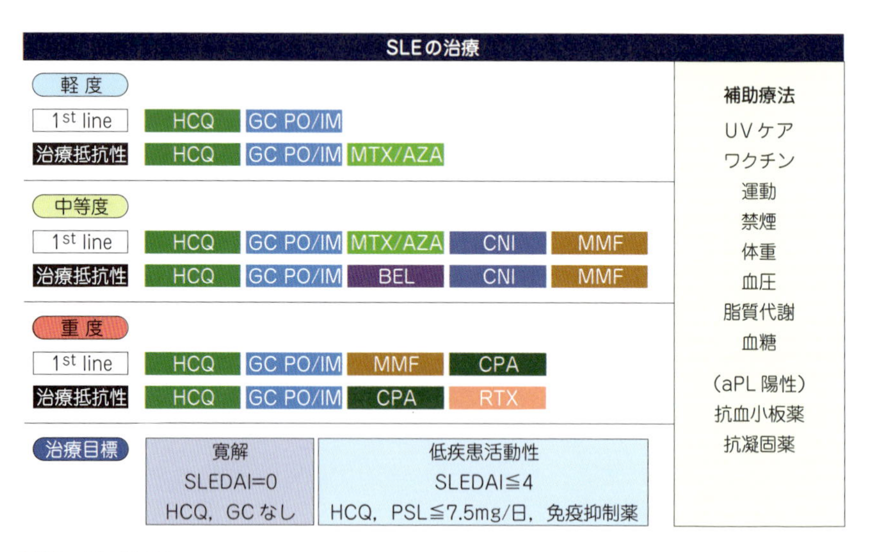

図1 SLE治療

HCQ：ヒドロキシクロロキン，GC PO/IM：ステロイド経口/筋注，MTX：メトトレキサート，AZA：アザチオプリン，MMF：ミコフェノール酸モフェチル，CNI：カルシニューリン阻害薬（シクロスポリンやタクロリムス），BEL：ベリムマブ，CPA：シクロホスファミド，RTX：リツキシマブ

（文献3より改変）

- ループス腎炎に対しては，ミコフェノール酸モフェチル(MMF)とタクロリムスの併用がシクロホスファミドと比べて寛解導入率が高かったとする報告があるので，MMFとタクロリムスの併用も選択肢に入れます[10]。
- ループス腎炎に対しては，MMFまたはシクロホスファミドによる標準療法にベリムマブ(抗BLyS抗体)を併用すると寛解導入率が高かったことが報告されています[11]。
- ループス腎炎に対してリツキシマブを投与した無作為化比較対照試験(LUNAR試験)では，52週の時点で有意差を認めませんでしたが[12]，事後解析にて末梢血B細胞数が完全に除去された場合は(0細胞/μL)，78週時点で完全奏効が有意に増えることが判明しました[13]。難治性のループス腎炎ではリツキシマブを考慮してもよいかもしれません[9]。
- ヒドロキシクロロキン，免疫抑制薬を用いても，抗DNA抗体が陽性で，低補体血症が続き，高度疾患活動性(目安としてSLEDAI 11点以上)を認める場合には，ベリムマブの追加投与を検討します[14]。
- ベリムマブは他の免疫抑制薬と併用することができます。添付文書では「シクロホスファミド静注剤との併用に対する安全性と有効性は確立されていない」と記載されていますが，ループス腎炎を対象としたBLISS-LN studyではシクロホスファミド静注剤との併用の安全性と有効性が確認されています[11]。
- SLEDAI-2Kが発熱，ループス頭痛，器質的脳障害を除いて6点以上，検査値異常を除いて4点以上，かつBILAG-2004カテゴリーA 1つ以上またはカテゴリーB 2つ以上を対象とした研究ではアニフロルマブ(抗I型IFN受容体抗体)の有用性が報告されています[15]。
- アニフロルマブは，シクロホスファミドやカルシニューリン阻害薬との併用に対する安全性や有効性は確認されていません。
- 重症血管炎の場合は，シクロホスファミドを併用します。

ピットフォール

➡SLEでは，消化器症状と著明な腸管粘膜下浮腫を特徴とする「ループス腸炎」を合併することがあります。日本では「ループス腸炎」という名称が一般的ですが，海外では「ループス腸間膜血管炎(lupus mesenteric vasculitis)」と称されます。血管炎の病態であるため，シクロホスファミドの投与により予後が改善することが報告されています[16)]。

➡ベリムマブの効果は非常にゆるやかであり，SLEDAI, BILAG, PGA (physician global assessment) を指標とした疾患活動性が有意に低下するのは12週以降です[14, 17)]。

7 寛解維持療法としてsteroid sparing agentは何かあるか？

- ヒドロキシクロロキンは，禁忌や副作用がない限り全例で導入を検討します（**表1[2)]の推奨10**）。再燃抑制，ステロイド減量，感染リスク減少などのメリットが示唆されています。
- ループス腎炎では，MMF（妊娠希望者ではアザチオプリン），タクロリムスの中から選択することが一般的です。これらにベリムマブを追加することもあります。
- それ以外の病変では，MMF，アザチオプリン，タクロリムス，シクロスポリン，メトトレキサート，ミゾリビン，アニフロルマブの中から選択します。
- 1種類の免疫抑制薬を用いても再燃する場合は，生物学的製剤（ベリムマブやアニフロルマブ）の追加を検討します。作用機序の異なる免疫抑制薬を2種類組み合わせることもあります（☞**1章1**）。生物学的製剤同士は併用しません。
- シクロホスファミドは毒性が強いので，寛解維持療法には使いません。

ピットフォール

➡ヒドロキシクロロキンは添付文書では理想体重をもとに用量調節をすることになっていますが，実体重が少ない場合は過量投与となり網膜症のリスクとなることが知られています[18)]。

➡欧米ではヒドロキシクロロキンは5mg/kgを超えない量で投与することが推奨されています[3, 19)]。

MEMO

▶ヒドロキシクロロキンを導入する前には，眼科診察が必要！

▶ループス網膜症を除く網膜症，黄斑症の既往・合併がある場合は禁忌です。

▶ヒドロキシクロロキン導入後は，ヒドロキシクロロキン網膜症が出現していないか，年1回眼科で診察してもらう必要があります。

▶メトトレキサートはSLEの関節炎にも有効であり，ステロイドの減量効果が示されています[20]。

8 ステロイド減量のスピードは？

- 重症病変でPSL 1mg/kg/日から開始した場合は，初期用量を2～4週継続することが多いです。
- 臓器病変が改善したら，投与開始から12～26週を目処にPSL 10mg/日まで減量することを目標にします。
- 重症病変でない場合は，初期用量の期間やPSL 10mg/日までの減量期間を短くしてもかまいません。
- PSL 10mg/日まで減量できたら，約1カ月間隔で1mgずつ減量し，PSL 5mg/日まで減量することを目標にします。海外ではLLDAS（lupus low disease activity state）としてSLEDAI-2K 4以下を維持しつつPSL 7.5mg/日以下にすることを目標としますが，体格差を考えると日本人ではPSL 5mg/日以下を目標としたいところです。
- ステロイド減量中に疾患が再燃した場合は，「ステロイドを減量しすぎた」「ステロイド減量のスピードが速すぎた」と考える前に，免疫抑制薬などのsteroid sparing agentが十分に投与できているか再検討しましょう。
- 参考としてKDIGO2021のループス腎炎に対するステロイドレジメンを示します（**表16**）。

9 減量は何を指標にすればよいか？

- T2T task force（**表1**）[2]に記載されているように，活動性スコアや臓器特異的マーカーを指標にステロイドを減量します。
- 活動性スコアにはBILAG-2004，SLE disease activity index-2K（SLEDAI-2K）（**表17**）があります。
- BILAG-2004でカテゴリーA，Bがない，もしくはSLEDAI-2Kスコア4点以下であれば低疾患活動性であると考えます（**表18**）[3]。

表16　ループス腎炎のステロイドレジメン（KDIGO2021より）

	standard-dose scheme	moderate-dose scheme	reduced-dose scheme
mPSL pulse	なし または250~500mg/日 3日以内	250~500mg/日　3日以内 （しばしば初期治療に含む）	250~500mg/日　3日以内 （通常は初期治療に含む）
経口PSL			
week 0~2	0.8~1.0mg/kg (max 80mg)	0.6~0.7mg/kg (max 50mg)	0.5~0.6mg/kg (max 40mg)
week 3~4	0.6~0.7mg/kg	0.5~0.6mg/kg	0.3~0.4mg/kg
week 5~6	30mg	20mg	15mg
week 7~8	25mg	15mg	10mg
week 9~10	20mg	12.5mg	7.5mg
week 11~12	15mg	10mg	5mg
week 13~14	12.5mg	7.5mg	2.5mg
week 15~16	10mg	7.5mg	2.5mg
week 17~18	7.5mg	5mg	2.5mg
week 19~20	7.5mg	5mg	2.5mg
week 21~24	5mg	< 5mg	2.5mg
week >25	< 5mg	< 5mg	< 2.5mg

- 臓器特異的マーカーとは，ステロイド治療の原因となった各臓器病変の疾患活動性に関連する身体所見，血液所見，尿所見，画像所見などを指します。
- 臨床的に寛解～低疾患活動性であると判断できれば，抗DNA抗体が高値で持続し，低補体血症が遷延していてもステロイドを減量することは可能です。
- 臨床的に寛解～低疾患活動性であるのにもかかわらず，抗DNA抗体が高値で持続し，低補体血症が遷延していることを理由にステロイドを増量することは推奨されません（**表1**[2] **の推奨3**）。

MEMO

▶オリジナルのSLEDAIでは皮疹，脱毛，粘膜病変は新規や再燃した病変に，蛋白尿は新規に0.5g/日を超えて出現または0.5g/日を超える増加に限定していましたが，SLEDAI-2Kでは持続した所見もカウントできるようになりました。

▶SLEDAI-2Kは10日以内の病変のみカウントしますが，SLEDAI-2K（30-day version）では30日以内の病変もカウントできるようになりました。

表17　SLEDAI-2K

8	痙攣	10日以内に発現したもの。代謝性，感染症，薬剤性または不可逆的な中枢神経系の障害による痙攣を除く
8	精神病	現実を容認できないことによる日常生活動作の障害（幻覚，錯乱，まとまりのない思考，無気力，非論理的思考，奇異な，分裂した，あるいは緊張性の行動）。尿毒症，薬剤性は除く
8	器質的脳障害	見当識，記録，他の知的機能障害を伴った精神機能低下 急性の経過で出現し，それが変動するもの。注意力散漫，集中力低下，以下の2つの症状（認知障害，錯乱言語，不眠，嗜眠傾向，精神運動障害）を伴う意識障害。代謝性，感染性，薬剤性を除く
8	視力障害	SLEによる網膜および眼球の変化（細胞様小体，網膜出血，脈絡膜滲出物，脈絡膜出血，視神経炎，強膜炎あるいは上強膜炎）。高血圧，感染性または薬剤性を除く
8	脳神経障害	新たに発現した脳神経による感覚あるいは運動神経障害。SLEによるめまいも含む
8	ループス頭痛	激しい，持続する頭痛（片頭痛様もあり，麻薬性鎮痛薬に反応しない）
8	脳血管障害	新しい脳血管障害による発作。動脈硬化または高血圧によるものは除く
8	血管炎	潰瘍，壊疽，手指の有痛性結節，爪周囲梗塞，爪下出血，あるいは生検，血管造影で証明された血管炎
4	関節炎	2個を超える疼痛+炎症所見（圧痛，腫脹，滲出液）を有する関節炎
4	筋炎	近位筋の疼痛/筋力低下，CPKの上昇，筋電図変化，あるいは筋炎を示唆する生検所見
4	尿円柱	顆粒，あるいは赤血球円柱
4	血尿	5個/HPFを超える血尿。結石，感染性，その他の原因によるものを除く
4	蛋白尿	新たに出現したもの，あるいは0.5g/24時間以上の増加を認めるもの
4	膿尿	5個/HPFを超える白血球。感染性を除く
2	発疹	持続している炎症性の発疹
2	脱毛	持続している異常な斑状あるいは広範な脱毛
2	粘膜潰瘍	持続している口腔，鼻腔潰瘍
2	胸膜炎	激しい胸膜痛，胸膜摩擦音，胸水，あるいは新たに発現した胸膜肥厚
2	心膜炎	激しい前胸部痛，心膜摩擦音，心嚢液貯留，または心膜炎の心電図所見あり
2	低補体血症	CH50，C3，あるいはC4が正常下限以下
2	抗dsDNA抗体上昇	Farr assayで25%以上，あるいは他の方法で正常範囲を超えるもの
1	発熱	38℃以上。感染性を除く
1	血小板減少	10万/μL未満
1	白血球減少	3,000/μL未満。薬剤性を除く

10日以内，または30日以内（30-day versionの場合）に出現したものをカウントする。SLEに関連した項目だけカウントする（例：尿路感染症による膿尿や薬剤性の血球減少症はカウントしない）。

表18　SLEDAI-2Kによる疾患活動性

疾患活動性	SLEDAIスコア
寛解	0
低疾患活動性	1〜4
中等度疾患活動性	5〜10
高度疾患活動性	≧11

疾患活動性の変化	SLEDAIスコアの変化
再燃	>3
改善	<-3
不変	±3

（文献3より改変）

MEMO

- CRPと赤沈はSLEの疾患活動性に含めませんが，定期採血の項目に含めるとマネジメントが行いやすくなります。
- CRPは，SLEの疾患活動性が高いときもわずかな上昇にとどまります。
- CRPが大きく上昇した場合は，SLE以外の病態による炎症，特に感染症を第一に考えます。
- 赤沈はSLEの疾患活動性とゆるやかな相関があり，疾患活動性が高いときには赤沈高値，CRP低値となります。

10　ステロイドは中止できるか？　投与期間は？

- ステロイドは中止できる可能性がありますが，個々の病態に応じて判断します。
- BILAGカテゴリーAに分類されるような重症病変でステロイドを開始した場合は，少なくとも数年間はステロイドを投与することが多いです。
- BILAGカテゴリーBに分類されるような可逆性の病態では，重症病態よりステロイドを中止できる可能性が高く，投与期間も短くすむ傾向にあります。
- ステロイド＋免疫抑制薬＋抗マラリア薬で長期寛解を維持していたら，ステロイドの中止をめざします（**表1**[2]**の推奨8**）。
- 免疫抑制薬＋抗マラリア薬でも長期寛解が維持できれば，免疫抑制薬の減量・

中止をめざします。
- 副作用が出現しない限り，抗マラリア薬は継続します（**表13**）[4]。

MEMO

- ▶どうしてもステロイドが中止できない症例では，維持量で長期継続することもあります。
- ▶その場合，ステロイドの維持量は5mg/日（0.1mg/kg/日）以下を目安にします。
- ▶目標維持量に減量する過程で再燃する場合は，安易にステロイド維持量の設定を上げるのではなく，免疫抑制薬の増量・追加・変更，ベリムマブやアニフロルマブの追加を検討しましょう。
- ▶免疫抑制薬＋抗マラリア薬±ベリムマブまたはアニフロルマブを用いれば，PSL 5mg/日まで減量できることがほとんどです。

11 モデル症例

症例：ループス腎炎ISN/RPS分類Ⅳ＋Ⅴ型（38歳女性）

①mPSL 1gパルスを3日間施行し，PSL 60mg/日，タクロリムス3mg/日，MMF 2g/日による寛解導入療法を開始した。また，眼科にコンサルテーションを行い，既存眼病変がないことを確認してからヒドロキシクロロキンを200mg/日と400mg/日の隔日で開始した。

②ネフローゼ症候群を呈しており，エナラプリルを10mg/日より開始し，血圧をモニタリングしながら20mg/日まで増量した。合併する脂質異常症に対してアトルバスタチン10mg/日も開始した。PSL 60mg/日は2週間継続し，以後10mgずつ1週間ごとに30mg/日まで減量した。

③その後，PSL 25mg/日を2週間投与し，PSL 20mg/日からは4週ごとに2.5mgずつ減量し，ステロイドを開始してから23週後にPSL 10mg/日まで減量した。

④4週ごとに1mgずつ減量し，ステロイドを開始してから43週後にPSL 5mg/日まで減量。尿蛋白は，治療開始前は6g/日であったが，PSL 10mg/日に減量した時点で1g/日まで低下し，PSL 5mg/日に減量した時点では0.5g/日以下まで低下した。

⑤その後，寛解を維持していることを確認しながら慎重に1mg/日ずつ減量を行い，治療開始から4年後にステロイドを中止した。現在，タクロリムス3mg/日，MMF 2g/日，ヒドロキシクロロキンにて寛解を維持している。

文献

1) HASERICK JR：AMA Arch Derm Syphilol. 1953；68(6)：714-25.
2) van Vollenhoven RF, et al：Ann Rheum Dis. 2014；73(6)：958-67.
3) Fanouriakis A, et al：Ann Rheum Dis. 2021；80(1)：14-25.
4) Gordon C, et al：Rheumatology (Oxford). 2018；57(1)：e1-e45.
5) Kidney Disease：Improving Global Outcomes(KDIGO) Glomerular Diseases Work Group：Kidney Int. 2021；100(4S)：S1-S276.
6) Hahn BH, et al：Arthritis Care Res (Hoboken). 2012；64(6)：797-808.
7) Fanouriakis A, et al： Ann Rheum Dis. 2020；79(6)：713-23.
8) Barile-Fabris L, et al：Ann Rheum Dis. 2005；64(4)：620-5.
9) Fanouriakis A, et al：Ann Rheum Dis. 2019；78(6)：736-45.
10) Liu Z, et al：Ann Intern Med. 2015；162(1)：18-26.
11) Furie R, et al：N Engl J Med. 2020；383(12)：1117-28.
12) Rovin BH, et al：Arthritis Rheum. 2012；64(4)：1215-26.
13) Gomez Mendez LM, et al：Clin J Am Soc Nephrol. 2018；13(10)：1502-9.
14) Stohl W, et al：Arthritis Rheumatol. 2017；69(5)：1016-27.
15) Morand EF, et al：N Engl J Med. 2020；382(3)：211-21.
16) Yuan S, et al：Semin Arthritis Rheum. 2014；43(6)：759-66.
17) Zhang F, et al：Ann Rheum Dis. 2018；77(3)：355-63.
18) Melles RB, et al：JAMA Ophthalmol. 2014；132(12)：1453-60.
19) Marmor MF, et al：Ophthalmology. 2016；123(6)：1386-94.
20) Fortin PR, et al：Arthritis Rheum. 2008；59(12)：1796-804.

（岩波慶一）

A 膠原病

3. 炎症性筋疾患

ステロイド治療の心構え

▶封入体筋炎を除く炎症性筋疾患にはステロイドが有効ですが，単剤では寛解維持は難しく，治療初期から免疫抑制薬の併用が必要です。

▶ステロイドの減量が進まないと，ステロイドミオパチーにより筋力回復の遅延や筋力低下の進行をきたします。

1 疾患の概要

- 炎症性筋疾患は皮膚筋炎，多発性筋炎，免疫介在性壊死性ミオパチー，封入体筋炎を含んだ自己免疫性筋疾患の総称です。
- 皮膚筋炎は，特徴的な皮膚病変によって診断され，筋炎や間質性肺炎を合併することが多いですが，必ずしも合併するわけではありません。病態には自己抗体，補体，B細胞，CD4$^+$T細胞，形質細胞様樹状細胞（plasmacytoid dendritic cells；pDC）が関与していると考えられています。
- 多発性筋炎は，病理学的には筋壊死を伴わないCD8$^+$T細胞の浸潤で定義づけられますが，「多発性筋炎」と診断されている症例の大部分は免疫介在性壊死性ミオパチーや封入体筋炎であり，その存在を疑問視する声もあります。皮膚病変が乏しく，分類基準（もしくは厚生労働省診断基準）では「皮膚筋炎」の基準を満たさない例が「多発性筋炎」と診断されているケースが本邦では多いと思われます。
- 免疫介在性壊死性ミオパチーは，自己抗体が病態に関与すると考えられており，病理学的には筋壊死が目立つもののリンパ球浸潤が乏しいのが特徴とされます。
- 封入体筋炎は本邦では稀な筋疾患で，病初期から手指屈筋，前腕萎縮，足伸筋の遠位筋に病変が出るのが特徴です。大腿四頭筋にも病変が出やすく「膝がガクガクする」という主訴で来院することもあります。病理学的にはCD8$^+$T細胞の浸潤と筋線維の縁取り空胞が特徴です。

MEMO

▶これまで皮膚・筋所見のみを根拠に「皮膚筋炎」「多発性筋炎」という分類・診断がなされてきましたが，種々の筋炎特異的自己抗体と臨床的特徴の関連が明らかになるにつれ，自己抗体を軸に疾患を分類するようになりました（**表1**）[1]。

表1　筋炎特異的・関連自己抗体と臨床的特徴

自己抗体	対応抗原	頻度	臨床的特徴
筋炎特異的自己抗体			
抗ARS抗体	アミノアシルtRNA合成酵素	25～30%	いわゆる抗ARS抗体症候群（間質性肺炎，機械工の手，筋炎，多関節炎，レイノー現象，発熱）
抗SRP抗体	signal recognition particle	5～10%	•免疫介在性壊死性ミオパチー •治療抵抗性
抗HMGCR抗体	HMG-CoA還元酵素	5～8%	•免疫介在性壊死性ミオパチー •スタチン関連筋炎
抗Mi-2抗体	Mi-2	3～10%	•古典的皮膚筋炎（Gottron徴候・丘疹，ヘリオトロープ疹，Vネック徴候，ショール徴候） •間質性肺炎は少ない
抗MDA5抗体	MDA5	10～20%	•無筋症性皮膚筋炎（CADM） •急速進行性間質性肺炎
抗TIF1-γ抗体	TIF1-γ	10～20%	•7～8割で悪性腫瘍合併 •嚥下障害 •重度の皮膚炎 •筋炎は軽度 •間質性肺炎は少ない
抗NXP2抗体	NXP2	5%	•皮膚筋炎 •3割が悪性腫瘍 •小児で皮膚石灰化
抗SAE抗体	SAE	5%	•皮膚筋炎 •嚥下障害
筋炎関連抗体			
抗SS-A抗体	RNA pol Ⅲ転写終結因子	10～30%	非特異的
抗Ku抗体	DNA-PK活性化因子	10%	強皮症と筋炎のオーバーラップ症候群
抗U1-RNP抗体	U1-RNP	10%	•混合性結合組織病 •強皮症と筋炎のオーバーラップ症候群
抗U3-RNP抗体	U3-RNP	＜5%	強皮症と筋炎のオーバーラップ症候群
抗PM-Scl抗体	核小体蛋白複合体	＜5%	強皮症と筋炎のオーバーラップ症候群
抗ミトコンドリアM2抗体	PDC-E2	不明	•筋炎 •心筋障害 •原発性胆汁性胆管炎を合併しないこともある

（文献1より改変）

2 どういうときにステロイドを使うか？

- 筋炎や間質性肺炎を発症した症例では，ステロイドの全身投与が必要となります。
- 稀に皮膚炎や筋炎がなく間質性肺炎のみで発症することがあります。この場合もステロイドの全身投与が必要となります。
- 皮膚炎のみの場合は，ステロイド外用薬や経口免疫抑制薬で治療可能です。
- 封入体筋炎ではステロイドを含む免疫抑制療法が無効なので，対症療法が中心となります。

※ここから先は封入体筋炎以外の炎症性筋疾患の治療について解説します。

MEMO

▶間質性肺炎や重度の筋炎により速やかに免疫抑制治療を開始しなければならない場合を除いて，悪性腫瘍合併例では腫瘍に対する治療を先行させます[1)]。

3 ステロイドの根拠は？

- 経験的にステロイドの有効性が確認されていますが，比較対照試験では証明されていません。

4 ステロイドの初期用量は？

- 重症度に応じてプレドニゾロン（PSL）0.5～1mg/kg/日で開始します。
- 急速進行性間質性肺炎の合併など，早急に病勢を抑える必要がある場合は，ステロイドパルスを併用します。

5 治療への反応性は？

- ステロイドへの初期反応はおおむね良好ですが，間質性肺炎の一部は治療抵抗性を示すことがあります。特に抗MDA5抗体陽性例では，治療抵抗性となることが多いです。
- 抗SRP抗体陽性の免疫介在性壊死性ミオパチーも治療抵抗性であることが多いです。

6 寛解導入療法はステロイド単剤でよいか？

- 寛解導入期から免疫抑制薬を併用することで，ステロイドの早期減量が可能となり，ステロイドミオパチーの合併リスクを減らせます。
- 本邦では，皮膚筋炎・多発性筋炎による間質性肺炎に対して保険適用を有するタクロリムスを選択することが多いですが，シクロスポリン，ミコフェノール酸モフェチルも有効です。
- アザチオプリンは効果発現が遅いので，寛解導入期に用いる免疫抑制薬としては第一選択にしません。
- 抗MDA5抗体陽性で急速進行性間質性肺炎を合併した症例に対しては，本邦ではカルシニューリン阻害薬（シクロスポリンやタクロリムス）とシクロホスファミドの多剤併用免疫抑制療法を施行することが多いです[2)]。
- 抗MDA5抗体陽性の急速進行性間質性肺炎に対しては，トファシチニブ（JAK阻害薬）の有用性も報告されています[3)]。
- 抗MDA5抗体陽性の急速進行性間質性肺炎では，適切に治療を行っても肺障害が進行することも少なくありませんが，難治例では血漿交換が有効であったとする報告があります[4)]。自己抗体が病原性を有すると考えられ，リツキシマブの有用性を示す報告もあります[5)]。
- 難治例では，大量γグロブリン療法（IVIG）を考慮します[1, 6)]。
- 皮膚病変のみの症例に対しては，ステロイド軟膏，タクロリムス軟膏の外用薬に加えて，メトトレキサート，タクロリムス，シクロスポリン，ミコフェノール酸モフェチルなどの免疫抑制療法や，ヒドロキシクロロキンの併用を考慮します[1)]。
- 皮膚炎に対しては，紫外線を避けることも重要です[6)]。
- 一部の症例では，悪性腫瘍の治療のみで筋炎の疾患活動性が消失することも知られています[7)]。

MEMO

▶炎症性筋疾患では，T細胞・B細胞が病態形成に関わるため，ステロイド単剤で治療するとPSL 20mg/日以下に減量したときにリンパ球への抑制効果が低下するため再燃しやすくなります。

▶寛解導入期からリンパ球を抑制する免疫抑制薬を使用することで，ステロイドへの治療依存度を減らすことができます。

7 寛解維持療法としてsteroid sparing agentは何かあるか？

- 寛解導入期に使用した免疫抑制薬は寛解維持療法にも有用ですが，シクロホスファミドは長期投与で副作用が増加するので寛解維持療法には使用しません。
- アザチオプリンを寛解維持療法として使用することもあります。
- 疾患活動性が高い症例では，免疫抑制薬1剤では十分なsparing effectが出現せず，再燃を繰り返してステロイドの減量が進まないことがあります。このような症例では，作用機序の異なる免疫抑制薬を2剤併用することもあります。

MEMO

▶皮膚筋炎では，pDCという細胞が筋肉や皮膚に浸潤しており，I型インターフェロンを産生することで病態形成に関わっていると考えられています[8, 9]。

▶TNF-αはpDCからのI型インターフェロン産生を抑制することが知られています[10]。

▶関節リウマチ治療に使われたTNF阻害薬にて皮膚筋炎が発症した報告があります[11, 12]。TNF阻害薬は薬剤性ループスのリスクになることが知られていますが，皮膚筋炎にも注意する必要があります。関節リウマチを合併した症例にはTNF阻害薬を使用しないほうがよいでしょう。

▶生物学的製剤では，アバタセプトが皮膚筋炎・多発性筋炎に有効であったとする報告があります[13]。関節リウマチや関節炎合併例ではアバタセプトを考慮してもよいでしょう。

8 ステロイド減量のスピードは？

- 重症度に応じて初期用量を1～2週継続し，3～4カ月後にはPSL 10mg/日以下まで減らすことを目標としますが，抗SPR抗体陽性の免疫介在性壊死性ミオパチーなど治療抵抗性の病態では，ステロイドの減量をゆるめなければならないこともあります。
- 抗MDA5抗体陽性例など治療抵抗性の間質性肺炎では，初期用量を4週程度続け，ステロイドの減量速度をゆるめることもありますが，ステロイド以外の治療法を強化して，可能な限り早期にステロイドを減らすように努めます。

ここがPOINT！

◉炎症性筋疾患では，筋炎とステロイドの2つの原因により筋障害が悪化する可能性があります。

◉PSL 10mg/日以下でステロイドミオパチーが出現することは稀なので，至適用量の免疫抑制薬を併用して筋炎をコントロールし，可能な限り早期にPSL 10mg/日までステロイドを減量することがアウトカム改善に必要です。

9 減量には何を指標にすればよいか？

- クレアチンキナーゼ（CK）は筋炎改善の指標となりますが，CKが高値であることを理由にステロイドを増量したり，減量速度をゆるめたりする必要はありません。
- 治療開始前にCKが著増している症例では，CKが正常化するまで1～2カ月を要することもあります。筋痛が改善していること，筋力低下が進行していないこと，CKが減少傾向であることが確認でき，至適用量のsparing agent（免疫抑制薬）が投与されていればステロイドは減量してかまいません。
- 間質性肺炎では呼吸症状，呼吸機能，画像所見（陰影濃度や広がり）を治療の指標とします。
- 皮膚炎も指標としますが，外用薬や免疫抑制薬の強化で対処できることも多く，皮膚炎のみでステロイドの減量速度を決めることはあまりありません。

10 ステロイドは中止できるか？　投与期間は？

- ステロイドの中止は可能です。治療反応性が良ければ2年以内に中止することも可能です。免疫抑制薬は長期の投与が必要です。
- 抗MDA5抗体陽性例でも寛解導入後の再燃リスクは低いことが知られており，ステロイドを中止することは可能です。
- 治療反応性には個人差があり，免疫抑制薬を使用しても再燃を繰り返すこともあります。このような症例ではPSL 5mg/日（0.1 mg/kg）を維持量とすることもあります。

11 モデル症例

症例：倦怠感，歩行困難感，肝酵素高値で紹介受診（60歳女性）

①近位筋優位の筋力低下を認め，血液検査でCK 4,400IU/Lと高値だった。皮膚炎や間質性肺疾患は認めなかった。

②大腿のMRIでは伸筋群・屈筋群にT2脂肪抑制画像で高信号を認め，筋電図では筋原性パターンを認めた。筋生検では筋線維の大小不同，壊死再生線維を認めたが，リンパ球浸潤を認めなかった。抗SRP抗体陽性であり，免疫介在性壊死性ミオパチーと診断した。悪性腫瘍の合併は認めなかった。

③PSL 50mg（1mg/kg）とタクロリムス 3mgを同時に開始した。2週後に倦怠感の改善，CK 3,300IU/Lと筋原性酵素の低下を確認し，PSL 40mgへ減量，3週後にはCK 2,600IU/Lと低下傾向であることを確認し，PSL 30mgへ減量した。

④4週後にCK 3,600IU/Lと上昇したため，メトトレキサート 6mg/週を追加した（免疫抑制薬2剤）。PSLは，ステロイドミオパチーを懸念して予定通り25mgに減量した。

⑤7週後にCK 2,100IU/Lと低下していることを確認し，PSL 20mgに減量した。以後，筋力とCKの低下を確認しながら，4週おきにPSL 17.5mg，15mg，12.5mgと減量し，23週後にはステロイドミオパチーへの懸念がない10mgまで減量した。

⑥その後，PSLを月1mgずつ減量し，10カ月後にはPSL 5mgまで減量し，3年後にはPSLを中止した。現在はタクロリムス，メトトレキサートで寛解を維持している。

文 献

1） 厚生労働科学研究費補助金難治性疾患等政策研究事業 自己免疫疾患に関する調査研究班，編：多発性筋炎・皮膚筋炎診療ガイドライン2020年暫定版．2020．

2） Tsuji H, et al：Arthritis Rheumatol. 2020；72(3)：488-98.

3） Chen Z, et al：N Engl J Med. 2019；381(3)：291-3.

4） Shirakashi M, et al：Rheumatology(Oxford). 2020；59(11)：3284-92.

5） Huang K, et al：Rheumatol Int. 2019；39(11)：1971-81.

6） Dalakas MC：N Engl J Med. 2015；372(18)：1734-47.

7） András C, et al：J Rheumatol. 2008；35(3)：438-44.

8） López de Padilla CM, et al：Arthritis Rheum. 2007；56(5)：1658-68.

9） McNiff JM, et al：J Cutan Pathol. 2008；35(5)：452-6.

10） Psarras A, et al：J Immunol. 2021；206(4)：785-96.

11） Brunasso AM, et al：J Rheumatol. 2010；37(7)：1549-50.

12） Liu SW, et al：JAMA Dermatol. 2013；149(10)：1204-8.

13） Tjärnlund A, et al：Ann Rheum Dis. 2018；77(1)：55-62.

（岩波慶一）

A 膠原病

4. 強皮症

ステロイド治療の心構え

▶ステロイドの有効性には十分な根拠がないため，大部分の症例ではステロイドを投与する必要はありません。

▶ステロイドは腎クリーゼのリスクとなることが示されています。

1 疾患の概要

- 強皮症は全身の血管・血流障害，間質の線維化を特徴とする自己免疫疾患です。
- 初期には血流障害，炎症性病態が前景に立ちますが，後期には諸臓器の線維化が主病態となります。
- 残念ながら，治療により疾患活動性が完全に消失することは稀です。そのため，薬剤は「治療薬」としてではなく「疾患修飾薬」の位置づけになります。
- 他の膠原病や血管炎（多くはMPO-ANCA陽性糸球体腎炎）を合併することも稀ではありません（オーバーラップ症候群）。

MEMO

▶一般的に「治療薬」は疾患活動性を完全に抑制することを目的に使用しますが，疾患活動性を完全に抑制できないものの進行速度をなだらかにしたり，遅延させたりする目的で使用される薬剤は「疾患修飾薬」と称されます。たとえば，アルツハイマー型認知症で使用される薬剤は「疾患修飾薬」です。

▶関節リウマチに使用する薬剤も「疾患修飾薬」です。昨今，多くの症例で薬物投与により完全寛解へ導くことも可能になったため「治療薬」という位置づけでもよいのですが，生物学的製剤や分子標的薬でも一部の症例では，低疾患活動性が治療目標となるため「疾患修飾性抗リウマチ薬（DMARDs）」という名称が現在も使われています。

2 どういうときにステロイドを使うか？

- ステロイドは不要であることがほとんどです。
- ほとんどの臓器障害（**図1**）は血流障害，線維化が主病態であるため，ステロイドを含む抗炎症・免疫抑制薬は無効です。
- 線維化が形成される前の炎症期（浮腫期）にステロイドを投与することで皮膚，肺，心筋病変などの臓器病変が改善する可能性がありますが，コンセンサスは得られていません[1)]。
- 心筋炎に対しては，プレドニゾロン（PSL）15mg/kg未満±シクロホスファミドを推奨する意見もあります[2)]。しかし，線維化が進行した症例では十分な効果は期待できないため，心筋MRIなどを参考に，適応は慎重に選ぶべきでしょう[3)]。
- 心外膜炎は比較的多い合併症で，日本皮膚科学会のガイドラインではステロイド治療を推奨（推奨度2D）していますが[4)]，心外膜炎は腎クリーゼのリスク因

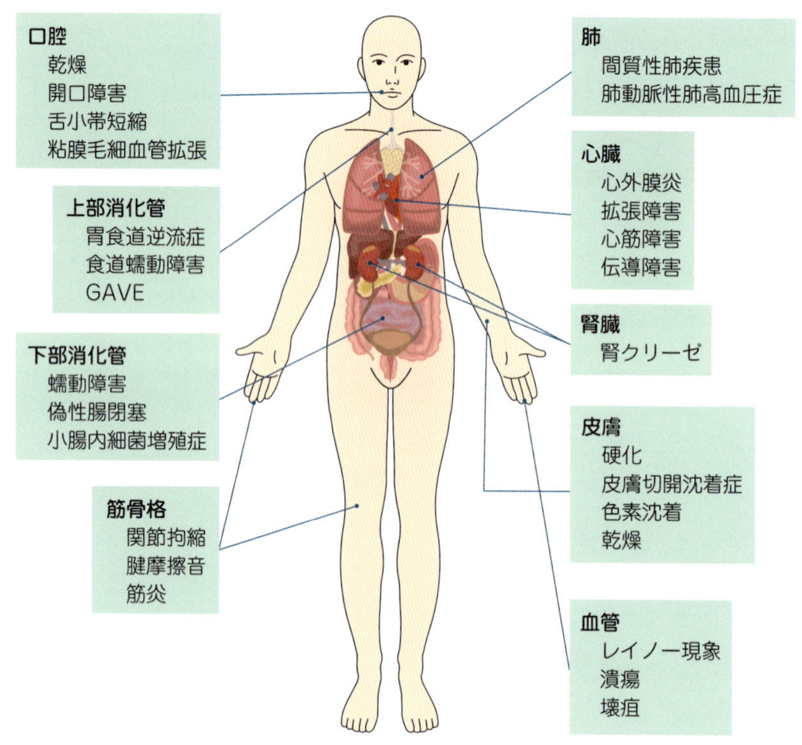

図1　強皮症で出現する臓器障害
GAVE：gastric antral vascular ectasia（胃前庭部毛細血管拡張症）

子であると考えられるため，ステロイドの安易な投与は避けたほうがよいでしょう[5)]。

- 関節炎を合併した際には少量のステロイドを投与することがありますが，十分なエビデンスはありません。関節リウマチを合併した際にはDMARDsによる治療を優先します。
- 炎症性筋疾患（多発性筋炎や皮膚筋炎など）を合併した際にはステロイドを投与しますが，強皮症でも筋力低下や軽度のクレアチンキナーゼなどの筋原性酵素が上昇することがあり，安易なステロイド投与は避けます。筋生検で炎症性細胞浸潤がある場合は，ステロイドへの反応性が良かったとする報告があります[6)]。
- そのほか，膠原病や血管炎を合併した際は，合併した疾患に対してステロイドを投与することがあります。

3 ステロイドの根拠は？

- ステロイドの有効性に関しては十分な根拠はありません。しかし，早期では炎症を抑えることで疾患修飾が可能かもしれない，もしくは関節炎のコントロールに有効かもしれない，とする専門家の判断でステロイドが投与されることがあります。
- 欧州リウマチ学会のデータベース（EUSTAR）では，強皮症による間質性肺疾患では58.8％がステロイドによる治療を受けていることが示されました。免疫抑制療法を受けている症例を母集団にすると，ステロイド単剤（30.6％），シクロホスファミドと併用（11.9％），アザチオプリンと併用（9.2％），メトトレキサートと併用（8.7％），ミコフェノール酸モフェチルと併用（7.3％）という内訳でした。多くはPSL 10mg/日以下ですが，ステロイド使用者の17％がPSL 10mg/日を超える量，5.3％が20mg/日を超える量を服薬していました[7)]。
- 本邦では，発症早期の皮膚硬化にステロイドを推奨する意見が皮膚科医の一部にあり，日本皮膚科学会が作成したガイドラインにも「副腎皮質ステロイド内服は，発症早期で進行している例には有用であり，投与を推奨する（推奨度2C）」と明記されています[4)]。
- 日本皮膚科学会のガイドラインでは，間質性肺疾患にはミコフェノール酸モフェチルやシクロホスファミドと中等量以下のステロイド併用が提案されています（推奨度2D）。海外のシクロホスファミドやミコフェノール酸モフェチルの効果を調べた試験でもPSL 10mg/日（もしくは20mg/日，隔日）以下のステロイドは許容されていますが，ステロイドを投与したほうがよいということではありません[8~10]。

- ステロイドを使わない根拠としては，腎クリーゼを誘発するリスクが挙げられます。特に抗RNAポリメラーゼⅢ抗体陽性例やPSL 15mg/日以上を投与した例で，リスクになることが知られています[11]（**表1**[11, 12]，**表2**[13]）。
- 他の膠原病や血管炎を合併した際は，その合併疾患がステロイド投与の根拠となります。しかし，この場合でもステロイドは腎クリーゼのリスクになりますので十分な注意が必要です。

ピットフォール

➡アンジオテンシン変換酵素阻害薬（ACE阻害薬）は腎クリーゼの治療薬になりますが，一次予防としては無効であるばかりか，リスク因子であると考えられています。

➡一般にACE阻害薬は高血圧症の第一選択に含まれますが，腎クリーゼの既往がない強皮症では投与を避けたほうがよいでしょう。高血圧を合併したときはレイノー現象の治療も兼ねてカルシウム拮抗薬を選択することが多いです。単剤で十分に血圧が下がらない場合は，アンジオテンシンⅡ受容体拮抗薬（ARB）を選択することは許容されます。

➡強皮症腎クリーゼを発症した症例では，ACE阻害薬で血圧コントロールを行います。

表1　強皮症腎クリーゼのリスクとなる薬剤

リスクになる	リスクになる根拠なし
ステロイド ACE阻害薬	ARB カルシウム拮抗薬
リスクとなる可能性がある	NSAIDs
カルシニューリン阻害薬（シクロスポリン）	MMF エンドセリン受容体拮抗薬 フルチカゾン

MMF：ミコフェノール酸モフェチル

（文献11，12をもとに作成）

表2　強皮症腎クリーゼの5つのコアセット

急激な血圧上昇	以下のいずれか 　収縮期血圧140mmHg以上 　拡張期血圧90mmHg以上 　普段より収縮期血圧30mmHg上昇 　普段より拡張期血圧20mmHg上昇 　血圧は5分以上の間隔をあけて2回確認する
急性腎障害	以下のいずれか 　48時間で血清クレアチニン0.3mg/dL以上の上昇 　7日以内に血清クレアチニンがベースラインより1.5倍の増加 　6時間の尿量が0.5mg/kg/時未満
微小血管障害性溶血性貧血・血小板減少症	他の原因によらない新規または悪化する貧血 末梢血スメアで破砕赤血球または赤血球断片 血小板数10万/μL以下（凝集を否定） 溶血の検査所見（LDH上昇，網状赤血球数増加，またはハプトグロビン低値） 直接クームス試験陰性
標的臓器の機能障害	高血圧性網膜症（出血，硬性・軟性白斑，または視神経乳頭浮腫） 高血圧性脳症（頭痛，意識変容，痙攣，視力障害，または神経学的異常） 急性心不全 急性心外膜炎（以下の2つ以上：心外膜炎による胸痛，心膜摩擦音，広範なST上昇またはPR低下の心電図異常，心嚢液貯留）
腎組織	強皮症腎クリーゼに合致する所見 小動脈（弓状・小葉間動脈）病変が糸球体変化より目立つ 血栓性微小血管障害による糸球体変化 非特異的な虚血性変化 早期血管障害（内膜に粘液様物質沈着，血栓症，フィブリノイド壊死，断片化赤血球，時に皮質壊死） 血管内腔の狭小化，閉塞，糸球体虚血 傍糸球体装置の過形成（10%以下と比較的稀） 晩期血管障害（内膜の肥厚と増殖“onion-skin lesion”，糸球体硬化，間質線維化） 非特異的な尿細管障害 ※これらは強皮症腎クリーゼに特異的ではないので臨床的および血清学的データによる支持が必要。

（文献13より改変）

MEMO

▶ステロイドが腎クリーゼのリスクとなるのは，以下の理由が考えられます[1]。

1. ナトリウム，水分を血管内に貯留させ高血圧を誘発する。
2. カテコラミンへの感受性を上げる。
3. 血管内皮からのプロスタグランジン（PGE2）の産生を阻害し，血管攣縮を起こしやすくなる。
4. プロスタグランジンの産生が低下し，腎血流が低下することで傍糸球体装置が作動する。

ピットフォール

➡強皮症腎クリーゼでは，必ずしも高血圧症の基準を満たすわけではありません。ベースラインよりも高いだけで，血圧は基準値以内ということもありえます（normotensive scleroderma renal crisis）。

➡カルテにベースラインの血圧を併記しておいたり，家庭血圧をモニタリングしたりすると診断の遅れを防げるかもしれません。

4 ステロイドの初期用量は？

- 前述の通り大部分の症例ではステロイドは不要ですが，投与する場合は，強皮症腎のリスクを抑えるためにPSL 15mg/日未満を目安とします。
- 日本皮膚科学会が作成したガイドラインでは，早期の皮膚硬化に対してはPSL 20～30mg/日で開始することが推奨されていますが[4]，英国のガイドラインでは，メトトレキサートやミコフェノール酸モフェチルを第一選択として挙げながら，オプションとして「ステロイドを症状抑制のために必要最低限の量で」と記載されています[14]。欧州リウマチ学会ではステロイドの推奨はありません。
- 他の膠原病や血管炎を合併した際には，合併した疾患および重症度に応じてステロイドの量を決定します。

5 治療への反応性は？

- ステロイドの効果は不明瞭であることがほとんどです。
- 早期に投与することで皮膚硬化の改善や肺陰影の濃度低下を認めることもありますが，一部の症例に限られます。これらの症例もステロイドの効果を期待して投与されたものではなく，合併症の治療や確定診断前に他科で投与された症例が少なくありません。

6 寛解導入療法はステロイド単剤でよいか？

- 前述の通り，ステロイドを含む免疫抑制薬での寛解導入はほとんど期待できません。治療介入は疾患修飾として行います。
- 有効性に十分な根拠がないため，ステロイド単剤で治療することはほとんどありません。
- 進行する間質性肺疾患に対しては，ミコフェノール酸モフェチルやシクロホスファミドを投与します[14]。
- 間質性肺疾患に対しては，トシリズマブの有用性も示されています[15]。
- 皮膚硬化に対しては，メトトレキサートやミコフェノール酸モフェチルを考慮しますが，十分なエビデンスはありません[14]。
- 皮膚硬化に対しては，リツキシマブの有効性が無作為化比較対照試験で示されました[16]。
- ブロダルマブの国内第3相試験では，皮膚硬化の改善に加え，呼吸機能，皮膚潰瘍，胃食道逆流症状の改善が示されました[17]。
- 慢性で経過する無症状の心外膜炎（心嚢液貯留）は治療の必要はありませんが，急性心外膜炎の場合は一般的な治療（NSAIDs，コルヒチン）のみで改善することもあります。

7 寛解維持療法としてsteroid sparing agentは何かあるか？

- 前述のステロイド以外の疾患修飾薬を続けますが，シクロホスファミドは副作用の観点から短期間の投与にとどめ，ミコフェノール酸モフェチルやアザチオプリンに変更します。

8 ステロイド減量のスピードは？

- そもそもステロイドの有効性に十分な根拠がないため，減量速度や維持量の必要性に関してはエビデンスや経験則がありません。効果が定かでないステロイドを漫然と投与することは，副作用の観点からもお勧めできません。
- 日本皮膚科学会が作成したガイドラインでは，皮膚硬化に対しては「PSL 20～30mg/日を2～4週続けて，2週～数カ月ごとに約10％ずつゆっくり減量し，5mg/日程度を当面の維持量とし，皮膚硬化の進展が長期間止まる，あるいは萎縮期に入ったと考えられれば中止してよい」と記載されていますが[4)]，減量スピードが非常に遅く，ステロイドの副作用による臓器障害が出現する可能性が高まるため，個人的にはお勧めできません（専門家でも意見がわかれるところです）。

MEMO

- ▶日本皮膚科学会のガイドラインは，皮膚硬化に対して中等量のステロイドを推奨する独自の立場をとっています。筆者の経験でも，合併疾患の治療で中等量以上のステロイドを投与することで皮膚硬化が急速に改善した症例があり，確かに一部の症例ではステロイドが有効だと思われます。しかし，有効例が限られること，ステロイドによる副作用・臓器障害に加え腎クリーゼのリスクになることから，筆者は慎重な立場です。
- ▶そのほかの臓器病変に対しても，日本皮膚科学会のガイドラインはステロイドの投与に対して相対的に積極的な立場にありますが，欧州リウマチ学会のガイドラインではいずれの臓器病変に対してもステロイド投与は推奨していないことにも留意しましょう。
- ▶日本皮膚科学会のガイドラインは2016年に作成されたものです。その後，皮膚硬化に対してはリツキシマブが認可され，ブロダルマブの治験も進行していることから，今後発表されるガイドラインでは治療方針が大きく変わるものと推測されます。

9 減量には何を指標にすればよいか？

- 間質性肺疾患の場合は，高分解能CT（high-resolution CT；HRCT）での肺陰影の広がり，陰影濃度，呼吸機能検査を指標としますが，検査結果によってステロイドの用量や投与期間を変更することはありません。ミコフェノール酸モフェチルなどの投与を続け，何らかの理由で開始した（例：強皮症の診断前に「特発性間質性肺炎」として他院で開始した）ステロイドの早期減量を行います。

- 皮膚硬化や他の臓器病変の場合も同様で，臓器特異的な指標をもとにステロイドの用量や期間を変更することは通常はしません（日本皮膚科学会のガイドラインに則った場合は例外）。

10 ステロイドは中止できるか？　投与期間は？

- ステロイドの投与期間に目安はありません。重要なことは効果が不明瞭なのにもかかわらず漫然と投与しないことです。
- 開始したステロイドは全例で中止をめざしますが，そもそも有効な治療薬が乏しい疾患であるため，関節炎などの症状緩和目的にやむをえず少量のステロイドを維持することはありえます（関節炎に対してステロイドを推奨しているわけではありません）。

11 モデル症例

症例：手指のこわばり，関節痛を主訴に来院（40歳女性）

①レイノー現象の病歴があり，手指に浮腫を伴う軽度の皮膚硬化を認め，手指，手首，膝に対称性の関節腫脹を認めた。抗Scl-70抗体陽性であり，早期の強皮症と診断した。RFや抗CCP抗体など，そのほかの自己抗体は陰性であった。

②間質性肺病変がないことを確認し，関節炎と皮膚硬化に対してメトトレキサートを開始した。メトトレキサートを最大量投与しても関節炎のコントロールができないため，関節リウマチに準じてメトトレキサートを併用しながらTNF阻害薬，IL-6阻害薬，CTLA4-Ig（アバタセプト），JAK阻害薬を順次試みたが，十分な効果が得られなかった。数年の経過でも皮膚硬化の進行や間質性肺病変の出現は認めなかった。

③膝関節液検査では炎症細胞浸潤を認め，ケナコルト-A®（ステロイド）の関節内注射は一時的に有効であった。関節炎の症状で日常生活に支障が生じていたため，症状緩和目的でPSL10mg/日を開始し，部分的な改善が得られたため5mg/日まで減量し，ステロイドを継続している（強皮症では比較的稀なケース）。

文献

1) Blagojevic J, et al: Autoimmun Rev. 2019; 18(12): 102403.
2) Bissell LA, et al: Rheumatology(Oxford). 2017; 56(6): 912-21.
3) Mavrogeni SI, et al: Semin Arthritis Rheum. 2017; 47(1): 79-85.
4) 浅野善英, 他, 編: 日皮会誌. 2016; 126(10): 1831-96.
5) Bose N, et al: Semin Arthritis Rheum. 2015; 44(6): 687-94.
6) Ranque B, et al: Ann Rheum Dis. 2009; 68(9): 1474-7.
7) Adler S, et al: Arthritis Res Ther. 2018; 20(1): 17.
8) Tashkin DP, et al: N Engl J Med. 2006; 354(25): 2655-66.
9) Tashkin DP, et al: Lancet Respir Med. 2016; 4(9): 708-19.
10) Hoyles RK, et al: Arthritis Rheum. 2006; 54(12): 3962-70.
11) Denton CP, et al: Br J Rheumatol. 1994; 33(1): 90-2.
12) Gordon SM, et al: BMC Nephrol. 2019; 20(1): 279.
13) Butler EA, et al: Arthritis Rheumatol. 2019; 71(6): 964-71.
14) Denton CP, et al: Rheumatology(Oxford). 2016; 55(10): 1906-10.
15) Roofeh D, et al: Arthritis Rheumatol. 2021; 73(7): 1301-10.
16) Ebata S, et al: Lancet Rheumatol. 2021; 3(7): E489-97.
17) Furusawa T, et al: Ann Rheum Dis. 2022; 81(suppl 1): 736.

（岩波慶一）

A 膠原病

5. リウマチ性多発筋痛症

ステロイド治療の心構え

▶治療開始時点で確定診断を行うのは困難であり，ステロイドへの反応性を確認して診断を行います。

▶ステロイドへの反応が悪いときや末梢関節炎が出現したときは診断を見直します。

1 疾患の概要

- リウマチ性多発筋痛症（polymyalgia rheumatic；PMR）は50歳以上の症例に生じる原因不明の炎症性疾患です。
- マクロファージから産生されるIL-1，IL-6などの炎症性サイトカインにより炎症が起こると考えられています[1, 2)]。
- 患者は肩～上腕，骨盤周囲～大腿近位部に「筋痛」を訴えますが，筋肉に炎症はなく，血液検査で筋原性酵素も上昇しません。
- 炎症は主に滑液包に生じます。肩関節周囲では，肩峰下・三角筋下滑液包炎，上腕二頭筋長頭腱鞘滑膜炎が起きます。股関節周囲では，転子部滑液包炎が多く，腸恥滑液包炎，坐骨滑液包炎を起こすこともあります（**図1**）。これら滑液包炎と炎症性サイトカインにより患者は肩～上腕，骨盤周囲～大腿近位部に「筋痛」を訴えます[3)]。
- 頸椎・腰椎棘突起間滑液包炎を起こすこともあり，頸部痛，腰痛の原因となります。

MEMO

▶50～55歳以上でのPMRの有病率は1％前後と考えられており[4, 5)]，関節リウマチと同程度の有病率であると考えられます。

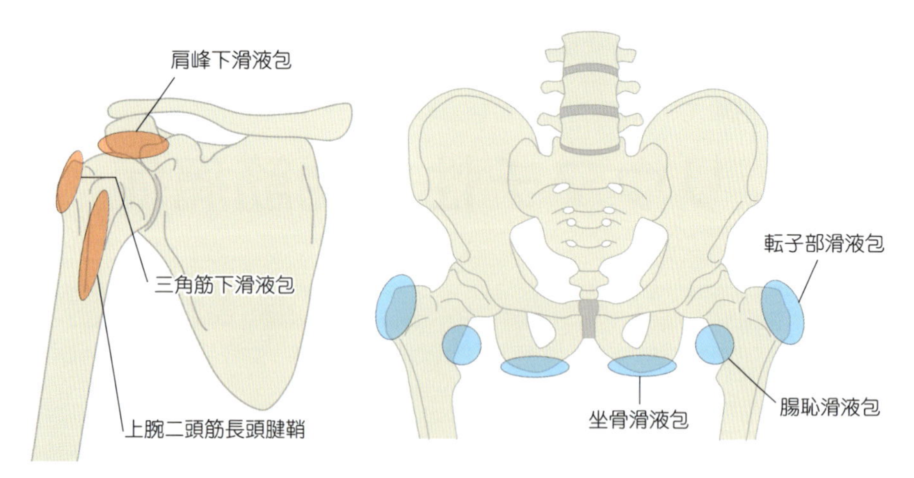

図1　肩関節・股関節周囲で炎症が生じる主な部位

2　どういうときにステロイドを使うか？

- 非ステロイド性抗炎症薬では改善が期待できず，通常，PMRと診断したら全例でステロイドを投与します[6)]。

3　ステロイドの根拠は？

- RCTはありませんが，1951年にステロイドの有効性が初めて報告されて以降，ステロイドが標準療法となりました[7)]。

4　ステロイドの初期用量は？

- 1961年にPSL 15mg/日以下で良好な治療効果が得られたことが報告[8)]されてから，PSL 15mg/日前後（12.5～25mg/日）が標準的な初期用量と考えられています[9)]。
- 効果および副作用の観点から，米国リウマチ学会（ACR）と欧州リウマチ学会（EULAR）が作成したリコメンデーションではPSL 7.5mg/日以下やPSL 30mg/日を超える量を初期用量としないことが推奨されています[9)]。

5　治療への反応性は？

- ステロイドへの反応性はきわめて良好です。通常は，投与を開始して24～72時間以内に劇的に症状が改善し，ほぼ全例で1週間以内に症状が改善します。

- CRPや赤沈も2〜4週以内に正常化します[6]。

ここがPOINT！

◉ステロイドへの反応性は診断的価値があります。PSL 12.5〜25mg/日でも関節症状が残る場合は診断を見直す必要があります。

◉PMRに似た症状を呈する疾患には，関節リウマチ，変形性肩関節症，石灰化腱板炎，腱板損傷（高齢者では外傷歴がなくても断裂していることがあります），凍結肩などがあります。

ピットフォール

➡ACRとEULARが合同で暫定のPMR分類基準を2012年に発表しましたが，臨床試験のための分類基準を作成することを主目的としており，感度7割以下，特異度8割程度と実臨床での活用に耐えうるものではありません。

ピットフォール

➡高齢発症関節リウマチ（elderly-onset rheumatoid arthritis；EORA）は突然発症の両肩痛から始まることがあり，リウマトイド因子や抗CCP抗体が陰性であることも多く，病初期にはPMRと区別がつかないことがあります。多くの場合，ACR/EULARのPMR暫定分類基準も満たしてしまうため，EORAとの鑑別にはステロイドへの反応性や身体所見を参考にします。

➡EORAの場合，PSL 12.5〜25mg/日では関節症状や炎症反応が残ることがあります。もしくは，初期用量には反応しても減量過程で関節症状が出現し，炎症反応が陽転化します。PMRではPSL 5mg/日以上での再燃は稀ですが[10]，EORAでは多くの場合，PSL 5mg/日以上でも関節症状や炎症反応が再燃します。

➡また，末梢関節炎を認める場合はEORAを考えます。経過中に手指，手首，膝などに末梢関節炎が出現したら，当初PMRと診断して治療を開始していたとしてもEORAの診断・治療に切り替えます。

➡PMRの診療ではステロイド開始時点での診断に固執せずに，ステロイドへの反応性や関節所見などの臨床経過を参考に診断を柔軟に見直す姿勢が重要です。

6 寛解導入療法はステロイド単剤でよいか？

- ステロイドへの反応性が良好であることがPMRの診断的特徴でもあるので，寛解導入療法はステロイド単剤で行うのが通常です。

MEMO

▶活性化したマクロファージに対してはステロイドを高用量投与しないと炎症を抑制できませんが（☞**1章1**），PMRのマクロファージはT細胞からのIFN-γによる刺激を受けておらず，十分に活性化していないことが示唆されています[1]。このため，PMRではPSL 15mg/日程度のステロイド量でも著効すると考えられます。

▶PMRと合併することがある巨細胞性動脈炎では，マクロファージはT細胞からのIFN-γによる刺激を受けて活性化しているので高用量のステロイドが必要となります（☞**2章7**）。

7 寛解維持療法としてsteroid sparing agentは何かあるか？

- 有効性が確認できているsteroid sparing agentがないことから，通常はステロイド単剤で寛解維持療法を行います。

ピットフォール

➡メトトレキサート（MTX）は関節リウマチには非常に有効な薬剤ですが，PMRには有効であるという報告と無効であるという報告が混在しています[6]。

➡ACR/EULARのリコメンデーションでは，「MTXの有効性を無条件で示すデータはないが，女性，赤沈が高値，末梢関節炎がある場合はMTXを考慮してもよいかもしれない」と記載されています[9]。しかし，ACR/EULARのPMR分類基準作成委員会による単変量ロジスティック回帰分析では「末梢関節炎がある場合は，PMRではなく関節リウマチである可能性が高い」ことが強く示唆されており，肩・股関節以外に罹患関節がないことがPMR分類のスコアとして採用された経緯があります[11]。PMRのリコメンデーションなのに関節リウマチへの推奨が紛れ込んでしまっているとも受け取られかねない内容です。

➡このような状況に陥る理由として，PMRとEORAの境界線があいまいであることが挙げられます。PMRの論文を読んでいても，EORAが除外されているのかわからないものが非常に多いです。

➡PMRでは，TNF阻害薬は「投与しないことを強く推奨」されています[9]。

MEMO

▶PMRの再燃・再発例では，*IL-6*遺伝子のプロモーター領域に特定の遺伝子多型（-174 C/C）が多く，血清IL-6が高値であることが報告されています[12]。

▶PMRを対象としたphase 2/3 trialでは，PSLを20mgで開始し11週で中止するプロトコールにおいて，抗IL-6受容体抗体（トシリズマブ）を投与することで16週の時点で63.2%がステロイドなしでの寛解を達成しました[13]。今後，トシリズマブによる寛解導入療法や寛解維持療法が可能になるかもしれません。

8 ステロイド減量のスピードは？

- エビデンスはありませんが，初期用量を3～4週続け，4～8週以内にPSL 10mg/日に減量します[6, 9]。
- PSL 10mg/日以降は，毎月1mg/日ずつ寛解維持可能な最小限の用量（通常，PSL 5mg/日以下）まで減量します。

9 減量は何を指標にすればよいか？

- PMRによる疼痛，朝のこわばり感，関節可動域制限がなく，炎症反応が陰性化していることを確認しながら減量を行います。

MEMO

▶PMRの症状がなく，末梢関節炎もないのに炎症反応が増加した際には巨細胞性動脈炎の合併を疑います。

▶診断時は合併していなくても，PMRで発症した症例の7%が後に巨細胞性動脈炎を合併したという報告があります[14]。

10 ステロイドは中止できるか？　投与期間は？

- ステロイドは中止できます。
- 治療開始してから2～3年間は再燃しやすいので，少なくともその期間はステロイドを投与することが多いです[6]。
- すべての薬剤を中止して治癒する症例もありますが，数カ月後～数年後に再燃する症例もあります。

11 モデル症例

症例：3週間前に出現した両肩，股関節周囲の痛みを主訴に来院（72歳女性）

①病歴，身体所見，炎症反応からPMRを疑い，PSL 15mg/日を開始した。

②1週間後に症状がほぼ消失し，4週後に炎症反応が陰性化したことを確認してPSL 12.5mg/日に減量し，8週間後にはPSL 10mg/日に減量した。

③関節・筋症状がないことを問診・身体所見で確認し，炎症反応も陰性であることを確認しながら12週後より4週ごとにPSL 1mg/日ずつ減量を行い，28週後にPSL 5mg/日まで減量した。

④以後3カ月ごとにPSL 1mg/日ずつ減量を行い，治療開始2年後にPSLを中止した。

文献

1) Weyand CM, et al:Ann Intern Med. 1994;121(7):484-91.
2) Meliconi R, et al:Arthritis Rheum. 1996;39(7):1199-207.
3) Kreiner F, et al:Arthritis Rheum. 2010;62(12):3768-75.
4) Crowson CS, et al:Semin Arthritis Rheum. 2017;47(2):253-6.
5) Yates M, et al:BMC Musculoskelet Disord. 2016;17:285.
6) González-Gay MA, et al:Lancet. 2017;390(10103):1700-12.
7) Hunder GG:Mayo Clin Proc. 2006;81(8):1071-83.
8) Boyle AC, et al:Proc R Soc Med. 1961;54(8):681-4.
9) Dejaco C, et al:Arthritis Rheumatol. 2015;67(10):2569-80.

10) González-Gay MA, et al:J Rheumatol. 1999;26(6):1326-32.
11) Dasgupta B, et al:Arthritis Rheum. 2012;64(4):943-54.
12) Boiardi L, et al:J Rheumatol. 2006;33(4):703-8.
13) Bonelli M, et al:Ann Rheum Dis. 2022;81(6):838-44.
14) Narváez J, et al:Joint Bone Spine. 2003;70(1):33-9.

（岩波慶一）

A 膠原病

6. 成人発症Still病

ステロイド治療の心構え

▶成人発症Still病はマクロファージが活性化する病気であり，ステロイドに対して治療抵抗性を示すことが少なくありません。

▶メトトレキサート，カルシニューリン阻害薬，IL-6阻害薬を積極的に導入してステロイドの減量・中止をめざします。

1 疾患の概要

- 成人発症Still病（adult onset Still's disease；AOSD）は，発熱，皮疹，関節症状の三主徴を特徴とする原因不明の炎症性疾患です。
- マクロファージから産生されるIL-1，IL-6，IL-8（CXCL8），IL-18，TNFなどの炎症性サイトカインにより炎症が起こると考えられています[1]。
- マクロファージは，IFN-γ産生T細胞により刺激を受けて活性化していると考えられています[2]。

MEMO

▶活性化したマクロファージは，スカベンジャー受容体のひとつであるCD163を発現します。CD163はヘモグロビン－ハプトグロビン複合体を認識し，細胞内に取り込みます。マクロファージはフェリチンを発現し，ヘモグロビンに含まれる鉄を細胞内に貯蔵します。

▶AOSDでしばしば著増する血清フェリチンは，マクロファージの活性化を反映していると考えられます[3]。

2 どういうときにステロイドを使うか？

- 非ステロイド性抗炎症薬（NSAIDs）のみで病勢をコントロールできるのは7～15％の症例にすぎないので，大部分の症例ではステロイドが必要となります[2)]。

3 ステロイドの根拠は？

- ステロイドとプラセボを比べた無作為化比較対照試験はありません。
- 1971年のBywatersによるAOSDの報告以降，小児のStill病〔全身型若年性特発性関節炎（systemic juvenile idiopathic arthritis；sJIA）〕と同様にステロイドによる治療を経験的に行うようになりました。

4 ステロイドの初期用量は？

- PSL 0.5～1mg/kg/日で開始します。
- マクロファージ活性化症候群（macrophage activation syndrome；MAS）など重篤な臓器障害がある場合は，ステロイドパルス療法（mPSL 1g/日×3日間）を行います。
- 中枢神経障害があるMASの場合は，小児の血球貪食症候群に対するプロトコール（HLH-2004）を参考にして，血液脳関門を通過しやすいデキサメタゾン10mg/m^2を選択することもあります[4)]。

MEMO

- ▶T細胞からの刺激によりマクロファージの活性化が極限に達すると血球貪食症候群を合併します。膠原病リウマチ性疾患による血球貪食症候群はマクロファージ活性化症候群（MAS）と称されます。
- ▶MASでは血球貪食症候群のほかに，肝障害，急性腎障害，肺障害，中枢神経障害（痙攣，意識障害），凝固障害が起こります。
- ▶AOSDの10～15％の症例でMASを合併するとされています[5)]。
- ▶通常，AOSDでは炎症性サイトカインの産生を反映して白血球・血小板は増加しますが，白血球減少症や血小板減少症を認めた場合はMASを疑います。

5 治療への反応性は？

- 多くの場合，ステロイドを投与してから数日以内に解熱が得られます。
- しかし，MASなどでマクロファージが極度に活性化した状態では，ステロイドパルスでも寛解導入ができないことがあります。MASを合併した症例の半数以上はステロイド抵抗性であったとする報告もあります[6)]。

ここがPOINT！

◉ステロイドパルスでも寛解導入できない場合は，リポ化デキサメタゾン（リメタゾン®）を使用すると寛解導入できることがあります[7)]。MASに対しては10mg/日と高用量で投与します（保険適用外）。

◉リポ化デキサメタゾンはマクロファージに貪食されやすく，通常のデキサメタゾンと比べて5～6倍の抗炎症効果を有すると考えられています[8)]。

6 寛解導入療法はステロイド単剤でよいか？

- 心外膜炎を合併した症例ではNSAIDsにコルヒチンを追加すると65%の症例で心外膜炎だけでなく，関節炎，皮疹，肝腫大，肝障害，炎症反応が改善したとする報告があります[9)]。
- ステロイド抵抗性の症例では，本邦で保険適用があるトシリズマブ（IL-6阻害薬）の投与を検討します。
- 海外ではIL-1阻害薬（アナキンラ，カナキヌマブ）が生物学的製剤の第一選択ですが，本邦では保険適用がありません。
- トシリズマブに治療抵抗性を示す場合は，TNF阻害薬やJAK阻害薬で改善することもあります（いずれも保険適用外）[10)]。
- IL-6阻害薬やTNF阻害薬で治療抵抗性を示す症例にコルヒチンの追加が有効であったとする報告があり，筆者の経験でもこの治療は有効だと考えます[11)]。
- MASを合併した場合は，小児のStill病（sJIA）を参考にカルシニューリン阻害薬（シクロスポリン，タクロリムス）を併用します[12)]。
- MASに対してはシクロホスファミド，免疫グロブリン静注療法（intravenous immunoglobulin；IVIG）が有効であるとする報告もあります[5, 13)]。

ここがPOINT！

◉AOSDは自己炎症性症候群のひとつであると考えられています。家族性地中海熱，クリオピリン関連周期熱症候群，TNF受容体関連周期性症候群などと同様にIL-1βが病態の中心に位置すると考えられています[1)]。

◉MASではT細胞からの刺激を受けてマクロファージが過剰に活性化しているので，病態の上流に位置するT細胞を標的としてカルシニューリン阻害薬を投与します。

7 寛解維持療法としてsteroid sparing agentは何かあるか？

- メトトレキサート（MTX）はsteroid sparing agentとして非常に有効です[14)]。
- 小児のStill病（sJIA）に適応があるトシリズマブ（IL-6阻害薬）は，成人に対してはステロイド減量効果が示唆されています[15)]。
- 寛解維持期のシクロスポリンの効果は上記2剤に比べると限定的ですが[14)]，MASを合併した症例では寛解維持期にも継続することが多いです。

ピットフォール

➡MTXはAOSDに非常に有効であるため治療初期から投与を開始したいところですが，AOSDでは高頻度で肝機能障害を認めるため，実際はステロイドなどで病勢が落ちついて肝酵素が減少してからMTXを開始するのが一般的です。

8 ステロイド減量のスピードは？

- ステロイドに反応する場合は，初期用量を2～4週間続けます。重症例では，ステロイド初期用量の期間が長くなる傾向があり，初期用量を4～6週間続けるべきという意見もあります[14)]。
- 寛解導入に成功したらステロイドは速やかに減量し，2～4カ月以内を目処にPSL 10mg/日に減量します。
- PSL 10mg/日以降は，毎月1mg/日ずつ寛解維持可能な最小限の用量（通常PSL 5mg/日以下）まで減量します。

9 減量は何を指標にすればよいか？

- 発熱，皮疹，関節炎などの症状がなく，肝酵素の正常化および炎症反応の陰性化を確認しながら減量します。
- 血清フェリチンはCRPより遅れて改善します。血清フェリチンが正常上限を超えていても，CRPが低下していればステロイドの減量を開始します。

10 ステロイドは中止できるか？ 投与期間は？

- AOSDではステロイドの中止をめざします。
- 投与期間は症例により異なり，軽症例では1年以内に中止できることもありますが，MASなど重症例では数年かけて中止します。
- 最終的にはすべての薬剤を中止できる症例もあります[1)]。

11 モデル症例

症例：1週間前から続く発熱，咽頭痛，関節痛，胸痛で入院（40歳女性）

①熱型は弛張熱であり，背部にむち打ち様紅斑を認めた。心電図ではPR低下を伴う広範なST上昇を認め，心臓超音波検査では心嚢液貯留を認めた。採血では心筋逸脱酵素の上昇に加えて，好中球増多症，肝障害，炎症反応（CRP・赤沈）および血清フェリチン異常高値を認めた。

②心筋心膜炎を合併したAOSDと診断してPSL 60mg/日にて治療を開始したが，改善しないためステロイドパルス（mPSL 1g/日 3日間）を開始した。心筋心膜炎は改善を認めたが，発熱が続くためトシリズマブ8mg/kg 2週間隔を開始した。

③トシリズマブ開始後も発熱が続き，肝酵素の低下を確認してMTXを開始したが，血球減少症と血清フェリチンの再上昇を認めたため骨髄穿刺を施行したところMASの合併を認めた。MTXは休薬し，2クール目のステロイドパルスを施行し，シクロスポリンを追加してMASは改善した。

④2回目のステロイドパルス後，PSL 60mg/日を4週間継続しトシリズマブ

とシクロスポリンも継続しながら1週おきにPSLを10mgずつ減量したが，PSL 40mg/日に減量した後に発熱，炎症反応，高フェリチン血症が再燃したため，PSL 60mg/日に再増量した。

⑤PSL 60mg/日，トシリズマブ，シクロスポリンにコルヒチンを追加して再度PSLを1週おきに10mgずつ減量したところ，再燃なくステロイドの減量が可能となり，コルヒチン併用3カ月後（治療開始5カ月後）にはPSL 10mg/日まで減量することができた。

⑥その後，血清クレアチニンの増加によりシクロスポリンからMTXに変更したが，ステロイドの減量は継続し，治療開始2年後にPSLを中止した。現在はトシリズマブ，MTX，コルヒチンで寛解を維持している。

文献

1) Feist E, et al:Nat Rev Rheumatol. 2018;14(10):603-18.
2) Efthimiou P, et al:Ann Rheum Dis. 2006;65(5):564-72.
3) Grom AA, et al:Curr Opin Rheumatol. 2010;22(5):561-6.
4) Ramos-Casals M, et al:Lancet. 2014;383(9927):1503-16.
5) Carter SJ, et al:Rheumatology (Oxford). 2019;58(1):5-17.
6) Fukaya S, et al:Rheumatology (Oxford). 2008;47(11):1686-91.
7) Nakagishi Y, et al:Mod Rheumatol. 2016;26(4):617-20.
8) 脇口宏之，他：日臨免疫会誌. 2016;39(3):190-6.
9) Myachikova V, et al:Clin Exp Rheumatol. 2022;40(8):1474-9.
10) Qiongyi Hu, et al:Ann Rheum Dis. 2020;79(6):842-4.
11) Asano T, et al:BMC Res Notes. 2018;11(1):320.
12) Ringold S, et al:Arthritis Rheum. 2013;65(10):2499-512.
13) Kumakura S, et al:Arthritis Rheumatol. 2014;66(8):2297-307.
14) Giacomelli R, et al:J Autoimmun. 2018;93:24-36.
15) Kaneko Y, et al:Ann Rheum Dis. 2018;77(12):1720-9.

（岩波慶一）

A 膠原病

7. 巨細胞性動脈炎／高安動脈炎

ステロイド治療の心構え

- ▶症状次第でステロイドパルスあるいは高用量のステロイドにより治療を開始します。
- ▶ステロイドの副作用が生じるリスクの高い患者やステロイドによる副作用で困る場合にはステロイドスペアリング効果を見込める薬剤の追加を考慮し，ステロイドの減量を積極的に行います。
- ▶巨細胞性動脈炎を疑う場合には，眼の合併症を防ぐために高用量のステロイドによる加療を開始しつつ，診断のための検査を行います。
- ▶ステロイドの中止，あるいは可能な限り最小限のステロイドにするために，他の薬剤も併用しながらなるべくステロイドの減量を図れるようにします。

1 疾患の概要

- 高安動脈炎は10歳代後半〜30歳代前半の若年女性に発症することが多い（男女比は1：9程度）原発性の大型血管炎です。
- 高安動脈炎では大動脈ならびにその第一分枝に血管炎が好発し，全身性の炎症症状である発熱，倦怠感，体重減少などの症状や，血管の狭窄や閉塞による症状であるめまい，立ちくらみ，脳梗塞，四肢の跛行などがみられます。
- 巨細胞性動脈炎は50歳以降，特に70歳代で，女性にやや多く発症する（男女比は1：3程度）原発性の大型血管炎です。
- 巨細胞性動脈炎では，全身性の炎症症状である発熱，倦怠感，体重減少などの症状や，頭蓋周囲の血管に血管炎が好発するため，頭痛，顎跛行，視力低下，複視などの症状が出ます。また，リウマチ性多発筋痛症の合併例も多く認められます。歴史的には頭蓋周囲の血管炎として認識されていたため，以前は「側頭動脈炎」とも呼ばれていましたが，大動脈やその第一分枝にも病変が好発することが知られるようになってきています。

- 米国/欧州リウマチ学会（ACR/EULAR）の2022年分類基準や厚生労働省の難病研究班の診断基準（http://www.nanbyou.or.jp/entry/290）などを参考にしながら診断します。新しいACR/EULARの基準は，画像診断の進歩をふまえて超音波とFDG-PETの所見が項目に含まれています。
- 治療の目標は，症状の緩和とともに，血管炎に伴う臓器合併症を防ぐことです。

MEMO

▶巨細胞性動脈炎の診断では側頭動脈生検がゴールドスタンダードですが，近年画像診断の発達が目覚ましく，画像で診断する専門家も増えてきています。

▶欧州リウマチ学会（EULAR）の推奨では，巨細胞性動脈炎を疑う場合にはまず画像による検査が勧められています。ただし，画像を待つ間に治療は遅らせないことが原則です。

▶同じくEULARの推奨では，臨床的に疑いが強い場合は，画像所見が陽性であれば生検までは行わずに診断してもよいとされています。

▶米国リウマチ学会（ACR）/Vasculitis Foundation（VF）の2021年のガイドラインでは，超音波よりも側頭動脈生検を推奨しています。理由としては米国では欧州ほど超音波による診断に慣れていないためとされています[1)]。

2 どういうときにステロイドを使うか？

- 現時点で大型血管炎治療の基本となる薬剤はステロイドです。血管炎による疾患活動性があると判断した場合にはステロイドが使用されます。
- 巨細胞性動脈炎を疑う根拠がある場合には，視神経炎に伴う失明などの眼の合併症を防ぐためにも，高用量のステロイドを経験的にまず開始しながら，巨細胞性動脈炎の診断への検査を進めていくことが通常です。

ピットフォール

➡巨細胞性動脈炎で出現する視力障害は，ひとたび出現すると回復が難しいこともあるので，巨細胞性動脈炎を強く疑う場合にはステロイドを直ちに開始することが重要です。

➡特に眼にまつわる症状が一過性に出ている場合（たとえば一過性の視力低下であるamaurosis fugaxがあるような場合）には，失明のリスクが高いので直ちにステロイドを始めたほうがよいです。

3 ステロイドの根拠は？

- 高安動脈炎でも巨細胞性動脈炎でも，プラセボとステロイドの効果を比較した無作為化比較対照試験は存在しません。ステロイドの使用による著明な臨床症状の改善，炎症マーカーの改善，血管病変の改善が経験的に知られており，ステロイドは大型血管炎の治療の第一選択として長年使われてきました。
- 臨床的に長年使われてきた中で，その効果が明らかであり，現時点で高安動脈炎や巨細胞性動脈炎に対してプラセボとステロイドを比較する無作為化比較対照試験を行うことは非倫理的と思われます。
- 巨細胞性動脈炎では，後方視的な検討として，ステロイドの加療により失明の出現率が低下する可能性が示唆されています[2]。

4 ステロイドの初期用量は？

- 高安動脈炎も巨細胞性動脈炎も，初期のステロイドの至適量に関しては議論のあるところで，科学的根拠に基づいたステロイドの投与量は決まっていません。
- 巨細胞性動脈炎では，投与量を同じにして（平均投与量45mg/日）3つの投与方法で効果を比べた試験があり，結果は下記のようでした[3]。

①1日3回分割投与（15mgを1日3回）➡最も効果が強く現れた
②1日1回投与（45mgを1日1回投与）
③2日に1回投与（90mgを2日に1回）➡最も効果が少なかった（ただし副作用も一番少ない）

- このデータがあるため，一般的に血管炎での1日おきのステロイド投与は勧められていません。
- 慣習的に，高安動脈炎では体重当たり0.5〜1mg/kg程度のステロイドを初期用量として使用することが多く，巨細胞性動脈炎では眼症状がない場合，体重当たり1mg/kg程度のステロイドを初期用量として使用することが多いです（眼症状があり，失明のリスクが高いと判断される場合は，ステロイドパルス療法を先行させます）。

- 巨細胞性動脈炎ではステロイドパルス療法を先行させたほうが，後々のステロイドの必要量が減ったり，ステロイド中止後の寛解維持率が高かったりするとされています[4)]。一方で，ステロイドパルス療法を行っても，その後のステロイド投与量や治療効果には関係がないとする報告もあります[5)]。

ここがPOINT！

- 巨細胞性動脈炎に出現する視力障害は，治療を行うのが早ければ早いほど，回復も早いとされています。
- 巨細胞性動脈炎でステロイド加療を行うと，眼の症状が出てくる可能性はぐっと低くなるとされていますが，筆者は60mg程度のプレドニン®を患者に常時携帯してもらい，ステロイド漸減中に眼の症状が出てきた際にはすぐに内服し来院するようお願いしています。

5 治療への反応性は？

- ステロイド開始後，比較的速やかに患者の自覚症状は改善します。このことがさらに診断を裏づける根拠となります。ただ，罹病期間が長く血管病変が炎症による浮腫のみならず，線維化を起こして狭窄しているような場合は，それによって引き起こされる症状は改善しません。
- 高用量のステロイドを使用すると，炎症マーカーも多くの場合は2週間以内に正常化することが多いです。
- CTやMRIを頻回に撮像する機会はありませんが，高用量のステロイドによる治療開始後1カ月程度で撮像した画像では改善を認めることが多いです。早期の浮腫像であれば改善を認めるものの，上記のように血管壁に線維化を起こしてしまっていると継続的壁肥厚を認めることがあります。
- 巨細胞性動脈炎における超音波検査でのHaloサインは早い場合には2日で消失してしまうとの報告もあります[6)]。そのほか，Haloサインは平均11週で消失し，8週間以内に50％の症例でHaloサインの消失がみられたとの報告もあります[7]。

- PET検査で大型血管炎と診断できる患者に対してPETを3日後あるいは10日後に再度撮影した場合，3日後では100％の患者が診断可能であったのに対して，10日後には50％しか診断できなくなっているという報告があります[8]。
- 巨細胞性動脈炎を疑う場合は，ステロイド開始後2〜4週間以内に生検を行えばそれほど感度を落とさずに行えるとされています[9]。病理学的には，側頭動脈生検での炎症は治療開始後もかなりの割合で継続することが知られており，治療開始12カ月後でも病理学的には44％で動脈炎がみられるという報告もあります[10]。

6 寛解導入療法はステロイド単剤でよいか？

- 巨細胞性動脈炎ではステロイド単剤での治療反応性がよいとされており，また，決定的なsteroid sparing agentの存在が証明できなかったために，ステロイド単剤での加療が行われることも多いです。ただ，高齢者に対して比較的用量の多いステロイドを使用するため，積極的にsteroid sparing agentを使用すべきと考えるエキスパートもいます。
- トシリズマブの効果を巨細胞性動脈炎でみた無作為化二重盲検試験では，26週間ならびに52週間にわたるステロイド単剤での治療で，1年後に寛解維持ができた割合はそれぞれ14%，18%と大変低いことが示されています[11]。
- EULARの2018年のガイドラインでは，巨細胞性動脈炎患者で再発例，治療抵抗例，ステロイドによる副作用/合併症のリスクの高い患者においては追加のステロイドスペアリングとしてトシリズマブを使用すべきとされています[12]。
- 2021年のACR/VFのガイドラインでは，新規診断例でもステロイド単剤ではなく，ステロイドスペアリング効果のある薬剤を加えて治療することが推奨されています[1]。
- 高安動脈炎では再発率が巨細胞性動脈炎と比べても高い印象があり，ステロイド単剤ではなく何らかのsteroid sparing agentを治療の早期から加えるエキスパートが多いようです。
- EULARの2018年のガイドラインでは，高安動脈炎においては，ステロイドに非生物学的製剤非ステロイドの免疫抑制薬を加えて治療をしていくことが推奨されています[12]。

- ACR/VFの2021年のガイドラインでは，高安動脈炎においては，ステロイドに非ステロイドの免疫抑制薬を使用して加療することが推奨されています[1]。

7 寛解維持療法としてsteroid sparing agentは何かあるか？

- 巨細胞性動脈炎では，メトトレキサートが3つの比較試験で2000年代前半に検証されています[13〜15]。3つの比較試験のうち2つの試験ではプライマリーエンドポイントを満たさなかったのですが，1つの試験では効果を認めました。これらの3つのデータを合わせたメタアナリシスでは，メトトレキサートは再発率を有意に下げるという結果となりました[16]。
- 巨細胞性動脈炎において，メトトレキサート以外のアザチオプリンやミコフェノール酸モフェチルなどの免疫抑制薬に関してはデータが限られています。
- 巨細胞性動脈炎に対して，トシリズマブとステロイドの併用とステロイド単剤での治療を比較したGiACTA試験が欧米で行われ，トシリズマブの投与により1年後の寛解維持率が統計学的有意差をもって高いことが示されました[11]。これを受けて，日本でも巨細胞性動脈炎への保険適用が承認されました。
- また巨細胞性動脈炎に対して，アバタセプトを使用する第2相の臨床試験が行われ，アバタセプトは有意差をもってプライマリーエンドポイントを達成しました[17]。現在，第3相試験が行われています。2022年11月時点では，アバタセプトは巨細胞性動脈炎に対しての保険適用は承認されていません。
- 巨細胞性動脈炎に対して，IL-17Aに対する抗体であるセクキヌマブをステロイドに併用して加療した群と，ステロイドにプラセボを併用して治療した群では，セクキヌマブを使用した群で28週時点での寛解維持率が高いことが示されました[18]。第3相試験が現時点（2022年11月）で行われています。
- 巨細胞性動脈炎に対して，抗GM-CSF抗体であるマブリリムマブをステロイドに併用した群と，ステロイドにプラセボを併用した群での比較では，26週までの寛解維持率はマブリリムマブ群で高いことが示されました[19]。
- 高安動脈炎では質の高い治療介入の臨床研究は限られています。メトトレキサート，アザチオプリン，ミコフェノール酸モフェチルなどが経験的にsteroid sparing agentとして用いられてきた，その根拠となるデータには限りがあります。

- 2017年にアバタセプトを高安動脈炎に用いた第2相の二重盲検試験が米国で行われましたが，残念ながらプライマリーエンドポイントを満たすことができませんでした[20]。
- 2018年には，トシリズマブを高安動脈炎に用いたTAKT試験が日本で行われました。プライマリーエンドポイントに関しては統計学的な有意差は得られなかったものの，トシリズマブ投与群の再発率はコントロール群に比べて低く，この試験をもとに高安動脈炎に対するトシリズマブの保険適用が承認されることとなりました[21]。
- 高安動脈炎では抗TNF-α阻害薬の効果があると考えられており[22]，用いられることもあります。ただし，効果を実証したプラセボ比較試験がなく，日本では保険が適用されません。
- 中国からメトトレキサートとトファシチニブの効果を高安動脈炎で比較した前向き観察試験が発表されました。ステロイドに加えてトファシチニブを使用した群のほうが，ステロイドに加えてメトトレキサートを加えて治療した群よりも6カ月と12カ月の時点で寛解にある率が高かったと報告されました[19]。

8 ステロイド減量のスピードは？

- ステロイドの減量に関して，科学的に最適な減らし方のエビデンスは存在しません。治療対象患者の合併症，重症度，steroid sparing agent使用の有無など様々な要素を考慮して，患者ごとに決めていくのがよいと思われます。
- GiACTA試験では1年かけてステロイドを減量していくプロトコールならびに半年でステロイドを減量するプロトコールが用いられています。これらのプロトコールは再発防止の効果をみる臨床試験で用いられているもので，必ずしも実臨床で全員このようにすればよいという方法ではありません。
- 特に科学的な根拠はありませんが，筆者は治療開始量のステロイドを2週間を目処に継続し，12週後の段階でプレドニン®換算で10mg程度になるように減量を進めていくことが多いです。ただ，合併症などが心配な患者の場合は，これよりも早く減量を進めていくこともあります。
- 減量を行う際は，しっかり臨床的にモニタリングをすることが重要です。早めに減らしていく場合には，それだけ細かなモニタリングが必要となってきます。
- 最近，Mayo ClinicのエキスパートによるGCAのMy treatment approachとい

う総説には，トシリズマブを併用した際のステロイドの減らし方の実際として**表1**[23]のような方法が提案されています。

表1 ステロイドの減量方法(GCAに対してトシリズマブ併用時)

週	ステロイド用量(mg/日)
1	60
2	50
3	40
4	35
5	30
6	25
7	20
8	15
9〜10	12.5
11	10
12	9
13	8
14	7
15〜16	6
17〜18	5
19〜20	4
21〜22	3
23〜24	2
25〜26	1
27〜	0

(文献23より改変)

9 減量は何を指標にすればよいか？

- ステロイドの減量を行う際には病気の再発がないか臨床的なモニタリングを行う必要があります。通常，臨床症状，炎症マーカーなどのバイオマーカーとともに，必要であれば画像検査も加えて総合的に判断しながら，フォローアップしていきます。
- トシリズマブを使用すると，その作用機序から炎症マーカーが正常化してしまい，再発の指標にならないことがあります。巨細胞性動脈炎で頭蓋周囲の血管炎やリウマチ性多発筋痛症が中心の症状として出やすい患者の場合には症状が再発の指標となりますが，元来自覚症状があまり強くない高安動脈炎などで，画像検査で可視化される大型血管の炎症ならびに炎症マーカーが陽性である場合には，トシリズマブを使用した際に再発の目安とできるのは画像所見のみとなってしまうこともあります。
- 血管炎の病勢をみる活動性の指標としてBirmingham Vasculitis Activity Score (BVAS)と呼ばれるものがありますが，近年の巨細胞性動脈炎の臨床試験においてこれらが用いられることはありません。巨細胞性動脈炎の臨床試験における病勢の再発の定義としては，巨細胞性動脈炎によると思われる症状の出現ならびに炎症マーカーの上昇，かつ治療している医師がステロイドの増量が必要と判断した場合とされていることが多いです。

表2　Kerrの基準

①発熱や筋骨格系の全身症状（他の原因が同定されないもの）
②血沈の上昇
③跛行，脈の減弱や消失，血管雑音，血管痛（頸部血管痛），上肢または下肢の血圧の左右差などの虚血や血管の炎症を示唆する特徴
④血管造影での典型的な像

2つ以上が悪化した場合や，新たに出現してきたときに活動性があると判断する

（文献24より改変）

- 高安動脈炎では病勢の指標として，Kerrの基準（**表2**）[24]，Disease Extent Index-Takayasu（DEI.Tak），The Indian Takayasu Activity Score（ITAS2010）（**表3**）[25] などがありますが，完全に病勢を把握できる活動性の指標はまだありません。しかし，これらの基準は病勢を判断する際の参考にはなります。

ピットフォール

➡現時点で日本では，PET検査は診断のついた患者に対して炎症部位の特定を行う場合に保険診療として承認されています。

➡PETの大型血管への取り込みは，血管炎のみならず動脈硬化などによってもみられることがあります。

➡大型血管炎におけるPET検査は，診断的にはその有用性が確立されています。病気の活動性のモニタリングにPETが使用できるかどうかに関しては，今後のさらなるデータ蓄積が必要です。

- 巨細胞性動脈炎では側頭動脈の超音波が疾患活動性のモニタリングに活かせる可能性が示唆されています。少数を対象とした試験ですが，超音波で測定した側頭動脈の壁の厚さが治療によって改善し，再燃時に悪化することが示されています。腋窩動脈に関しては，壁の厚さの改善が側頭動脈ほどはっきりしないことが多く，モニタリングには向かないかもしれません[26]。

表3　ITAS2010

過去3カ月に高安動脈炎の活動性によるものと思われる症状に✓をつける

		症状あり			**症状あり**
1. 全身性症状			**4. 腎臓**		
なし	□		なし	□	
倦怠感/体重減少>2kg		○	**高血圧（拡張期>90）**		◆
筋肉痛/関節痛/関節炎		○	（収縮期>140）		○
頭痛		○			
2. 腹部症状			**5. 神経系**		
なし	□		なし	□	
重度の腹痛		○	**脳卒中**		◆
3. 尿生殖器			痙攣（高血圧性を除く）		○
なし	□		失神		○
流産		○	めまい/ふらつき		○

6. 心血管系			**6a. 雑音**		右	左
なし	□		頸動脈		○	○
雑音（6aへ）		◆	鎖骨下動脈		○	○
脈の左右差（6bへ）		◆	腎動脈		○	○
新たな脈の喪失（6cへ）		◆	**6b. 脈と血圧の左右差**			
跛行（6dへ）		◆	あり		○	
頸動脈痛		◆	**6c. 脈の喪失**			
			頸動脈		○	○
大動脈弁不全		○	鎖骨下動脈		○	○
心筋梗塞/狭心症		○	上腕動脈		○	○
心筋症/心不全		○	橈骨動脈		○	○
			大腿動脈		○	○
			膝窩動脈		○	○
			後脛骨動脈		○	○
			足背動脈		○	○
			6d. 跛行			
			腕		○	
			足		○	

項目の点数：□=0　○=1　◆=2
ITAS2010の得点のつけ方：すべての✓された項目を加算
過去3カ月間にあった，活動性の血管炎に伴う臨床所見のみを採点すべきであり，感染症などのその他の原因によるものや，ダメージが起こってしまっており内科的治療によっては改善が見込めないようなものは採点しないようにする。ITAS2010は臨床所見のみのスコアであり，炎症反応は加算しない。6aと6cは左右別々に評価し，両側ある場合には2ポイント，片側の場合は1ポイント加算される。心血管症状の太字の5項目と，拡張期の血圧，脳卒中に関しては2ポイント加算され，また，6a～6dに関しては2ポイント加算した上に，それぞれの項目の点数を加算することになる　　（文献25より改変）

10 ステロイドは中止できるか？ 投与期間は？

- ステロイドの中止をめざすことは可能と思われますが，個々の症例で判断していくことになります。
- ステロイドを完全に中止できない場合でも，少なくともプレドニン®換算で5mg/日以下になるようにめざすとともに，可能な限り最小限のプレドニン®量に減らしていくようにします。
- 免疫抑制薬のみで長期寛解が得られた場合には，免疫抑制薬の減量さらには中止を考慮してもよいでしょう。
- トシリズマブを中止する場合，筆者は徐々に投与間隔を長くしてから中止するようにしています。

11 モデル症例

症例：リウマチ性多発筋痛症の症状ならびに頭痛，顎跛行があり来院（72歳女性）

①超音波検査ではHaloサインが陽性であり，入院後，静注メチルプレドニゾロン60mg/日の加療を開始。側頭動脈生検を行った。全身のCTでは特に大型血管炎の所見はなし。自覚症状および炎症マーカーの改善があり，1週間程度で経口プレドニン®に変更し退院。

②まずはステロイド単剤のみでの加療を継続し，外来にてプレドニン®を漸減。静注メチルプレドニゾロン60mg/日を1週間の後，プレドニン®60mg/日を1週間。その後，30mgまでは10mgごとに毎週減量。30mgからは5mgごとに毎週減量。20mgになったところからは2.5mgずつ毎週減量。

③17.5mgまで減量後3日程度で，首周りのリウマチ性多発筋痛症の症状が再燃。CRPは0.25mg/dLと正常範囲内ではあったが，プレドニン®を25mgに増量すると症状は24時間以内に消失。巨細胞性動脈炎の再燃として，トシリズマブを開始。

④トシリズマブ開始後，再度ステロイド減量を継続。発症から1年程度でステロイドを中止とした。今後，臨床的寛解が維持されればトシリズマブの投与

間隔を広げていく予定。

MEMO

▶巨細胞性動脈炎をステロイド単剤で治療した場合，プレドニン®が20mgを下回る量になると再発が増えてくることが知られています（☞**1章1**）。

▶トシリズマブ使用中は，薬剤の機序的にCRPなどの炎症性マーカーが上昇しません。そのため，再発の徴候がないか丁寧に診察することが大切です。

文 献

1) Chung SA, et al:Arthritis Care Res (Hoboken). 2021;73(8):1088-105.
2) Aiello PD, et al:Ophthalmology. 1993;100(4):550-5.
3) Hunder GG, et al:Ann Intern Med. 1975;82(5):613-8.
4) Mazlumzadeh M, et al:Arthritis Rheum. 2006;54(10):3310-8.
5) Chevalet P, et al:J Rheumatol. 2000;27(6):1484-91.
6) Santoro L, et al:Rheumatology(Oxford). 2013;52(4):622.
7) De Miguel E, et al:Clin Exp Rheumatol. 2012;30(1 Suppl 70):S34-8.
8) Nielsen BD, et al:Arthritis Rheumatol. 2016;68(suppl 10).
9) Achkar AA, et al:Ann Intern Med. 1994;120(12):987-92.
10) Maleszewski JJ, et al:Mod Pathol. 2017;30(6):788-96.
11) Stone JH, et al:N Engl J Med. 2017;377(4):317-28.
12) Hellmich B, et al:Ann Rheum Dis. 2020;79(1):19-30.
13) Hoffman GS, et al:Arthritis Rheum. 2002;46(5):1309-18.
14) Jover JA, et al:Ann Intern Med. 2001;134(2):106-14.
15) Spiera RF, et al:Clin Exp Rheumatol. 2001;19(5):495-501.
16) Mahr AD, et al:Arthritis Rheum. 2007;56(8):2789-97.
17) Langford CA, et al:Arthritis Rheumatol. 2017;69(4):837-45.
18) Venhoff N, et al:Secukinumab in Giant Cell Arteritis:A Randomized, Parallel-group, Double-blind, Placebo-controlled, Multicenter Phase 2 Trial. [https://acrabstracts.org/abstract/secukinumab-in-giant-cell-arteritis-a-randomized-parallel-group-double-blind-placebo-controlled-multicenter-phase-2-trial/]（2022年12月閲覧）
19) Cid MC, et al:Ann Rheum Dis. 2022;81(5):653-61.
20) Langford CA, et al:Arthritis Rheumatol. 2017;69(4):846-53.
21) Nakaoka Y, et al:Ann Rheum Dis. 2018;77(3):348-54.

22) Gudbrandsson B, et al：Arthritis Res Ther. 2017；19(1)：99.
23) Garvey TD, et al：Mayo Clin Proc. 2021；96(6)：1530-45.
24) Kerr GS, et al：Ann Intern Med. 1994；120(11)：919-29.
25) Misra R, et al：Rheumatology (Oxford). 2013；52(10)：1795-801.
26) Ponte C, et al：Ann Rheum Dis. 2021；80(11)：1475-82.

（田巻弘道）

A 膠原病

8. 顕微鏡的多発血管炎/多発血管炎性肉芽腫症

ステロイド治療の心構え

- ▶現時点でステロイドは顕微鏡的多発血管炎や多発血管炎性肉芽腫症の寛解導入療法において中心となる薬剤のひとつであり，症状やその重篤度によって用量が変わります。
- ▶寛解導入療法ではステロイドのみならず，その他の免疫抑制薬などを加えて行うのが基本です。
- ▶維持療法におけるステロイドの役割は議論のわかれるところですが，ステロイドをなるべく減量・中止し，免疫抑制薬のみで寛解維持を行うようにします。

1 疾患の概要

- 顕微鏡的多発血管炎ならびに多発血管炎性肉芽腫症は，小型から中型の血管に血管炎を起こす原発性の血管炎であり，抗好中球細胞質抗体（anti-neutrophil cytoplasmic antibody；ANCA）が高率に検出されることから，ANCA関連血管炎と呼ばれることもある疾患です。
- 2012年のChapel Hill Consensus会議では，「顕微鏡的多発血管炎は免疫沈着物がない，あるいはほぼない，主に小型の血管ならびに中型の血管に壊死性の血管炎を起こしてくるもので，肉芽腫性炎症のないもの」と定義されている一方で，「多発血管炎性肉芽腫症は主に上気道ならびに下気道の壊死性の肉芽腫性炎症と，主に小型の血管ならびに中型の血管に壊死性の血管炎を起こしてくるもの」と定義されています[1]。
- 顕微鏡的多発血管炎と多発血管炎性肉芽腫症では肺の毛細血管炎や腎炎，紫斑，多発性単神経炎などの症状は共通して起こりますが，肺結節，眼窩内腫瘤などは肉芽腫性病変であり，多発血管炎性肉芽腫症のみにみられる症状です。

- 顕微鏡的多発血管炎では主にP-ANCAパターンで染まってくるMPO-ANCAが陽性となる確率が高く，多発血管炎性肉芽腫症ではC-ANCAパターンで染まるPR3-ANCAが陽性となることが多いです。
- 臨床症状の表現型によって顕微鏡的多発血管炎ならびに多発血管炎性肉芽腫症とわけられています。近年報告された，顕微鏡的多発血管炎ならびに多発血管炎性肉芽腫症に対するgenome-wide association study（GWAS）では，ANCAのタイプによる分類のほうが，より疾患感受性遺伝子との相関がきれいに分けられるという報告も出ています[2)]。
- 臨床的には多発血管炎性肉芽腫症のほうが顕微鏡的多発血管炎よりも再発率が高いものの，生存率は顕微鏡的多発血管炎のほうが多発血管炎性肉芽腫症よりも悪いです。また，PR3-ANCA陽性例のほうがMPO-ANCA陽性例よりも再発率が高いことも知られており，生存率はMPO-ANCA陽性例のほうがPR3-ANCA陽性例よりも悪いということが知られています[3)]。

MEMO

- ▶ ANCAは診断のマーカーとして有用ですが，感染症などでも陽性になることが知られており，ANCA関連血管炎の診断を下す際には常に血管炎ミミックとして，感染症や悪性腫瘍などの除外すべき疾患をしっかりと除外することが大切です。
- ▶ ANCA関連血管炎の診断の基本は生検により特徴的な病理所見を確認することですが，複数の臨床徴候があり，臨床的な診断の確率が高い場合には臨床徴候とANCA陽性をもって診断とすることも可能です[4)]。
- ▶ ANCAのタイターが高ければ高いほど，特異度が高いという報告もあります[5)]。

2 どういうときにステロイドを使うか？

- 活動性の血管炎があると判定された際には多くの場合，ステロイド治療を行います。
- 多発血管炎性肉芽腫症における副鼻腔炎や鼻炎のみの場合には，ST合剤（スルファメトキサゾール・トリメトプリム）単剤で加療されることがあります[6)]。

ここがPOINT！

◉臓器不全や生命の危機がある場合には，診断がつく前に見切り発車的にステロイドを開始することがあります。このような場合，鑑別で一番見逃してはならないのは感染症で，感染症の診断に必要な各種培養検査を提出しつつ，鑑別に挙がる感染症を抗菌薬でカバーすることが多いです。

3 ステロイドの根拠は？

- 顕微鏡的多発血管炎や多発血管炎性肉芽腫症において，ステロイド使用群とプラセボ群の間での効果の違いを比較検討した試験はありません。しかし，経験的にステロイドの効果は今までの治療経験でよく知られているため，現時点ではステロイドの効果に関して無作為化二重盲検試験を行うのは非倫理的であると考えられます。
- ステロイドが臨床応用される前の時代には生存期間の中央値が5カ月，81％の患者が1年以内に死亡したと報告されています[7)]が，ステロイドが臨床で使用されるようになり，生存期間の中央値が12.5カ月になったと報告されています[8)]。

4 ステロイドの初期用量は？

- 治療初期のステロイドの至適用量に関しては治療を行う医師によって違いが出てくることもあり，議論になるところです。科学的根拠に基づいたステロイドの投与量は決まっていません。
- 一般的に，急速進行性糸球体腎炎や肺胞出血など臓器不全のリスクが高い場合や生命の危機となる場合には500mg/日から1,000mg/日のメチルプレドニゾロンによるパルス療法が用いられることがあります。
- 重篤と思われる臓器障害に対しては，1mg/kg程度の高用量のステロイドが使用されます。重篤な臓器障害に当てはまるかは，BVAS/WG（**表1**）の評価を参考にするのがよいでしょう[9)]。
- 上記以外の症状では，0.5mg/kg以下のステロイドが使用されることが多いです。

表1 BVAS/WG

異常所見が活動性の多発血管炎性肉芽腫症または顕微鏡的多発血管炎の際に✓をつけて下さい。persistentは前回の評価の際に存在していて，過去28日以内に悪化がない場合に✓をして下さい。前回の評価でなかった場合や，28日以内に悪化しているような場合は“new/worse”を✓して下さい。太字で*がついているものはmajor項目です。

	persistent	new/worse	none
全身			
関節痛/関節炎			
発熱（≧38℃）			
皮膚			
紫斑			
皮膚潰瘍			
壊疽*			
粘膜/眼			
口腔内潰瘍			
結膜炎/上強膜炎			
眼窩内腫瘍/眼球突出			
ぶどう膜炎			
強膜炎*			
網膜滲出物/出血*			
耳鼻咽喉			
血性鼻汁/鼻内痂皮/潰瘍			
副鼻腔病変			
唾液腺腫脹			
声門下炎症			
伝音性難聴			
感音性難聴*			
循環器			
心外膜炎			
消化器			
腸間膜虚血*			
呼吸器			
胸膜炎			
結節あるいは空洞性病変			
AAVによるその他の浸潤影			
気道内病変			
肺胞出血*			
呼吸不全*			

	persistent	new/worse	none
腎（赤血球円柱と血尿両方ある場合は赤血球円柱のみ）			
血尿（赤血球円柱なし）（≧1+または≧10HPF）			
赤血球円柱*			
クレアチニン上昇>30%かクレアチニンクリアランス>25%低下*			
神経			
髄膜炎*			
脊髄病変*			
脳卒中*			
脳神経麻痺*			
感覚性末梢神経麻痺*			
運動性多発単神経炎*			
その他 major			
□			
□			
□			
□			
□			

集計			
a.	b.	c.	d.
major new/worse	minor new/worse	major persistent	minor persistent

現時点の状態
severe disease/flare
limited disease/flare（限局性疾患/再燃） □
persistent disease（持続性疾患） □
remission（寛解） □

physician global score
過去28日での活動性の病変のみ
visual analogue scaleで採点
① ② ③ ④ ⑤ ⑥ ⑦ ⑧ ⑨ ⑩

BVAS/WG score ______________

BVAS/WG score＝BVAS/GPA＝（major項目数×3）＋minor項目数

ピットフォール

➡多発血管炎性肉芽腫症ではニューモシスチス肺炎のリスクが高いと考えられます[10]。

➡顕微鏡的多発血管炎や多発血管炎性肉芽腫症を治療する際には，必ずニューモシスチス肺炎の予防に関して考慮する必要があります（☞**1章2**）。

5 治療への反応性は？

- 治療対象となっている臓器症状，血液検査による炎症マーカー，必要であれば画像所見などから総合的に判断します。1つの指標のみで活動性を判定することは難しいです。
- 腎炎における血尿は，数週間ほどで消えることもありますが，消えるまでに数カ月かかることもあります。また，完全に血尿が消え去らない症例もありますが，そのような症例では腎臓における再発のリスクがやはり高いとされています[11]。
- 多発血管炎性肉芽腫症の肺結節影は，必ずしも症状をきたしません。治療開始後には画像的なフォローアップが必要となってきます。治療開始後1カ月程度の画像のフォローアップで，消失している場合もあれば，縮小傾向のみを示す場合もあります。また，経時的にフォローアップしても，完全に消え去らずに瘢痕を残す場合もあります。治療にもかかわらず結節が増大傾向である場合は，他疾患除外のため，生検を含めた診断的検査を検討すべきです。
- 多発性単神経炎は活動性の評価が最も難しい病態のひとつです。アグレッシブな加療を行っても必ずしも機能の回復が図れるとは限りません。
- ANCA自体の値が病勢を反映するかに関しては，多くの論文で様々な結果が示されてきました。一番大きなメタアナリシスでは，病勢を反映はするものの，その関連性に関しては“modest”と結論づけられています[12]。使用される免疫抑制薬の潜在的な副作用などに鑑みると，「ANCAの血清学的な値のみの変化に対応して免疫抑制薬を変更するほどANCAは鋭敏なマーカーではない」のが実情と考えられます。

6 寛解導入療法はステロイド単剤でよいか？

- ステロイド単剤での治療が可能な局面は限られています。多発血管炎性肉芽腫症の治療の歴史を振り返ると，治療により生存率が改善していることがわかります。このことが，ステロイドならびにシクロホスファミドの治療を行う根拠となってきました。
- 通常，顕微鏡的多発血管炎や多発血管炎性肉芽腫症の治療では，ステロイドに免疫抑制薬を加えて治療が行われます。
- 寛解導入療法で使用されることのある免疫抑制薬として，現在日本で保険適用となっている薬剤はシクロホスファミドやリツキシマブが挙げられます。メトトレキサートやミコフェノール酸モフェチルも欧米では寛解導入療法に用いられることがあります[13〜15]。
- ADVOCATE試験で，寛解導入におけるアバコパンの効果が示されました。アバコパンは経口のC5a受容体阻害薬です。ADVOCATE試験では標準的治療としてステロイドにリツキシマブあるいはシクロホスファミドで加療する群とアバコパンに加えてリツキシマブあるいはシクロホスファミドで加療する群とが比較され26週時点での寛解率では，アバコパンを使用した群の標準療法の非劣性が示されました。この試験結果を受けて日本でもアバコパンは保険承認を受け使用できるようになりました。ステロイドなしでの寛解導入ができる薬剤として期待されています[16]。
- 米国リウマチ学会(ACR)/Vasculitis Foundation(VF)の2021年ガイドライン[17]では，生命に関わる，あるいは臓器障害の危険が高いような重篤な病態の寛解導入には，ステロイドに加えてリツキシマブを使用することが第一選択として示されています(**表2**)[17〜19]。シクロホスファミドよりもリツキシマブを優先することが記載されています。
- ACR/VFの2021年のガイドライン[17]では，非重篤な場合にはステロイドに加えてメトトレキサートを使用することが第一選択として示されています(**表2**)[17〜19]。
- 欧州リウマチ学会(EULAR)の2022年のガイドライン[18, 19]では，重篤な病態の場合にはステロイドに加えてリツキシマブまたはシクロホスファミドを併用することが記載されています(**表2**)[17〜19]。再燃の場合には，リツキシマブを優先させることが記載されています。

表2 米国と欧州での顕微鏡的多発血管炎/多発血管炎性肉芽腫症の寛解導入療法に関するガイドラインの比較

	EULAR2022	ACR/VF2021
重篤例寛解導入	GC+CPAまたはGC+RTX	GC+RTX>GC+CPA
非重篤例寛解導入	GC+RTX （代替薬：GC+MTX, GC+MMF）	GC+MTX>GC+RTX, GC+CPA, CG+AZA, GC+MMF, GC単独
再燃時寛解導入	GC+RTX	維持療法RTX：CPA 維持療法非RTX:RTX
血漿交換	糸球体腎炎：クレアチニンが3.38mg/dL以上のときに考慮 肺胞出血：ルーチンでの使用をしない	糸球体腎炎：推奨しない 肺胞出血：推奨しない

（文献17〜19をもとに作成）

- EULARの2022年のガイドライン[18, 19]では，非重篤な場合にはステロイドとリツキシマブを併用することが第一選択として記載されています（**表2**）[17〜19]。
- EULARの2022年のガイドライン[18, 19]では，アバコパンに関しても，ステロイドの使用量を減らす方法として考慮されることが記載されています。
- PEXIVAS試験の結果が発表され，重篤な顕微鏡的多発血管炎や多発血管炎性肉芽腫症でシクロホスファミドやリツキシマブを使用するような症例に対して，血漿交換を行うか行わないかで比較したところ，主要評価項目である末期腎不全ならびに死亡という複合アウトカムに関して差がみられなかったということが報告されました[20]。
- ACR/VFの2021年のガイドライン[17]では，血漿交換に関しては糸球体腎炎や肺胞出血に対して推奨はしないという立場となっています（**表2**）[17〜19]。
- EULAR2022のガイドライン[18, 19]では，PEXIVASの結果を受けて，今までのANCA関連血管炎の試験に関してメタアナリシスをした結果，1年の時点での末期腎不全に関しては防げる可能性があるため，糸球体腎炎に関しては，末期腎不全のリスクの高い群に対しては（クレアチニンが3.38mg/dL以上）血漿交換を推奨することとなっています。肺胞出血に対しては，推奨しないこととなっています（**表2**）[17〜19]。

ここがPOINT！

◉元来，多発血管炎性肉芽腫症にシクロホスファミドが使われはじめたときは経口での連日投与でした。2009年にCYCLOPS試験が行われ，経口連日投与のシクロホスファミドと静注間欠投与のシクロホスファミドの効果が比較され，寛解導入の効果は同等であることが示されました[21]。

◉その後の長期フォローアップにおいて，経口で治療された群では静注で治療された群に比べて再発率が低い結果となりました[22]。

◉現在でも米国の血管炎の専門家の間では，シクロホスファミドを使う際に経口薬が好んで使われていますが，リツキシマブを使用することがほとんどです。

◉リツキシマブはシクロホスファミドとの非劣性試験が行われ，寛解導入においてシクロホスファミドに対する非劣性が示されています[13]。

◉ミコフェノール酸モフェチルは，シクロホスファミドとの非劣性試験が行われ，寛解導入においてシクロホスファミドに対する非劣性が示されています。しかし，ミコフェノール酸モフェチルで寛解導入された場合，再発率が高いことがわかっています。顕微鏡的多発血管炎のみでみてみると，ミコフェノール酸モフェチルで寛解導入されても，再発率は有意に高くありませんでした[15]。

ピットフォール

➡リツキシマブのシクロホスファミドに対する非劣性試験では，肺胞出血によって人工呼吸器を使用している患者や，クレアチニンが4.0mg/dL以上ある患者は除外されています。このような患者でのリツキシマブの有用性に関しては小さいながら観察研究にて報告されはじめています[23, 24]。

➡シクロホスファミドを寛解導入に使用する際は，発がん性のリスクなどを考慮して，なるべく短期間（3～6カ月程度）の使用で終わらせるようにします。

7 寛解維持療法としてsteroid sparing agentは何かあるか？

- 寛解維持期に使用する免疫抑制薬で，日本において保険適用となっているものとしてアザチオプリンがあります[25]。
- その他，メトトレキサートが寛解維持療法に用いられることがありますが，腎機能が悪い場合には使用しづらく，また日本では保険適用となっていません[26]。

- リツキシマブも寛解維持療法での使用の有効性が無作為化比較試験で示されており，有効な治療手段として考慮されます[27]。
- ACR/VFの2021年のガイドライン[17]でも，EULARの2022年のガイドライン[18, 19]でも，維持療法の第一選択としてはリツキシマブが推奨されています。
- リツキシマブの維持療法での使用方法に関しては，様々な試験で比較検討されています。現時点では，500mgを6カ月ごとに投与する方法，3カ月ごとにANCAやCD19$^+$細胞数を測定し，それらの上昇があった際に必要に応じて500mgのリツキシマブを投与する方法，4カ月ごとに1,000mgを投与する方法が無作為化比較試験では検討されています[27〜29]。
- ACR/VFの2021年のガイドライン[17]ではANCAやCD19$^+$細胞を定期的に測定して必要に応じてリツキシマブを投与する方法よりも，定期的にリツキシマブを投与する方法が推奨されています。再燃率の高いPR3-ANCA陽性のGPAが多い国での推奨であり，MPO-ANCA陽性のMPAが多い日本では必ずしも当てはまらないかもしれないことに留意が必要です。
- ミコフェノール酸モフェチルはIMPROVE試験にて寛解維持での使用ではアザチオプリンより劣ることが報告されており，維持療法の第一選択薬とはなりません[30]。

8 ステロイド減量のスピードは？

- ステロイド減量に関しては，寛解導入においてリツキシマブのシクロホスファミドに対する非劣性を示したRAVE試験で，6カ月以内にステロイド中止を目標として治療されています[13]。RAVE試験でのステロイド減量のプロトコールを**表3**に示します。
- リツキシマブやシクロホスファミドが必要な多発血管炎性肉芽腫症または顕微

表3 RAVE試験でのプレドニン®減量のプロトコール（40mg以降の減量プロトコール）

用量	期間	用量	期間
40mg/日	2週間	10mg/日	2週間
30mg/日	2週間	7.5mg/日	2週間
20mg/日	2週間	5mg/日	2週間
15mg/日	2週間	2.5mg/日	2週間

リツキシマブを初めに投与してから1カ月以内に40mgへ減量し，寛解を維持していれば6カ月以内に中止する

鏡的多発血管炎において，血漿交換の有用性に関して検討したPEXIVAS試験の中で[31]，標準的にステロイドを減らす群と，早めにステロイドを減らす群の2群にもわけられて検討されました。ステロイドを早めに減らした群での寛解維持率の非劣性が示されたのみならず，ステロイドを早めに減らした群では有意に感染症の発症率が低いことが示されました。このPEXIVAS試験でのステロイド減量のプロトコールを**表4**[32]に示します。

- EULAR2022のガイドライン[18, 19]では，ステロイドの減量の目標値が示されました。4～5カ月の段階で5mg/日まで減らすことが目標となっています。

表4　PEXIVAS試験でのプレドニン®減量のプロトコール

週	標準			減量		
体重	＜50kg	50～75kg	＞75kg	＜50kg	50～75kg	＞75kg
治療法	パルス	パルス	パルス	パルス	パルス	パルス
1	50	60	75	50	60	75
2	50	60	75	25	30	40
3～4	40	50	60	20	25	30
5～6	30	40	50	15	20	25
7～8	25	30	40	12.5	15	20
9～10	20	25	30	10	12.5	15
11～12	15	20	25	7.5	10	12.5
13～14	12.5	15	20	5	7.5	10
15～16	10	10	15	5	5	7.5
17～18	10	10	15	5	5	7.5
19～20	7.5	7.5	10	5	5	5
21～22	7.5	7.5	7.5	5	5	5
23～52	5	5	5	5	5	5
＞52	治療医のそれぞれの地域での治療法に沿って					

（文献32をもとに作成）

9　減量は何を指標にすればよいか？

- ステロイドの減量に関しては，症状，診察所見，血液検査，尿検査，必要時には画像検査を含めた情報から血管炎の活動性を総合的に判断しながら減量していきます。
- ANCAの値自体は上記の通り，必ずしも病勢を反映するものではないので，臨床的に血管炎の活動性が抑えられていると判断できるのであればステロイドの減量を考慮することが可能です。

- ANCAの値が上昇したということのみを根拠として，ステロイドや免疫抑制薬の増量・変更をすることは勧められません。

10 ステロイドは中止できるか？ 投与期間は？

- ステロイドを中止できる可能性は十分にあります。常にステロイドを中止までもっていくべきか否かに関しては，専門家の間でも意見がわかれるところです。
- 今までの維持療法の臨床試験の多くは，少量のステロイドを残しておくというスタイルで行われてきました。メタ解析では少量のステロイドに伴う再発予防の効果が示唆されています[33)]。現在，多発血管炎性肉芽腫症において，少量のステロイドが寛解維持に役立つのかをみる無作為化比較試験が行われており，この問題に有用な情報をもたらしてくれると考えられています。
- しっかりと寛解導入でき，寛解維持期にも落ちついていて活動性の徴候がまったくない患者に関しては，少量のステロイドからさらに漸減して中止までもっていくことを考慮してもよいかもしれません。ステロイド中止をめざすかどうかは個々の患者の背景もふまえて個別に判断すべきです。たとえば，末期腎不全で再発を起こせば透析になってしまうような患者であれば腎臓の予備能がないため，ステロイド中止に関しては慎重に検討すべきです。
- 筆者は個人的に，初回発症で寛解導入がしっかりでき，病勢も落ちついている患者の場合は，患者と十分に議論を尽くした上でステロイドの減量を行い，中止できるかを検討後，ステロイドを遅くとも9～10カ月程度のところで1回中止できるように漸減しています。

11 モデル症例

症例：2年ほど前から鼻汁の症状，3カ月前に両側性の強膜炎となり眼科で治療，その後関節炎，紫斑が出てきて来院（51歳男性）

①精査をすると，呼吸苦もなく，酸素飽和度の低下もないが，肺胞出血があることが判明。PR3-ANCA陽性の多発血管炎性肉芽腫症の診断で入院して，メチルプレドニゾロン60mg/日の投与を開始。リツキシマブを加えての寛解導入療法を行った。

②1週間の病院滞在の後，経口のプレドニゾロン60mg/日にて減量。その後10mgずつ1週間ごとに減量し40mgへ。そこからは1週間ごとに5mgずつ減らし20mgへ。20mgからは2.5mgずつ1週間ごとに減らし10mg減量した。

③10mgからは1mgずつ2週間ごとに減量。維持療法としては5カ月ごとにリツキシマブを500mg投与。プレドニゾロンが5mgになったところからは1カ月ごとに1mgずつ減量し，プレドニゾロン中止に至った。その後6カ月程度経っているが，再発の徴候はなく経過している。

文 献

1) Jennette JC, et al:Arthritis Rheum. 2013;65(1):1-11.
2) Lyons PA, et al:N Engl J Med. 2012;367(3):214-23.
3) Lionaki S, et al:Arthritis Rheum. 2012;64(10):3452-62.
4) Langford CA:Cleve Clin J Med. 1998;65(3):135-40.
5) Bossuyt X, et al:Rheumatology (Oxford). 2017;56(9):1533-41.
6) Stegeman CA, et al:N Engl J Med. 1996;335(1):16-20.
7) Walton EW:Br Med J. 1958;2(5091):265-70.
8) Hollander D, et al:Ann Intern Med. 1967;67(2):393-8.
9) Stone JH, et al:Arthritis Rheum. 2001;44(4):912-20.
10) Green H, et al:Mayo Clin Proc. 2007;82(9):1052-9.
11) Rhee RL, et al:Clin J Am Soc Nephrol. 2018;13(2):251-7.
12) Tomasson G, et al:Rheumatology (Oxford). 2012;51(1):100-9.
13) Stone JH, et al:N Engl J Med. 2010;363(3):221-32.
14) De Groot K, et al:Arthritis Rheum. 2005;52(8):2461-9.
15) Jones RB, et al:Ann Rheum Dis. 2019;78(3):399-405.
16) Jayne DRW, et al:N Engl J Med. 2021;384(7):599-609.
17) Chung SA, et al:Arthritis Care Res (Hoboken). 2021;73(8):1088-105.
18) zenodo:2022 EULAR recommendations for the management of ANCA-associated vasculitis(AAV):methods & project update.
[https://zenodo.org/record/6408186#.Y1YqEHbP0fN](2022年12月閲覧)
19) THE Rheumatologist:Clinical Guidance & Recommendation Updates for Vasculitis, axSpA & More.

[https://www.the-rheumatologist.org/article/clinical-guidance-recommendation-updates-for-vasculitis-axspa-more/]（2022年12月閲覧）
20) Walsh M, et al:N Engl J Med. 2020;382(7):622-31.
21) de Groot K, et al:Ann Intern Med. 2009;150(10):670-80.
22) Harper L, et al:Ann Rheum Dis. 2012;71(6):955-60.
23) Shah S, et al:Am J Nephrol. 2015;41(4-5):296-301.
24) Geetha D, et al:J Nephrol. 2016;29(2):195-201.
25) Jayne D, et al:N Engl J Med. 2003;349(1):36-44.
26) Pagnoux CN, et al:N Engl J Med. 2008;359(26):2790-803.
27) Guillevin L, et al:N Engl J Med. 2014;371(19):1771-80.
28) Charles P, et al:Ann Rheum Dis. 2018;77(8):1143-9.
29) Smith RM, et al:Ann Rheum Dis. 2020;79(9):1243-9.
30) Hiemstra TF, et al:JAMA. 2010;304(21):2381-8.
31) Walsh M, et al:Arthritis Rheumatol. 2018;70(suppl 10).
32) Merkel PA, et al:ACR 2019 Plenary Session Ⅲ.
33) Walsh M, et al:Arthritis Care Res (Hoboken). 2010;62(8):1166-73.

（田巻弘道）

A 膠原病

9. 好酸球性多発血管炎性肉芽腫症

ステロイド治療の心構え

- ▶好酸球性多発血管炎性肉芽腫症に対してステロイドは効果的な薬剤であり，どのような臓器障害が出てきたかによってその開始量を決めます。
- ▶生命や臓器不全の危機がない場合にはステロイド単独での加療も可能です。
- ▶ステロイドスペアリングを可能とする薬剤としては，メポリズマブ，アザチオプリン（これら2剤は保険承認あり），そしてメトトレキサート（保険承認なし）などが挙げられます。
- ▶ステロイドの中止は可能な目標です。必要であれば免疫抑制薬やメポリズマブ，あるいはそのコンビネーションの薬剤を使い，可能な限りステロイドを少量とします。

1 疾患の概要

- 好酸球性多発血管炎性肉芽腫症（eosinophilic granulomatosis with polyangiitis；EGPA，旧名称：Churg-Strauss症候群）とは好酸球性疾患，特に喘息を背景に持つ患者に小型血管炎を併発した疾患です。
- 血管炎の定義を決めた2012年のChapel Hill Consensus会議では，小型血管炎の中でも抗好中球細胞質抗体（anti-neutrophil cytoplasmic antibody；ANCA）関連血管炎の疾患のうちのひとつと定義されています[1]。
- 古典的には，喘息や副鼻腔炎などのアレルギー症状から始まり，その後好酸球数が末梢血で上昇し，最終的に血管炎が起きるとされています。必ずしもこの順番で起こるとは限らず，また，喘息などの症状の始まりから，その他の好酸球血症や全身性血管炎の症状の出現まで数年かかることも稀ではありません。
- ANCA関連血管炎のうちのひとつとされていますが，好酸球性多発血管炎性肉芽腫症でのANCAの出現率は多くても4割程度[2)]で，他のANCA関連血管炎の疾患である顕微鏡的多発血管炎や多発血管炎性肉芽腫症と比べるとANCAの陽性率が低いです。

- 好酸球性多発血管炎性肉芽腫症では，喘息，副鼻腔炎，好酸球性肺炎，末梢神経障害といった症状が高頻度でみられる点が他のANCA関連血管炎と異なります。また，心筋症は他のANCA関連血管炎ではめったにみられませんが，好酸球性多発血管炎性肉芽腫症では15％程度でみられます[3)]。

ピットフォール

➡好酸球性多発血管炎性肉芽腫症において，心筋症は生命予後に関わる徴候であるため，常に心筋症が起きていないかを気をつける必要があります。

➡ロイコトリエン受容体拮抗薬の使用者に好酸球性多発血管炎性肉芽腫症の発症が多いと示唆された疫学的調査があります[4)]。因果関係があるかは専門家の間でも意見のわかれるところです。2021年の米国リウマチ学会(ACR)/Vasculitis Foundation(VF)のガイドラインでは，ロイコトリエン受容体拮抗薬は中止するよりも，継続することを推奨しています[5)]。

➡ACR/VFの2021年のガイドラインではEGPA診断時に心臓超音波を行うことが推奨されています[5)]。また，MRIを用いた評価が診療の主流となってきつつあります。

2 どういうときにステロイドを使うか？

- 好酸球性多発血管炎性肉芽腫症による疾患の活動性があると考えられる場合，多くはステロイド治療が行われます。喘息の症状に関しては，喘息自体を治療するための吸入薬などを可能な限り優先させます。

3 ステロイドの根拠は？

- ステロイドとプラセボを比較した臨床試験はなく，現在までに臨床的に使われてきた中で効果があったという経験に基づいて使用されています。
- ステロイド治療が行われる前の生存期間の中央値は10カ月とも言われていました[6)]。

4 ステロイドの初期用量は？

- ステロイドの初期用量は，どのような臓器障害が出ているかの重篤度によって異なります。
- もう1剤免疫抑制薬を追加するような病態，すなわち腎炎，中枢神経病変，消化器病変，心筋症，重篤な末梢神経障害，肺胞出血や重篤な炎症性眼症状などがある場合には，通常プレドニン®換算で1mg/kg程度のステロイドを使用します。
- 生命の危機にある場合にはステロイドパルスを用いることもあります。

5 治療への反応性は？

- 治療の対象となっている臨床症状ならびに診察所見，血液検査，必要であれば画像検査などを含め，病勢を総合的に判定することで治療反応性を判断します。
- 現時点では，好酸球性多発血管炎性肉芽腫症の活動性を特異的にフォローできるバイオマーカーは存在していません[7)]。
- 好酸球性多発血管炎性肉芽腫症コンセンサスタスクフォースからの推奨では，好酸球性多発血管炎性肉芽腫症の寛解状態とは，喘息と耳鼻咽喉科的な症状を除く本症の臨床症状がない状態のことを言います。喘息や耳鼻咽喉科的な症状のみの再発では本症の再発とはみなしません[8)]。

6 寛解導入療法はステロイド単剤でよいか？

- 好酸球性多発血管炎性肉芽腫症の治療法に関しては，プラセボと比較した質の高い臨床試験の数が限られています。
- 臨床症状によってはステロイド単剤での寛解導入を行ってもよいとされています。
- フランスのグループが提唱したファイブファクタースコア（**表1**）[9, 10)]は寛解導入療法の薬剤選択を考慮する上で簡便な指標です。
- 好酸球性多発血管炎性肉芽腫症コンセンサスタスクフォースからの推奨では，生命あるいは臓器障害の危機がある場合（心臓，消化管，中枢神経，重度の末梢神経，重度の目の症状，肺胞出血，糸球体腎炎）にはステロイドにもう1剤免疫抑制薬を加えることが勧められています。
- また，神経症状は免疫グロブリンの投与で緩和されたという報告があります[11)]。

表1 ファイブファクタースコア

1996年版	2009年版
蛋白尿>1g/dL	年齢>65歳
消化管出血，穿孔，壊死または膵炎	消化管症状
腎不全（Cre>1.58）	腎不全（Cre>150μmol/L）
中枢神経症状	中枢神経症状
心筋症	心筋症

0点であればステロイド単剤での加療を行ってもよい

（文献9，10をもとに作成）

- ACR/VFの2021年のガイドラインでは，非重篤な好酸球性多発血管炎性肉芽腫症の寛解導入はステロイドに加えて，第一選択としてメポリズマブ，第二選択としてメトトレキサート（本邦保険適用なし），アザチオプリン，ミコフェノール酸モフェチル（本邦保険適用なし），第三選択としてリツキシマブ（本邦保険適用なし）で治療することが推奨されています。また，状況によってはステロイド単剤での治療も可能であると記載されています[5)]。
- ACR/VFの2021年のガイドラインでは，重篤な好酸球性多発血管炎性肉芽腫症の寛解導入では，ステロイドに加えてシクロホスファミドまたはリツキシマブで治療をすることが推奨されています。 シクロホスファミドは心筋炎，ANCA陰性の重篤な神経，消化器症状に対しての使用，リツキシマブはANCA陽性例，活動性の糸球体腎炎，以前のシクロホスファミドによる治療，シクロホスファミドによる性腺機能毒性のリスクのある人への使用が考慮されることが記載されています[5)]。
- 欧州リウマチ学会（EULAR）の2022年のガイドラインでは，非重篤な好酸球性多発血管炎性肉芽腫症の寛解導入はステロイド単剤で行うことが推奨されています[12, 13)]。
- EULARの2022年のガイドラインでは，重篤な好酸球性多発血管炎性肉芽腫症の寛解導入ではステロイドに加えてシクロホスファミドで治療することが推奨されています。シクロホスファミドの代替薬としてリツキシマブも推奨されています[12, 13)]。

ここがPOINT！

◉ファイブファクタースコアは1996年版と新しい2009年版があります。フランスの血管炎グループがこのファイブファクタースコアを用いた研究を行っていますが，現時点で出版されているものは1996年版を使っていることが多いです。また，1996年版は結節性多発動脈炎と好酸球性多発血管炎性肉芽腫症の患者からつくられたものであるのに対し，2009年版は結節性多発動脈炎，好酸球性多発血管炎性肉芽腫症，顕微鏡的多発血管炎に多発血管炎性肉芽腫症を加えたコホートから出された予後予測因子です。そのため1996年版を好む専門家もいます。

◉フランスで行われたREOVAS試験はファイブファクタースコアに基づいた標準療法（ファイブファクタースコアが0の場合はステロイド単剤，ファイブファクタースコアが1以上の場合はステロイドとシクロホスファミドを加え寛解導入しアザチオプリンで維持療法を行う）を行う群とステロイドとリツキシマブで寛解導入し，アザチオプリンで維持療法をする群を比較した試験です。リツキシマブの優性を検討する試験でしたが，寛解維持率は半年，1年の段階でリツキシマブのほうが優性ということは示せませんでした[14)]。

7 寛解維持療法としてsteroid sparing agentは何かあるか？

- 好酸球性多発血管炎性肉芽腫症は，その他のANCA関連血管炎である顕微鏡的多発血管炎や多発血管炎性肉芽腫症に比べると質の高い臨床研究に基づいた治療薬があまりありません。
- このような中で最近，プラセボと比較した試験をもとに日本で保険承認された薬剤があります。好酸球の分化，生存に重要な役割を果たすサイトカインであるIL-5を標的としたメポリズマブです。メポリズマブはプラセボ群に比べて，より寛解の維持が可能であり，ステロイドの減量を図ることも可能でした[15)]。
- 寛解導入でステロイド以外にもう1剤免疫抑制薬を使用するような場合には，寛解導入後維持療法の免疫抑制薬に変更します。日本で保険適用のある薬剤としてはアザチオプリンやメポリズマブがあります。その他，メトトレキサートも欧米では頻回に使われることがあります。

- ステロイド単剤で寛解導入を行っても，ステロイド減量が上手く行えない場合は，アザチオプリンやメポリズマブなどの薬剤を追加し可能な限り減量を図ります。
- ステロイド減量の際によく好酸球性の症状，特に喘息の症状が悪化して減量が進まないことがあります。このような場合には，可能な限り吸入薬などの喘息治療薬を増量し，ステロイドの減量を図ります。それでも，喘息でステロイドが減らせないような場合にはメポリズマブなどの生物学的製剤の使用を考慮し，ステロイドの減量を図ります。
- ACR/VFの2021年のガイドラインでは，寛解維持には，メトトレキサート（本邦適用外），アザチオプリン，ミコフェノール酸モフェチル（本邦適用外）を使用することを推奨しています[5]。
- EULARの2021年のガイドラインでは，重篤な好酸球性多発血管炎性肉芽腫症の寛解導入後の寛解維持にはメトトレキサート（本邦適用外），アザチオプリン，メポリズマブ，またはリツキシマブ（本邦適用外）が推奨されています[12, 13]。

8 ステロイド減量のスピードは？

- 特に決まった方法はなく，個々の患者の状態に合わせて減量していきます。
- プレドニン®換算で1mg/kg/日程度のステロイドから開始した場合には，開始量のステロイドは2週間を目処に継続し，その後ステロイドの減量を図ります。3カ月目にプレドニン®換算で10mg/日程度になるように減量を行います。

9 減量は何を指標にすればよいか？

- 病勢の判定は，治療の対象となっている臨床症状，診察所見，血液検査，必要であれば画像検査などを含めて行います。病勢が増悪していないことを確認しながら，ステロイドの減量を行います。
- ESR，CRP，IgE，好酸球数といったルーチンで計測できる血液検査は，単独で再発の予測因子にならないことが報告されています[7]。

10 ステロイドは中止できるか？ 投与期間は？

- ステロイドは中止できる可能性があります。
- ステロイド減量の妨げとなる大きな要因として「好酸球性の症状，特に喘息の症状が出てきてしまうこと」が挙げられます。メポリズマブが好酸球性多発血管炎性肉芽腫症に使用できるようになり，さらにステロイド減量の一助となると思われます。

MEMO

▶好酸球性多発血管炎性肉芽腫症のステロイド減量中に喘息などの好酸球性の症状が悪くなった場合，ステロイドスペアリングの薬剤とされているアザチオプリンやメトトレキサートなどはあまり効果がないとされています。リツキシマブ（本邦保険適用なし）においても喘息や耳鼻咽喉科系疾患の再燃が多いとされています[15)]。

▶血管炎系の症状が落ちついておりアザチオプリンなどの投薬も行われている中で，喘息の治療も最大限に行っているけれども好酸球性の症状によりステロイド減量が難しい場合，メポリズマブを加えることでステロイドを減らせる可能性があります。実際，MIRRA試験の中でもメポリズマブ群の60%の患者はもともと免疫抑制薬の内服を行っていました[16)]。

11 モデル症例

症例：成人発症の喘息，好酸球性副鼻腔炎，末梢神経障害，好酸球増多があり，他院にて好酸球性多発血管炎性肉芽腫症と診断（48歳男性）

①ステロイド単独での加療を受けていた。末梢神経障害は落ちついたが，ステロイドを減量するたびに喘息や副鼻腔炎の悪化があり，プレドニン®を7.5mg/日から減らせない状態が続いて紹介受診となった。

②来院時には喘息の悪化，好酸球性副鼻腔炎の悪化があったため，一時的にプレドニン®を15mg/日まで増量すると症状の改善がみられた。吸入薬はまだ最高用量までは使用していなかったので，喘息に対する治療を強化した。

③それでもプレドニン®を減量すると症状が出てくるため，本人と相談しメポリズマブを開始した。メポリズマブ開始後，現在はプレドニン®を2.5mg/日まで減量可能となっている。

文献

1) Jennette JC, et al:Arthritis Rheum. 2013;65(1):1-11.
2) Wu EY, et al:J Allergy Clin Immunol Pract. 2018;6(5):1496-504.
3) Comarmond C, et al:Arthritis Rheum. 2013;65(1):270-81.
4) Bibby S, et al:Thorax. 2010;65(2):132-8.
5) Chung SA, et al:Arthritis Care Res (Hoboken). 2021;73(8):1088-105.
6) Churg J, et al:Am J Pathol. 1951;27(2):277-301.
7) Grayson PC, et al:Rheumatology (Oxford). 2015;54(8):1351-9.
8) Groh M, et al:Eur J Intern Med. 2015;26(7):545-53.
9) Guillevin L, et al:Medicine (Baltimore). 1996;75(1):17-28.
10) Guillevin L, et al:Medicine (Baltimore). 2011;90(1):19-27.
11) Koike H, et al:J Neurol. 2015;262(3):752-9.
12) zenodo:2022 EULAR recommendations for the management of ANCA-associated vasculitis (AAV):methods & project update. [https://zenodo.org/record/6408186#.Y1YqEHbP0fN](2022年12月閲覧)
13) THE Rheumatologist:Clinical Guidance & Recommendation Updates for Vasculitis, axSpA & More. [https://www.the-rheumatologist.org/article/clinical-guidance-recommendation-updates-for-vasculitis-axspa-more/](2022年12月閲覧)
14) Venhoff N, et al:Secukinumab in Giant Cell Arteritis:A Randomized, Parallel-group, Double-blind, Placebo-controlled, Multicenter Phase 2 Trial. [https://acrabstracts.org/abstract/secukinumab-in-giant-cell-arteritis-a-randomized-parallel-group-double-blind-placebo-controlled-multicenter-phase-2-trial/] (2022年12月閲覧)
15) Teixeira V, et al:RMD Open. 2019;5(1):e000905.
16) Wechsler ME, et al:N Engl J Med. 2017;376(20):1921-32.

(田巻弘道)

A 膠原病

10. IgA血管炎

ステロイド治療の心構え

- IgA血管炎は自然軽快する可能性のある病気でもあり，ステロイドの適応症に関しては慎重に判断すべきです。
- 重篤な症状があったり，症状が強いなどの場合にはステロイドを使用することもありますが，なるべく早期に減量できるように調整します。
- 重篤な臓器障害をきたしている場合や生命の危機にある場合には，ステロイドにシクロホスファミドを加えることがありますが，それを支持する臨床データは限られています。
- ステロイドはなるべく早期に中止できるようにします。

1 疾患の概要

- 筆者は内科医ですので，本項での記載は基本的に成人を想定して書いています。
- IgA血管炎は，以前はヘノッホ・シェーンライン紫斑病とも呼ばれた血管炎であり，2012年のChapel Hill Consensus会議では免疫複合体血管炎のひとつとされ，小型の血管を中心に血管炎を起こす疾患です[1]。
- IgA血管炎は，紫斑，関節炎/関節痛，腎炎，腹痛が典型的な4徴候であり，小児で最も頻度が高い血管炎です。基本的には自然軽快する疾患と言われていますが，再発を繰り返す場合もあります。
- 小児のIgA血管炎では腸重積が起こることがあるので注意が必要ですが，成人で腸重積がみられることは稀です。
- 成人のIgA血管炎では腎病変が多いとされ，慢性腎不全への移行も小児に比べると多いとされています。ただし，成人の場合はもともとの腎障害の程度や高血圧など他の因子による修飾もあると考えられています[2]。
- IgA血管炎でみられる腎病変の病理所見は，IgA腎症の病理所見と見わけが難

表1　EULAR/PRINTO/PRESによるIgA血管炎の分類基準

基準	用語の解説
紫斑（必須の基準）	下肢に優位な血小板減少に関係のない，触知可能な紫斑あるいは点状出血
1. 腹痛	病歴と身体所見で認められる急性発症の腹部全般的な仙痛。腸重積や消化管出血を含む
2. 病理所見	典型的にはIgA優位な沈着のある白血球破砕性血管炎やIgA優位な沈着のある増殖性腎炎
3. 関節炎や関節痛	急性発症の可動域制限のある関節腫脹や関節痛にて定義される関節炎，急性発症の関節腫脹や可動域制限のない関節痛
4. 腎病変	24時間で0.3gを超える蛋白尿あるいは朝の尿検体で尿中アルブミン/クレアチニン比で30mmoL/mg以上の蛋白尿 血尿あるいは赤血球円柱：赤血球5個/HPFを超える血尿あるいは尿沈渣で赤血球円柱あるいは試験紙法で2+以上の血尿

紫斑が必須の基準であり，それ以外の1項目を満たすことで分類基準を満たすとする

しいです。

- 通常，臨床徴候の組み合わせから診断をつけることが多く，隆起性の浸潤を触れる紫斑があり，それに加えて4徴候の中のひとつがあることから診断していきます。皮膚あるいは腎臓の生検を行うことが多く，皮膚生検では，通常は白血球破砕性血管炎が病理像としてみられ，蛍光免疫染色を行うとIgAの沈着がみられます。出現して24時間以内の皮疹で生検を行うのがよいとされています。
- EULAR/PRINTO/PRESから出されたIgA血管炎の分類基準があり，基本的には小児を対象としています[3]（**表1**）。成人でも検証した結果があり，感度は99.2%（95%信頼区間95.4～99.9%）で，特異度は86.0%（95%信頼区間80.7～90.3%）でした[4]。
- KDIGOの2021年のガイドラインでは，IgA血管炎の診断時には二次性の要因を考慮することならびに年齢相応の悪性腫瘍のスクリーニングを行うことが推奨されています[5]。

2　どういうときにステロイドを使うか？

- IgA血管炎は症状が自然軽快することもある病気なので，ステロイドは使わずに経過をみることがあります。
- 皮膚の症状にはステロイドを使用せずに，コルヒチンやダプソンなどの薬剤のみで経過をみることもあります。

- 重篤な病態がある場合にはステロイドの使用を考慮します。腎臓では特に急速進行性糸球体腎炎がある場合，消化器では重篤な虚血性腸炎がある場合，呼吸器では肺胞出血がみられる場合などに使用します。また，皮膚病変でも，潰瘍がある場合や痛みが強い場合にはステロイドを使用することがあります。
- 小児では腹部症状で痛みが強い場合，ステロイドの使用により症状が緩和することがあると報告されています[6)]。ステロイドにより腎症や消化管症状の出現を防げるか否かに関しては，有効ではないとする小児の報告があります[7)]。

ここがPOINT！

◉IgA血管炎に伴う腎炎の治療については，KDIGO（Kidney Disease：Improving Global Outcomes）から最新版ガイドラインが2021年に出ており，その内容の一部を紹介します[5)]。

【子どものIgA血管炎による腎炎の治療】

このガイドラインでは子どもは18歳以下と定義されています。

◉IgA血管炎があり，腎炎の徴候が軽度あるいはない場合に，ステロイドを使用することで腎炎が防げることを支持するデータはない。

◉10歳以上の子どもでは，ネフローゼ症候群の定義を満たさない蛋白尿，腎機能低下をきたしていることが多く，30日以上の生検や治療の遅れにより慢性の病理所見を認めることが多い。

◉腎炎をきたす子どもは，IgA血管炎発症の3カ月以内に腎炎を起こすことが大半である。尿のモニターは6カ月以上行うことが必要であり，全身性の徴候の出現から12カ月行うことが最適である。

◉IgA血管炎に伴う腎症があり，蛋白尿が3カ月を超えてあるような場合には，ACE阻害薬またはARBにて治療すべきであり，小児腎臓内科を受診すべきである。

◉ネフローゼ領域の蛋白尿がある場合，GFRの低下，中等量の蛋白尿（1g/日）が継続する場合には生検を行うべきである。

◉経口プレドニゾン/プレドニゾロンあるいは経静脈的メチルプレドニゾロンパルスを軽度あるいは中等度のIgA血管炎腎症がある子どもには使うべきである。

◉ネフローゼ症候群のあるIgA血管炎腎症あるいは急速に腎機能が悪化する場

合には急速進行性のIgA腎症と同様に治療すべきである。

【成人のIgA血管炎による腎炎の治療(急速進行性糸球体腎炎ではない場合)】

- 心血管リスクの評価を行い，適切な治療を必要に応じて行う。
- 禁煙，体重コントロール，運動などの生活習慣のアドバイスを適切に行う。
- 特定の食事への介入がIgA血管炎の腎炎のアウトカムを変えるということは示されていない。
- 各国の血圧目標値に則して血圧治療を行う。KDIGOは標準的な測定法で収縮期の血圧が120mmHg未満を目標とすることを提案する。
- 蛋白尿が0.5g/日を超える場合にはACE阻害薬またはARBを可能な範囲内で最大量使用する。
- 参加できるものがあれば，臨床試験に参加することを提案する。

【成人のIgA血管炎による腎炎の治療(最大限のサポーティブ治療でも進行性CKDのリスクが高い場合)】

最大限にレニン−アンジオテンシン阻害を最低限3カ月したにもかかわらず，また推奨されている血圧目標を3カ月達成しているにもかかわらず尿蛋白が1g/日を超えるものと定義されています。

- IgA血管炎による腎炎に対して，Oxford Classification MEST-C scoreを用いて免疫抑制を開始するかの判断をすることを支持する十分なエビデンスはない。
- 腎生検を行い半月体が認められるということが，免疫抑制開始の適応というわけではない。
- 免疫抑制を考慮する患者には，それぞれの薬剤のメリット・デメリットを詳細に議論するべきであり，特にeGFRが50mL/分/1.73m^{2}未満の場合には有害事象が多いということを認識すべきである。
- 免疫抑制を希望する患者では，IgA腎症の項(☞**2章17**)で述べられているように，ステロイドで治療する。

【成人のIgA血管炎に伴う腎炎で，急速進行性糸球体腎炎がある場合】

- 潜在的な免疫抑制によるリスクとベネフィットが患者レベルで評価されるべきであり，患者と議論されるべきである。
- 治療に同意する患者はANCA関連血管炎のKDIGOのガイドラインに沿って治療されるべきである。

◉IgA血管炎による腎炎患者では，腎以外の病変（肺，消化管，皮膚）などの病変が免疫抑制の方針の決め手となることもあるかもしれない。

◉急速進行性糸球体腎炎を伴うIgA血管炎による腎炎において血漿交換の効果を決定できる十分なデータがない。しかしながら，非コントロールのケースシリーズで生命あるいは臓器障害の危機にあるIgA血管炎の腎外合併症のある患者でステロイドに加えて血漿交換を追加することで改善効果が高まる潜在的役割が示唆されている。American Society for Apheresisのガイドラインを参照すべきである。

3 ステロイドの根拠は？

- ステロイドを使用すると，実際に症状緩和が得られたり，病勢の進行を抑えられたりすることがあるため，症例を選んでステロイドが使用されます。
- ただし，自然軽快することもあり，ステロイドを長期間使用すると起こりうる重篤な副作用のリスクもあるため，使用を開始する場合には十分に検討を行います。
- 腎炎の予防のためにステロイドを用いることは勧められていません。

4 ステロイドの初期用量は？

- 往々にして，ステロイドを使わなければならない事態が起きた場合，1mg/kg程度の用量が必要になります。
- 症状の重篤度，侵されている臓器の種類などによって開始用量を変えます。

5 治療への反応性は？

- 治療対象となっている症状の臨床症状，臨床所見，血液検査，必要であれば画像検査なども含めて総合的に病勢を判定し，治療への反応性を判断します。
- IgA血管炎ではバイオマーカーのみで病勢を判定することは難しいです。

6 寛解導入療法はステロイド単剤でよいか？

- IgA血管炎は症状の幅が広く，ステロイドを使用しなくてもよい場合もあります。
- 重篤な臓器障害や生命の危機にある状態でなければ，ステロイド単剤で加療を行ってよい場合もあります。しかし，重篤な臓器障害や生命の危機にある状態では，ステロイド単剤の治療で終わらせない専門家が多いです。ただ，質のよい介入臨床試験がなく，成人でのデータは少ないため専門家ごとに異なるアプローチをとっています。

- データとしては限られていますが，腎生検で半月体形成性腎炎がある場合はステロイドにシクロホスファミドやミコフェノール酸モフェチル（本邦保険適用外）を加える専門家もいます。
- フランスで行われた，生検で証明された成人のIgA血管炎に対するオープンラベルの多施設共同無作為化試験[8]では，54人のIgA血管炎患者においてステロイド単剤あるいはステロイドに加えてシクロホスファミド（$0.6g/m^2$を0週，2週，4週，8週，12週，16週に静注）が用いられました。プライマリーエンドポイントである6カ月時点での寛解でしたが，両群に差はみられませんでした。セカンダリーエンドポイントである腎機能や蛋白尿の量なども特に両群で差は認めませんでした。1年後の生存率はステロイド単剤で79%，ステロイド＋シクロホスファミド群で96%（log-rank test P＝0.08）でした。
- 肺胞出血や重度の虚血性腸炎などの場合も，ステロイドに他の免疫抑制薬を加えることがあります。
- ミコフェノール酸モフェチル（本邦保険適用外）もIgA血管炎による腎炎に対する効果が期待されています[9]。
- 観察研究ではIgA血管炎に対するリツキシマブ（本邦保険適用外）の使用が報告されています。再発あるいは抵抗性，または従来用いられてきた薬剤が使用できないような患者において，リツキシマブで90%以上の患者が寛解を達成，また，ステロイドの減量効果や蛋白尿の減少などを認め，IgA血管炎に対する効果の期待は高いです[10]。

ピットフォール

➡関節痛/関節炎に対する第一選択薬としてはNSAIDsが用いられることがあります。

➡ただ，IgA血管炎では消化管出血や腎不全をきたすことがあるため，NSAIDsを使う際には十分な注意が必要です。

➡サラゾスルファピリジン（本邦保険適用外）がIgA血管炎に有効かもしれな

いとの報告も出てきています[11]。特に，この報告の中では関節炎/関節痛に対する有効性が高いです。

7 寛解維持療法としてsteroid sparing agentは何かあるか？

- ANCA関連血管炎のように，寛解導入から寛解維持という流れでの治療方法に関して，IgA血管炎は確立されていません。
- シクロホスファミドなどで加療した患者では，経験的に他の血管炎の治療と同様に，アザチオプリンやミコフェノール酸モフェチル（本邦保険適用外）などの免疫抑制薬へと変更していく場合もあります。
- ステロイドスペアリング効果を狙って使われる薬剤としては（データでは限られていますが），アザチオプリン，ミコフェノール酸モフェチル（本邦保険適用外），リツキシマブ（本邦保険適用外）などがあります。

8 ステロイド減量のスピードは？

- 特に決まったステロイドの減量法があるわけではありません。
- 前述の重篤な患者に対して，ステロイドにシクロホスファミドを加える試験では7.5mg/kg/日のメチルプレドニゾロンを3日間投与したのち，1mg/kgのステロイドを1週間投与，そして1カ月時点では0.4mg/kg/日，2カ月時点では0.25mg/kg/日に減量，6カ月後にステロイド中止をめざすというプロトコールです。
- 最重症でない症状にステロイドを用いた場合，短期間での使用にとどめるようにします。

9 減量は何を指標にすればよいか？

- 治療対象となっている症状，臨床所見，血液検査/尿検査，必要であれば画像検査などを参考にしながら，病勢を総合的に判断してステロイドの減量を行います。簡単に病勢を判断できるバイオマーカーは存在しません。
- ステロイドをある程度の量しっかり使用したにもかかわらず効果がまったくない場合は，他の薬剤の投与を考慮しつつ，早めにステロイドを減量・中止することで副作用の発現を抑えます。

10 ステロイドは中止できるか？ 投与期間は？

- ステロイドは中止できます。また，ステロイドを投与しなくてよい症例もあります。
- ステロイドの効果が不明な症例に対して，ステロイドを長期に投与することは避けます。

11 モデル症例

症例：2週間ほど前から下肢に紫斑が出現し来院（52歳男性）

①特に既往はなかったが，未治療の糖尿病があることが今回わかった。10年ほど医療機関にかかっておらず，いつ頃から糖尿病を発症したかは不明。今回は紫斑の出現により来院。触知するような紫斑であり，血管炎が強く疑われた。尿を調べたところ，尿蛋白/クレアチニン比で1.5g/日と推測され，尿潜血は3＋，尿沈渣では赤血球円柱がみられ，腎炎が強く疑われた。クレアチニンは2.2mg/dLと上昇していたが，最近のベースラインは不明。

②ANA，ANCAやクリオグロブリンは検出されず，腎生検では25％程度の糸球体に半月体形成を認める増殖性糸球体腎炎がみられた。蛍光免疫染色ではメサンギウム領域に特に強くIgA優位の沈着を認めた。IgA血管炎の診断となった。

③急速進行性糸球体腎炎をきたしている可能性も考慮し，ステロイドパルスならびに60mg/日の高用量プレドニゾロンを開始。シクロホスファミドによる加療も追加された。その後，血尿が改善，クレアチニンも1.2mg/dL程度まで改善した。維持療法としてアザチオプリンに変更し，ステロイドも6カ月ほどで中止となった。

文献

1) Jennette JC, et al:Arthritis Rheum. 2013;65(1):1-11.
2) Pillebout E, et al:J Am Soc Nephrol. 2002;13(5):1271-8.
3) Ozen S, et al:Ann Rheum Dis. 2010;69(5):798-806.
4) Hočevar A, et al:Arthritis Res Ther. 2016;18:58.
5) Kidney Disease:Improving Global Outcomes (KDIGO) Glomerular Diseases Work Group:Kidney Int. 2021;100(4S):S1-S276.
6) Weiss PF, et al:Pediatrics. 2007;120(5):1079-87.
7) Hahn D, et al:Cochrane Database Syst Rev. 2015;(8):CD005128.
8) Pillebout E, et al:Kidney Int. 2010;78(5):495-502.
9) Ren P, et al:Am J Nephrol. 2012;36(3):271-7.
10) Maritati F, et al:Arthritis Rheumatol. 2018;70(1):109-14.
11) Giliaev S, et al:Ann Rheum Dis. 2018;77(2):769-70.

(田巻弘道)

A 膠原病

11. ベーチェット病

ステロイド治療の心構え

▶眼病変，血管病変，消化管病変，神経病変ではステロイド抵抗性を示したり，減量過程で再燃したりすることが少なくありません。

▶コルヒチン，免疫抑制薬，TNF阻害薬などを併用して，ステロイドの減量・中止をめざします。

1 疾患の概要

- ベーチェット（Behçet）病は，口腔粘膜の再発性アフタ性潰瘍（以下，再発性口腔アフタ），陰部潰瘍，皮膚病変，眼病変を特徴とする原因不明の炎症性疾患です。
- Th1細胞，Th17細胞，γδT細胞によりマクロファージが活性化し，好中球が遊走して炎症が惹起されていると考えられています[1]。
- Chapel Hill Consensus Conferenceという国際的な血管炎の会議では，ベーチェット病は様々なサイズ・種類の血管を侵しうる“variable vessel vasculitis”に分類されています[2]。
- トルコを筆頭に中東諸国で罹患率が高く，罹患率が高い地域が日本を含む東アジアに広がっていることから，「シルクロード病」とも呼ばれます。
- 日本人ではHLA-B51に加えて，HLA-A26との関連が示されています[3]。

2 どういうときにステロイドを使うか？

- 全例にステロイドを使う必要はありません。
- 出現頻度の高い粘膜皮膚病変は局所ステロイド，コルヒチンを第一選択にします（**表1**）[4]。
- 眼病変（後部ぶどう膜炎），血管病変，消化管病変，神経病変を有する場合は不可逆的な臓器障害に陥るリスクが高いため，全身ステロイドを投与します（**表1**）[4]。

表1　ベーチェット病の病変ごとの治療とそのエビデンスレベルおよび推奨度

病変		治療	エビデンスレベル	推奨度
粘膜皮膚	口腔潰瘍，陰部潰瘍	局所ステロイド	ⅠB	A
	皮膚粘膜病変の再発予防	コルヒチン	ⅠB	A
	毛嚢炎・ざ瘡様皮疹	尋常性ざ瘡に準じた治療	Ⅳ	D
	粘膜皮膚病変全般	症例に応じてアザチオプリン，サリドマイド，IFN-α，TNF-α阻害薬，アプレミラストを考慮する	ⅠB	A
眼	後部ぶどう膜炎	アザチオプリン	ⅠB	A
		シクロスポリン	ⅠB	A
		IFN-α	ⅡA	B
		抗TNF-αモノクローナル抗体（インフリキシマブ，アダリムマブ）	ⅡA	B
		全身ステロイドは免疫抑制薬併用下でのみ（ステロイド単剤では使用しない）	ⅡA	B
		急性の視力を脅かすぶどう膜炎では，ステロイドパルス，インフリキシマブ，IFN-α	ⅡA	B
		片側の増悪に対して，眼内ステロイド注射を全身療法の補助として使用	ⅡA	B
	前部ぶどう膜炎（後部ぶどう膜炎がない場合）	全身性免疫抑制療法は若年男性（予後不良因子）の場合に考慮する	Ⅳ	D
血管	急性深部静脈血栓症	ステロイド，アザチオプリン，シクロホスファミド，シクロスポリン	Ⅲ	C
	難治性静脈血栓症	抗TNF-αモノクローナル抗体（インフリキシマブ），抗凝固薬（肺動脈瘤の合併が除外された場合）	Ⅲ	C
	肺動脈瘤	高用量ステロイドとシクロホスファミド	Ⅲ	C
		難治例では抗TNF-αモノクローナル抗体（インフリキシマブ）を考慮する	Ⅲ	C
		出血リスクが高い症例では手術より塞栓術が望ましい	Ⅲ	C
	大動脈瘤，末梢動脈瘤	高用量ステロイドとシクロホスファミドで治療する。免疫抑制療法は修復術の前に開始するが，有症状の場合は手術やステント挿入術を遅らせてはならない	Ⅲ	C
消化管	難治例，重症例	穿孔，大量出血，閉塞の場合は緊急で外科にコンサルテーションを行う	Ⅲ	C
		急性増悪の場合には5-ASAやアザチオプリンとともにステロイドを考慮する	Ⅲ	C
		抗TNF-αモノクローナル抗体（インフリキシマブ，アダリムマブ），サリドマイドを考慮する	Ⅲ	C

▼次ページへ続く

表1 ベーチェット病の病変ごとの治療とそのエビデンスレベルおよび推奨度（続き）

病変		治療	エビデンスレベル	推奨度
神経	急性の実質病変	高用量ステロイドで治療を行い，アザチオプリンなどの免疫抑制薬を併用してステロイドを緩徐に減量する	Ⅲ	C
		シクロスポリンは避ける	Ⅲ	C
		難治例，重症例では抗TNF-αモノクローナル抗体（インフリキシマブ）を考慮する	Ⅲ	C
	静脈血栓症	高用量ステロイドで治療を行い，緩徐に減量する	Ⅲ	C
		抗凝固薬は短期間併用してもよい	Ⅲ	C
関節	急性関節炎	コルヒチンを第一選択とする	ⅠB	A
		単関節炎ではステロイド関節内注射	ⅠB	A
	再発性・慢性関節炎	アザチオプリン，IFN-α，TNF阻害薬を考慮する	ⅠB	A

（文献4より改変）

- 臓器障害がなくても，発熱などの全身症状を認める場合は，短期間全身ステロイド投与を行うことがあります。
- 関節炎に対してもコルヒチンを第一選択とします（**表1**）[4]。単関節炎の場合はステロイド関節内注射も選択肢に入れます。発熱を伴っていれば，全身ステロイド投与をすることで関節炎も改善します。

3 ステロイドの根拠は？

- ステロイドの根拠は専門家の経験，症例報告，わずかな無作為化比較対照試験に基づいています。
- 後部ぶどう膜炎を対象とした無作為化二重盲検試験では，ステロイドパルス療法を施行した群で視力が有意に改善し，再燃が少なかったことが示されています[5]。

4 ステロイドの初期用量は？

- 発熱などの全身症状があり主要臓器病変がない場合は，PSL 0.4～0.5mg/kg/日程度で治療を開始します。
- 軽度の前部ぶどう膜炎（**図1**）に対しては，眼科医の判断のもとにステロイド点眼薬（例：0.1％ベタメタゾン点眼液1日1～16回）で治療を開始します。重度の前部ぶどう膜炎に対してはステロイド点眼薬に加えてステロイド(例:デキサメタゾン2mg/0.5mL)を結膜下注射します[6]。前部ぶどう膜炎に対しては,基本的に全身ステロイド投与を行いませんが,若年男性の場合は予後不良因子とされ,全身ステロイド投与を含む免疫抑制療法を考慮することがあります[4]。

- 後部ぶどう膜炎,汎ぶどう膜炎(前部+後部ぶどう膜炎)(**図1**)の場合は,PSL 1mg/kg/日による全身ステロイド投与を行います。視力低下のおそれがある場合は,ステロイドパルス療法を行います[4]。片側の場合は,ステロイドの硝子体内注射や後部テノン嚢下(強膜の外側)注射を行うことがあります。
- 急性深部静脈血栓症に対しては,PSL 0.5〜1mg/kg/日程度で治療を開始します[7]。
- 肺動脈を含む動脈病変の場合は,PSL 1mg/kg/日で治療を開始します。肺動脈瘤や重篤病変ではステロイドパルス療法を行います[7]。
- 消化管病変の場合は,PSL 0.5〜1mg/kg/日で治療を開始します[8]。
- 急性の脳実質病変,髄膜炎に対しては,PSL 0.5〜1mg/kg/日程度で治療を開始します。重症,治療抵抗性の場合はステロイドパルス療法を行います[9]。

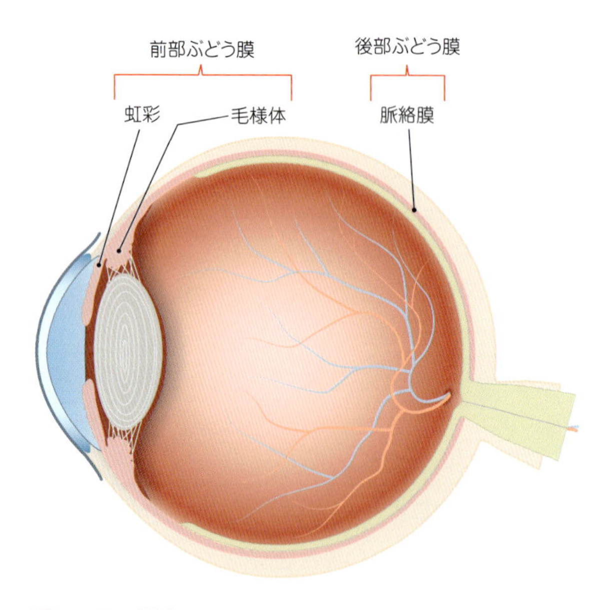

図1　眼の構造

MEMO

▶頻度の高い表在性血栓性静脈炎は「粘膜皮膚病変」に含まれ，深部静脈血栓症を「血管病変」として考えます。

▶ベーチェット病の急性深部静脈血栓症は静脈炎によって生じるため，抗凝固療法単剤よりステロイドなどの免疫抑制薬を併用したほうが血栓症の再発が少ないことが示されています[4]。

▶実臨床では，急性深部静脈血栓症に対してはステロイドなどの免疫抑制療法に抗凝固療法を併用することが多いのですが，抗凝固療法を併用せずに免疫抑制療法のみでも治療効果は変わらないとする報告もあります[4]。

ピットフォール

➡ベーチェット病に消化管病変が出現した場合は，安易に腸管ベーチェット病と判断せず，内視鏡でNSAIDs潰瘍，炎症性腸疾患，結核などの感染症を除外する必要があります。

5 治療への反応性は？

- 臓器障害がない場合，発熱などの全身症状はステロイド投与後に速やかに改善します。髄膜炎もステロイド投与後に速やかに改善することが多いです。
- それ以外の臓器病変（眼，血管，消化管，神経）はステロイドに治療抵抗性を示すことが少なくありません。

6 寛解導入療法はステロイド単剤でよいか？

- ベーチェット病に対しては，ステロイド単剤で治療することはほとんどありません。
- 口腔潰瘍は必発であるため，ほぼ全例でコルヒチンを投与します。コルヒチンは口腔潰瘍以外の粘膜皮膚病変や関節炎にも有効です。
- 口内炎に対してはアプレミラストも有効です[10]。
- 前部ぶどう膜炎に対しては，炎症により虹彩が水晶体に癒着する虹彩後癒着，続発性緑内障を予防するために散瞳薬点眼（例：トロピカミド・フェニレフリン塩酸塩点眼液を1日1～8回）を併用します[6]。

- 後部ぶどう膜炎，汎ぶどう膜炎に対しては，アザチオプリンやシクロスポリンを併用します。アザチオプリンやシクロスポリンで再燃する場合や視力低下のおそれがある場合は，抗TNF-αモノクローナル抗体（インフリキシマブ，アダリムマブ）を投与します[4)]。抗TNF-αモノクローナル抗体は，アザチオプリンやシクロスポリンと併用することも可能です。
- 急性深部静脈血栓症に対しては，アザチオプリンやシクロスポリンを併用します。大静脈炎による血栓症を認める場合は，シクロホスファミドを考慮します。難治例では抗TNF-αモノクローナル抗体（インフリキシマブ）を考慮します[4)]。
- 肺動脈を含む動脈病変の場合は，シクロホスファミドを併用します。難治例では抗TNF-αモノクローナル抗体（インフリキシマブ）を考慮します[4)]。
- 軽症の消化管病変の場合は，5-ASA製剤（メサラジン，サラゾスルファピリジンなど）を併用します。中等症例ではアザチオプリンを併用します。重症例や難治例では，抗TNF-αモノクローナル抗体（インフリキシマブ，アダリムマブ）を併用します[4, 8)]。
- 急性の脳実質病変，髄膜炎に対しては，アザチオプリンを併用します。症例数は少ないのですが，MMFの有効性を示す報告もあります[11)]。重症例や難治例では，抗TNF-αモノクローナル抗体（インフリキシマブ）を併用します。インフリキシマブ無効例に抗IL-6受容体モノクローナル抗体（トシリズマブ）が有効であった報告もあります[12)]。
- 慢性進行型神経ベーチェット病では認知症様症状，精神症状，体幹失調，構語障害が進行します。ステロイド，シクロホスファミド，アザチオプリン，コルヒチンは無効とされ，メトトレキサートが有効であるとされています。難治例ではインフリキシマブを検討します[9)]。

ピットフォール

➡後部ぶどう膜炎に対してステロイド単剤で治療をすることは推奨されません[4)]。ステロイド単剤では，減量過程で眼炎症発作が誘発されるからです。

➡静脈血栓症を生じた場合，肺動脈にも炎症があり肺動脈瘤を合併している場合があります。抗凝固療法は肺動脈瘤からの出血リスクを増大させるため，抗凝固薬を開始する前に必ず造影CT検査で肺動脈瘤の検索を行います。

➡動脈炎をコントロールしないで血管手術を行うことは，吻合部動脈瘤形成などの術後合併症が多くなり，死亡率が高くなることが指摘されています[4)]。血管手術の前後は免疫抑制療法にて動脈炎を十分に抑制する必要があります。

➡消化管病変は深掘れ潰瘍を形成することが多く，穿孔，大出血，閉塞など緊急手術となることもめずらしくありません。

➡神経病変に対しては，シクロスポリンは増悪因子であるとされます。活動性の神経病変がある場合だけでなく，非活動性の神経病変に対してもシクロスポリンは禁忌です[4, 9)]。

7 寛解維持療法としてsteroid sparing agentは何かあるか？

- 寛解導入療法として開始したコルヒチン，免疫抑制薬，抗TNF-αモノクローナル抗体は寛解維持療法としても継続します。
- 血管炎に対してシクロホスファミドを使用した場合は，長期投与による毒性が懸念されるため，アザチオプリンや抗TNF-αモノクローナル抗体による寛解維持を行います。

MEMO

▶ベーチェット病の寛解導入療法としてステロイドに併用されることの多いアザチオプリンですが，活性体が細胞内に蓄積するまで3カ月程度要するので即効性がありません(☞**1章1**)。投与時期は寛解導入期であったとしても，臨床効果は寛解維持期に出現すると考えられます。

▶本邦の「ベーチェット病眼病変診療ガイドライン」には，「(アザチオプリンは) 海外ではベーチェット病に対してよく使われている薬剤であり，1990年には二重盲検試験により有効性が示された[13)]。(中略) しかし，本邦では従来の治療経験からは著効を示す有用な薬剤とは考えられていない」と明記されており，推奨薬からは外れています[6)]。

▶一方で，2018年に欧州リウマチ学会から発表されたリコメンデーションには，眼病変に対してアザチオプリン「推奨度A」と記載されています[4)]。この本邦と欧州での推奨度の乖離には，アザチオプリンに寛解導入効果を期待するか，寛解維持効果を期待するかの違いが現れているように思われます。

8 ステロイド減量のスピードは？

- 発熱などの全身症状のみで主要臓器病変がない場合は，初期用量を1～2週継続し，1～2カ月以内を目処にPSL 10mg/日に減量します。
- 主要臓器病変がある場合は，初期用量を2～4週継続し，2～4カ月以内を目処にPSL 10mg/日に減量します。
- PSL 10mg/日以降は，毎月1mg/日ずつ寛解維持可能な最小限の用量（通常PSL 5mg/日以下）まで減量します。

9 減量は何を指標にすればよいか？

- ステロイドを開始する根拠となった発熱などの全身症状や主要臓器病変が寛解状態にあることを確認しながら減量します。寛解状態になると通常CRPは陰性化するので，CRPの推移を参考にします。
- ステロイド減量中に粘膜皮膚病変が再燃することがありますが，粘膜皮膚病変は全身ステロイド療法の適応にはならないので，よほど重症でない限りステロイド減量の妨げにならないことがほとんどです。

10 ステロイドは中止できるか？ 投与期間は？

- 発熱などの全身症状のみで主要臓器病変がない場合は，半年～1年以内にステロイドを中止できることが多いです。
- 髄膜炎も主要臓器病変の中ではステロイドを中止しやすい病変です。1～2年以内にステロイドを中止することが期待できます。
- 髄膜炎以外の主要臓器病変でもステロイドを中止できることはありますが，再燃を繰り返す症例ではPSL 10mg/日以下（通常PSL 5mg/日以下）の寛解維持量を数年以上にわたり継続することもあります。最近では，抗TNF-αモノクローナル抗体によりステロイドを中止できる症例も増えてきています。

ピットフォール

➡ベーチェット病（欧米では「ベーチェット症候群」）の一部は，trisomy 8を伴う骨髄異形成症候群を基礎疾患として有しています。

➡trisomy 8によるベーチェット病の場合，消化管病変を合併しやすく，腸管ベーチェット病と診断されることが多いです。一方で，眼病変は少ないことが指摘されています。消化管病変のほかに高熱，血球減少症を起こしやすい特徴があります[14]。

➡ベーチェット病に血球減少症，MCV高値，単球分画高値などの異常がある場合は，骨髄穿刺を施行したほうがよいでしょう。

➡trisomy 8によるベーチェット病の場合，ステロイド，免疫抑制薬，TNF阻害薬に治療抵抗性を示すことが少なくなく，骨髄異形成症候群に対してアザシチジンを投与することでベーチェット病に対する寛解導入が可能となることがあります[15, 16]。

11 モデル症例

症例：以前より口腔粘膜の再発性アフタ性潰瘍を認め，2週間前から発熱（45歳男性）

①口腔粘膜の再発性アフタ性潰瘍，陰部潰瘍，両下腿浮腫，表在性血栓性静脈炎，両下腿結節性紅斑，両膝関節炎が出現し，ベーチェット病と診断した。HLA-B51は陽性であった。

②表在性血栓性静脈炎だけではなく，深部静脈血栓症を認め，ベーチェット病による静脈炎（血管病変）を合併していると判断した。造影CT検査にて肺動脈瘤，肺塞栓症，大動脈病変の検索を行ったが，これらを疑う所見はなかった。

③PSL 60mg/日，アザチオプリン50mg/日，コルヒチン1mg/日による治療を開始した。PSL 60mg/日を2週継続し，4週後に血球減少症，肝障害がないことを確認してアザチオプリン100mg/日に増量した。

④ベーチェット病による症状がなく，炎症反応が陰性であることを確認しながら，PSLは30mg/日まで1週ごとに10mg/日ずつ，20mg/日まで2週ごとに5mg/日ずつ，10mg/日まで4週ごとに5mg/日ずつ減量し，治療開始16週後にはPSL 10mg/日まで減量した。以後，4週ごとにPSL 1mg/日ずつ減量を行い，治療開始36週後にPSL 5mg/日まで減量した。

⬇

⑤以後，アザチオプリンとコルヒチンを併用しながら3カ月ごとにPSL 1mg/日ずつ減量を行い，治療開始2年後にPSLを中止した。

文献

1) Greco A, et al:Autoimmun Rev. 2018;17(6):567-75.
2) Jennette JC, et al:Arthritis Rheum. 2013;65(1):1-11.
3) Meguro A, et al:Ann Rheum Dis. 2010;69(4):747-54.
4) Hatemi G, et al:Ann Rheum Dis. 2018;77(6):808-18.
5) Mohammadi M, et al:Int J Rheum Dis. 2017;20(9):1269-76.
6) ベーチェット病眼病変診療ガイドライン作成委員会:日眼会誌. 2012;116(4):394-426.
7) 日本循環器学会，他:血管炎症候群の診療ガイドライン(2017年改訂版).
[https://www.j-circ.or.jp/cms/wp-content/uploads/2020/02/JCS2017_isobe_h.pdf](2022年12月閲覧)
8) 厚生労働科学研究(難治性疾患克服研究事業):腸管ベーチェット病診療コンセンサス・ステートメント(2013年9月1日改訂).
[https://www.nanbyou.or.jp/wp-content/uploads/upload_files/Bechet2014_2.pdf](2022年12月閲覧)
9) 厚生労働科学研究費補助金(難治性疾患克服研究事業)ベーチェット病に関する調査研究班:神経ベーチェット病の診療のガイドライン(平成25年12月).
[https://www.ryumachi-jp.com/info/guideline_shinkeibd.pdf](2022年12月閲覧)
10) Hatemi G, et al:N Engl J Med. 2019;381(20):1918-28.
11) Shugaiv E, et al:Clin Exp Rheumatol. 2011;29(4 Suppl 67):S64-7.
12) Addimanda O, et al:Semin Arthritis Rheum. 2015;44(4):472-5.
13) Yazici H, et al:N Engl J Med. 1990;322(5):281-5.
14) Shen Y, et al:Biomed Res Int. 2018;2018:8535091.
15) Tanaka H, et al:Int J Hematol. 2013;97(4):520-4.
16) Endo M, et al:Am J Case Rep. 2015;16:827-31.

(岩波慶一)

A 膠原病

12. IgG4関連疾患

ステロイド治療の心構え

▶ステロイドへの反応性の良さがこの疾患の特徴ですが，減量過程で再燃することが多いです。

▶ステロイド単剤で治療すると減量が進まないことも多く，ステロイドによる臓器障害が出現するリスクが上昇するため，免疫抑制薬の使用は積極的に検討します。

1 疾患の概要

- IgG4関連疾患は臓器の線維化，腫大を特徴とする疾患です。
- 全身性や局所の炎症反応は乏しく，腫瘤を形成するのが特徴です。無症状で偶発的に発見されたり，腫瘤による症状や合併症で診断されたりすることがほとんどです。偽腫瘍を形成することもあります。
- 病理組織学的には，リンパ球とIgG4陽性形質細胞の浸潤と線維化を特徴とし，病理所見が診断の有力な根拠となります。
- 病変が出現しやすい臓器を**図1**[1)]に示します。

ピットフォール

➡血清IgG4の上昇は非特異的な所見であり，単独では診断の根拠になりません。

2 どういうときにステロイドを使うか？

- 有症状や臓器障害がある場合は，ステロイドによる治療を行います。
- 無症状で重篤な臓器障害に至る懸念が少ない場合や，ステロイドによる副作用のデメリットが治療のメリットを上回るときは，慎重に経過観察をすることも

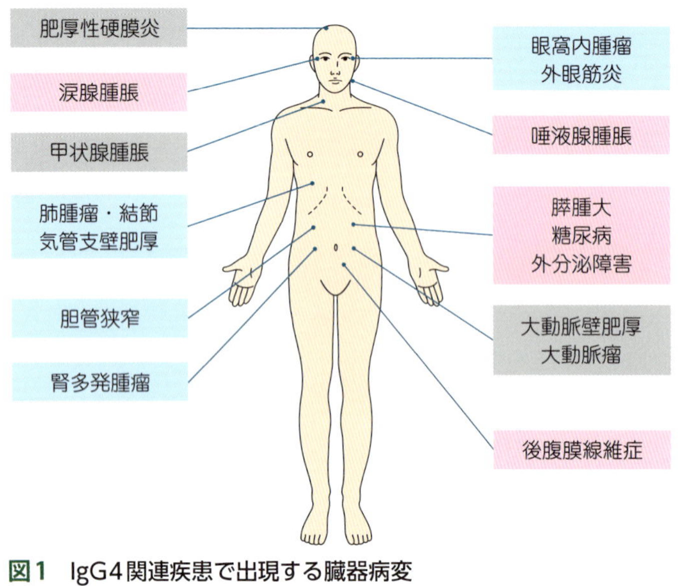

図1　IgG4関連疾患で出現する臓器病変

：頻度が高い，　：ときどき認める，　：頻度が低い

（文献1より改変）

可能です。

3 ステロイドの根拠は？

- 経験的にステロイドの有効性が確認されていますが，比較対照試験では証明されていません。
- 炎症性腫瘤による圧迫や線維化による不可逆的な臓器障害を防ぐ目的で，ステロイドが使用されます。

4 ステロイドの初期用量は？

- 経験的に，プレドニゾロン（PSL）0.6mg/kg/日（PSL 30〜40mg/日）で開始することが多いです[2, 3]。

5 治療への反応性は？

- ステロイドへの反応性は良好であり，診断を支持する根拠となります。
- PSL 0.6mg/kg/日を4週継続しても臓器病変が改善しない場合は，IgG4関連疾患以外の疾患を疑います[4)]。血清IgG4値の低下のみでは，治療効果の指標にはなりません。

6 寛解導入療法はステロイド単剤でよいか？

- 2015年に発表されたInternational Consensus Guidance Statementでは，日本の専門家の80％が，治療早期からの免疫抑制薬の使用に反対でしたが，海外（北米，欧州，韓国，中国）の専門家の76％は賛成でした[3)]。
- 筆者は早期からの免疫抑制薬併用に賛成の立場です。多くの免疫抑制薬は遅効性ですが，治療初期から開始することでステロイドの早期減量が可能になります（☞**1章1**）。
- ステロイドとミコフェノール酸モフェチルの併用とステロイド単剤の比較対照試験では，ミコフェノール酸モフェチル併用群で寛解導入率が高く，再燃率が低かったことが報告されています[5)]。
- 免疫抑制薬はB細胞への作用を考慮し，アザチオプリン，ミコフェノール酸モフェチル，メトトレキサートミゾリビンから選択します（アザチオプリンのみ「難治性リウマチ性疾患」として保険適用を有する）[1, 6)]。
- 難治例では，リツキシマブを検討します（保険適用外）[7)]。

MEMO

▶ 2015年のInternational Consensus Guidance Statementでは，本邦と海外の治療方針の違いが，図らずも例証される形となりました。

▶ IgG4関連疾患は本邦で発見されたことから，日本のオピニオンリーダーの意見が国際的なコンセンサスにも影響を及ぼしますが，少なくとも治療方針に関しては，海外では異なった見方があることを表しています。

7 寛解維持療法としてsteroid sparing agentは何かあるか？

- 寛解導入療法で選択した免疫抑制薬は，寛解維持期のsteroid sparing agentとしても有効です。
- 少量のステロイドのみではリンパ球を抑制する効果が乏しいため，ステロイド単剤で治療すると減量過程で再燃することも少なくありません（☞**1章1**）。ステロイド単剤で治療すると，PSL 10mg/日以上を服薬していても，39%が1年以内に再発したという報告もあります[8]。

8 ステロイド減量のスピードは？

- International Consensus Guidance Statementでは，初期用量を2～4週継続し，PSL 20mg/日までは10mgずつ，PSL 10mg/日までは5mgずつ2週おきに減量し，3～6カ月以内にPSL 5mg/日まで減量するモデルが示されています[3]。
- 軽度の臓器病変では，3カ月以内にステロイドを中止することも可能です[2]。
- ステロイド単剤で治療する専門家は初期用量を4週継続し，2週おきに10%ずつ減量するという，本邦で広く行われた古典的手法をとることもありますが[9]，ステロイドによる臓器障害リスクが増える懸念があります。

9 減量には何を指標にすればよいか？

- 臓器病変の縮小で判断します。
- 血清IgG4値も治療とともに低下しますが，血清IgG4値と臓器病変は必ずしも相関するわけではありません。
- 日本のエキスパートの中には，血清IgG4値をステロイド量の目安とする人もいますが[9]，臓器病変が改善しても血清IgG4値が正常化しないことはよくあります[1]。
- 血清IgG4の高値や再上昇を理由にステロイド量を調節すると，減量が進まず，ステロイドによる臓器障害を誘発してしまうリスクにも留意しましょう。

MEMO

▶IgG4には炎症を誘導する働きはなく，むしろ抗炎症作用があると考えられています[10]。

▶ヒトIgG1とIgG4をマウスに移入して疾患を再現した報告[11]がありますが，その解釈を疑問視する見方もあります[1]。IgG4はサロゲートマーカーとして上昇しているだけなのかもしれません。

10 ステロイドは中止できるか？　投与期間は？

- ステロイドは中止できます。
- 投与期間にコンセンサスはありませんが，軽度の臓器病変（唾液性腫脹など）であればsparing agentを使用しながら数カ月で中止してみることも可能です[2)]。
- 主要臓器病変がある場合は，2～3年以内にステロイドを中止することを試みます。
- 免疫抑制薬を十分に併用しても再燃する場合は，PSL 5mg/日以内を維持量として継続することもあります。

11 モデル症例

症例：食欲低下，体重減少，頸部腫瘤で受診（60歳女性）

①上記主訴でA大学病院を受診した。CTで顎下腺腫大，縦隔リンパ節腫大，膵腫大を認めた。血清IgGは高値であり，顎下腺生検にてIgG4関連疾患と診断した。

②PSL 30mg/日（0.6mg/kg）で治療を開始し，上記の臓器腫大は改善した。ステロイドは3年かけてPSL 7mg/日まで漸減されたが，IgG4が高値との理由で左記を維持量として2年間継続されていた。

③ステロイドによる治療を開始してから5年後に当院へ紹介となった。PSL 7mg/日で血清IgG4は600mg/dL以上であったが，臓器腫大の再燃は認めなかった。ステロイドによる骨粗鬆症，糖尿病を合併していた。

④*NUDT15*遺伝子コドン139多型がArg/Argであることを確認し，アザチオプリンを追加してステロイドは漸減する方針とした。

⑤PSLを1mgずつ減量し，当院を受診して1年後にはステロイドを中止した。血糖降下薬も中止することができた。血清IgGは300mg/dLと高値であるが，臓器病変の再燃はないため，アザチオプリン単剤で寛解を維持している。

文献

1） Perugino CA, et al:Nat Rev Rheumatol. 2020;16(12):702-14.

2） Stone JH, et al:N Engl J Med. 2012;366(6):539-51.

3） Khosroshahi A, et al:Arthritis Rheumatol. 2015;67(7):1688-99.

4） Wallace ZS, et al:Arthritis Rheumaotol. 2020;72(1):7-19.

5） Yunyun F, et al:Rheumatology(Oxford). 2019;58(1):52-60.

6） Kamisawa T, et al:Lancet. 2015;385(9976):1460-71.

7） Carruthers MN, et al:Ann Rheum Dis. 2015;74(6):1171-7.

8） Yunyun F, et al:Sci Rep. 2017;7(1):6195.

9） 山本元久, 他：日臨免疫会誌. 2016;39(6):485-90.

10) van der Neut Kolfschoten M, et al:Science. 2007;317(5844):1554-7.

11） Shiokawa M, et al:Gut. 2016;65(8):1322-32.

（岩波慶一）

B 消化器

13. 炎症性腸疾患

ステロイド治療の心構え

▶臨床的重症度と活動性病変の範囲に基づいて用量や投与法を判断します。
▶潰瘍性大腸炎（UC）における寛解導入の場合，必要十分量で開始し，臨床症状や画像評価を行いながら3カ月を目安に漸減・中止を図ります。
▶UC，クローン病（CD）ともに，ステロイドの減量・離脱が困難な場合は免疫調節薬（アザチオプリン）を併用し，ステロイドの漸減・中止を図ります。
▶炎症性腸疾患（IBD）の維持治療としてのステロイド投与は推奨されていません。

1 疾患の概要

- 炎症性腸疾患（inflammatory bowel disease；IBD）の潰瘍性大腸炎（ulcerative colitis；UC）とクローン病（Crohn's disease；CD）は厚生労働省の難病に指定されていますが，年々増加傾向にあります（2020年度指定難病受給者証所持者数：UC 140,574人，CD 47,633人）。
- IBDの原因は不明ですが，遺伝的素因，食餌や腸内細菌叢などの環境因子，異常（過剰）な免疫反応などにより引き起こされた多因子疾患と考えられています。
- 遺伝的素因は微生物の感知に関する*NOD2*，サイトカインに関連する*IL-10*や*IL23R*，免疫学的多様性に関する*HLA*，オートファジーに関連する*ATG16L1*，腸管粘膜バリア機能に関わる*MUC1*や*MUC19*などがあり，人種差があるとされています[1]。
- 腸内細菌叢の多様性の低下（dysbiosis）が関与しているとされています[2]。
- IBDでは自然免疫（樹状細胞，マクロファージ）と獲得免疫のTh1やTh2，Th17が主体と考えられています。
- 治療の目標は炎症をしっかり抑え，寛解を維持することでQOLを落とさないことと，慢性炎症を背景とした悪性疾患の発現を見落とさないことです。

2 どういうときにステロイドを使うか？

- 全例にステロイドを使う必要はありません。
- 厚生労働省の難治性炎症性腸管障害に関する調査研究（久松班）の「潰瘍性大腸炎・クローン病 診断基準・治療指針」[3]に記載されている臨床的重症度分類や活動期内視鏡所見分類（軽度，中等度，強度），罹患範囲（直腸炎型，左側大腸炎型，全大腸炎型）に基づき，治療を判断します（**表1**，**表2**）[3]。
- UCにおいては中等症以上で，CDにおいては軽症から重症に幅広く使用されます。
- UCで遠位大腸（S状結腸，直腸）の炎症が強い場合，5-アミノサリチル酸（5-ASA）だけでなく，ステロイド（ベタメタゾン坐薬・注腸，プレドニゾロン注腸，ブデソニド注腸）の局所投与も有用です。
- IBDの腸管外合併症として，特にCDの10～15％に認められる結節性紅斑やUCの0.5～5％にみられる壊疽性膿皮症においてもステロイドが使用されることが多いです。
- CDにおいてはステロイドは穿孔性の合併症（膿瘍および瘻孔）発生に関与するため，これらを合併した場合は相対的禁忌となります[4]。

ここがPOINT！

◉ステロイドを含めた免疫を抑制する治療を行う際には，通常のスクリーニング（☞**1章2**）に加え，適宜，寄生虫（糞線虫など）もチェックします。

◉ブデソニド（腸溶性徐放製剤）は局所作用型で，肝臓での初回通過効果のため全身性副作用が少なく，回腸から上行結腸の消化管粘膜に効率的に作用させることができます。ただし，CYP3A4阻害薬を併用しているときは初回通過効果が減弱し，全身性副作用が出現しやすくなるので注意が必要です（☞**3章4**参照）。

◉チオプリン製剤投与中にEpstein-Barrウイルスの初感染あるいはEBVの再活性化が生じた場合，持続する高熱，血球減少，高フェリチン血症などを伴う血球貪食症候群を発症することがあるため，チオプリン投与前にはEBVの既感染について評価しておくことをお勧めします[3, 5]。

表1　令和3年度潰瘍性大腸炎治療指針（内科）

<table>
<tr><th></th><th colspan="4">寛解導入療法</th></tr>
<tr><th></th><th>軽症</th><th>中等症</th><th>重症</th><th>劇症</th></tr>
<tr><td>左側大腸炎型全大腸炎型</td><td colspan="2">経口剤：5-ASA製剤（ペンタサ®，サラゾピリン®，アサコール®，リアルダ®）
注腸剤：5-ASA注腸（ペンタサ®），ステロイド注腸（プレドネマ®，ステロネマ®）
フォーム剤：ブデソニド注腸フォーム剤

※中等症で炎症反応が強い場合や上記で改善がない場合はプレドニゾロン経口投与
※さらに改善がなければ重症またはステロイド抵抗例への治療を行う
※直腸部に炎症を有する場合はペンタサ®坐剤が有用</td><td>•ステロイド大量静注療法

※改善がなければ劇症またはステロイド抵抗例の治療を行う
※状態により手術適応の検討</td><td>•緊急手術の適応を検討

※外科医と連携のもと，状況が許せば以下の治療を試みてもよい
•ステロイド大量静注療法
•タクロリムス経口
•シクロスポリン持続静注療法*
•インフリキシマブ点滴静注
※上記で改善がなければ手術</td></tr>
<tr><td>直腸炎型</td><td colspan="4">経口剤：5-ASA製剤（ペンタサ®，サラゾピリン®，アサコール®，リアルダ®）
坐剤：5-ASA坐剤（ペンタサ®，サラゾピリン®），ステロイド坐剤（リンデロン®）
注腸剤：5-ASA注腸（ペンタサ®），ステロイド注腸（プレドネマ®，ステロネマ®）
フォーム剤：ブデソニド注腸フォーム剤

※安易なステロイド全身投与は避ける</td></tr>
<tr><td rowspan="2">難治例</td><th colspan="2">ステロイド依存例</th><th colspan="2">ステロイド抵抗例</th></tr>
<tr><td colspan="2">アザチオプリン・6-MP*

※上記で改善しない場合：血球成分除去療法・タクロリムス経口・インフリキシマブ点滴静注・アダリムマブ皮下注射・ゴリムマブ皮下注射・トファシチニブ経口・ベドリズマブ点滴静注・ウステキヌマブ点滴静注（初回のみ）を考慮してもよい
※トファシチニブ経口はチオプリン製剤との併用は禁忌</td><td colspan="2">中等症：
血球成分除去療法・タクロリムス経口・インフリキシマブ点滴静注・アダリムマブ皮下注射・ゴリムマブ皮下注射・トファシチニブ経口・ベドリズマブ点滴静注・ウステキヌマブ点滴静注（初回のみ）
重症：
血球成分除去療法・タクロリムス経口・インフリキシマブ点滴静注・アダリムマブ皮下注射・ゴリムマブ皮下注射・トファシチニブ経口・ベドリズマブ点滴静注・ウステキヌマブ点滴静注（初回のみ）・シクロスポリン持続静注療法*

※アザチオプリン・6-MP*の併用を考慮する（トファシチニブ以外）
※改善がなければ手術を考慮</td></tr>
<tr><th></th><th colspan="4">寛解維持療法</th></tr>
<tr><th></th><th colspan="2">非難治例</th><th colspan="2">難治例</th></tr>
<tr><td></td><td colspan="2">5-ASA製剤（経口剤・注腸剤・坐剤）</td><td colspan="2">5-ASA製剤（経口剤・注腸剤・坐剤）
アザチオプリン・6-MP*，血球成分除去療法，インフリキシマブ点滴静注**，アダリムマブ皮下注射**，ゴリムマブ皮下注射**，トファシチニブ経口**，ベドリズマブ点滴静注**，ウステキヌマブ皮下注射**</td></tr>
</table>

*：現在，保険適用に含まれていない
**：それぞれ同じ治療法で寛解導入した場合に維持療法として継続投与する　　（文献3より引用）

表2　令和3年度クローン病治療指針（内科）

活動期の治療（病状や受容性により，栄養療法・薬物療法・あるいは両者の組み合わせを行う）		
軽症～中等症	中等症～重症	重症 （病勢が重篤，高度な合併症を有する場合）
薬物療法 •ブデソニド •5-ASA製剤 ペンタサ®顆粒/錠 サラゾピリン®錠（大腸病変） 栄養療法（経腸栄養療法） 許容性があれば栄養療法 経腸栄養剤としては，以下を第一選択として用いる •成分栄養剤（エレンタール®） •消化態栄養剤（ツインライン®など） ※受容性が低い場合には半消化態栄養剤を用いてもよい ※効果不十分の場合は中等症～重症に準じる	薬物療法 •経口ステロイド（プレドニゾロン） •抗菌薬（メトロニダゾール*，シプロフロキサシン*など） ※ステロイド減量・離脱が困難な場合：アザチオプリン，6-MP* ※ステロイド・栄養療法などの通常治療が無効/不耐な場合：インフリキシマブ・アダリムマブ・ウステキヌマブ・ベドリズマブ 栄養療法（経腸栄養療法） 以下を第一選択として用いる •成分栄養剤（エレンタール®） •消化態栄養剤（ツインライン®など） ※受容性が低い場合には半消化態栄養剤を用いてもよい 血球成分除去療法の併用 •顆粒球吸着療法（アダカラム®） ※通常治療で効果不十分・不耐で大腸病変に起因する症状が残る症例に適応	外科治療の適応を検討した上で，以下の内科治療を行う 薬物療法 •ステロイド経口または静注 •インフリキシマブ・アダリムマブ・ウステキヌマブ・ベドリズマブ（通常治療抵抗例） 栄養療法 •経腸栄養療法 •絶食の上，完全静脈栄養療法 （合併症や重症度が特に高い場合） ※合併症が改善すれば経腸栄養療法へ ※通過障害や膿瘍がない場合はインフリキシマブ・アダリムマブ・ウステキヌマブ・ベドリズマブを併用してもよい

寛解維持療法	肛門病変の治療	狭窄/瘻孔の治療	術後の再発予防
薬物療法 •5-ASA製剤 ペンタサ®顆粒/錠 サラゾピリン®錠（大腸病変） •アザチオプリン •6-MP* •インフリキシマブ・アダリムマブ・ウステキヌマブ・ベドリズマブ（インフリキシマブ・アダリムマブ・ウステキヌマブ・ベドリズマブによる寛解導入例では選択可） 在宅経腸栄養療法 •エレンタール®，ツインライン®などを第一選択として用いる ※受容性が低い場合は半消化態栄養剤を用いてもよい ※短腸症候群など，栄養管理困難例では在宅中心静脈栄養法を考慮する	まず外科治療の適応を検討する ドレナージやシートン法など •肛門狭窄：経肛門的拡張術 内科的治療を行う場合 •痔瘻・肛門周囲膿瘍：メトロニダゾール*，抗菌薬・抗生物質 インフリキシマブ・アダリムマブ・ウステキヌマブ •裂肛，肛門潰瘍：腸管病変に準じた内科的治療 •ヒト（同種）脂肪組織由来肝細胞 複雑痔瘻に使用されるが，適応は要件を満たす専門医が判断する	【狭窄】 まず外科治療の適応を検討する •内科的治療により炎症を沈静化し，潰瘍が消失・縮小した時点で，内視鏡的バルーン拡張術 【瘻孔】 まず外科治療の適応を検討する •内科的治療（外瘻）としては インフリキシマブ アダリムマブ アザチオプリン	寛解維持療法に準ずる 薬物療法 •5-ASA製剤 ペンタサ®顆粒/錠 サラゾピリン®錠（大腸病変） •アザチオプリン •6-MP* •インフリキシマブ・アダリムマブ 栄養療法 •経腸栄養療法 ※薬物療法との併用も可

短腸症候群に対してテデュグルチドが承認された（適応等の詳細は添付文書参照のこと）
*：現在，保険適用に含まれていない

（文献3より引用）

3 ステロイドの根拠は？

- ステロイド単独でのプラセボと比較した寛解導入効果はメタアナリシスでも示されています[6, 7]。
- UC（中等症～重症例）に対する有効性を1955年にTrueloveらが報告しています。CDに対するステロイドの有効性は1979年のNational Cooperative Crohn's Disease Study（NCCDS）[8]における無作為化比較試験で示されていますが，ステロイドによる寛解維持効果は示されていません[9]。

4 ステロイドの初期用量は？

- UCの直腸炎型の場合，経口または局所5-ASA製剤が第一選択ですが，それでも効果不十分な場合にはステロイドの局所製剤が有効である可能性があります（**図1**）[3]。
- 軽症～中等症の活動期広範囲UCの場合，十分量の5-ASA製剤で改善が得られないときには30～40mg/日程度のプレドニゾロンの投与を考慮します。
- 重症の活動期UCの場合は，プレドニゾロン1～1.5mg/kg（40～80mg/日，最大80mg/日程度）を経静脈的に投与します。1週間以内に効果判定を行い，外科的治療を含めたさらなる治療を検討する必要があります[10]。
- 中等症CDの場合は初期投与40mg/日程度，重症の場合は40～60mg/日が目安です。
- 病変範囲が回腸から右側結腸を主体とした軽症～中等症のCDの場合，ブデソニド9mg/日を，8週間を目安に投与します。

MEMO

▶ CDの中等症～重症とは，海外で定義されている「CDAI（Crohn's disease activity index）が220～450で，軽症～中等症に対する治療が無効であった症例，もしくは発熱，有意な体重減少，腹痛あるいは腹部圧痛，（閉塞を伴わない）間欠的な悪心・嘔吐，有意な貧血が著明な症例」を指しています[11]。

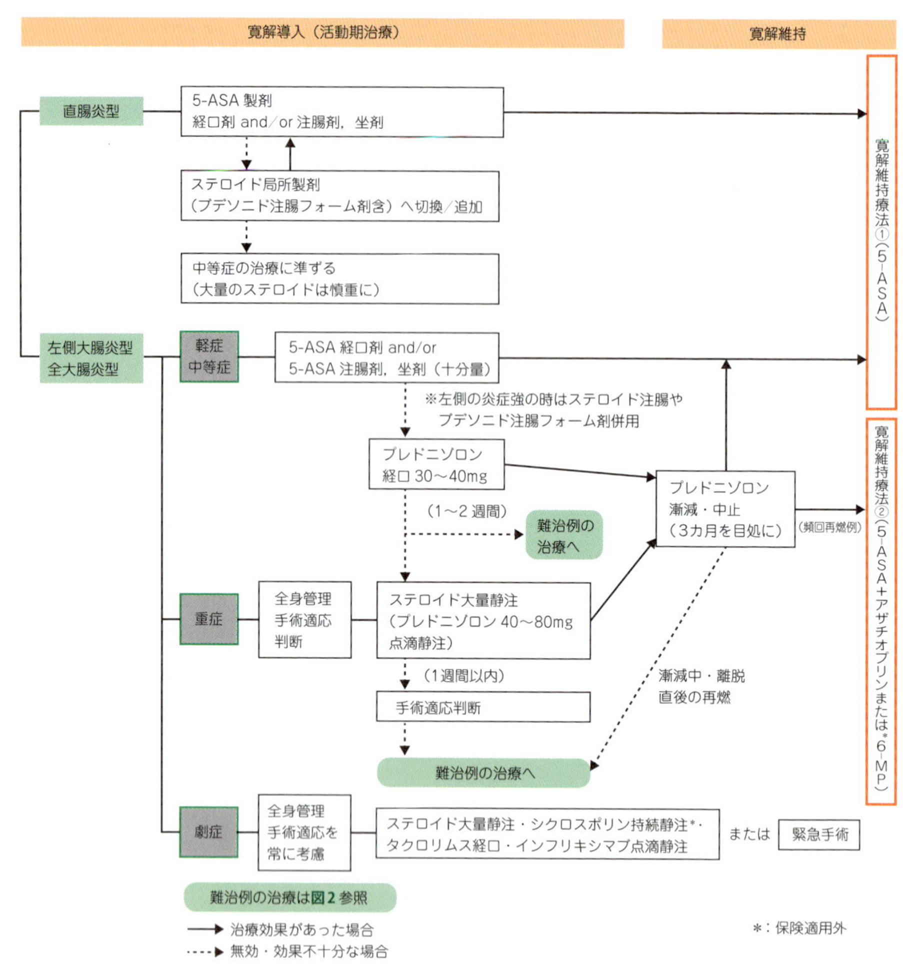

図1　潰瘍性大腸炎の診療フローチャート

（文献3より引用）

5　治療への反応性は？

- UCの場合，初期投与開始から1～2週間以内に効果判定を行うことが多く，その間に血便回数や排便回数の低下，腹痛の軽減がみられます。
- しかしUCでは，ステロイドによる適正な治療にもかかわらず，1～2週間以内に明らかな改善が得られない「ステロイド抵抗例」，プレドニゾロンの減量に伴って増悪または再燃が起こり離脱も困難な「ステロイド依存例」といった難治例が存在します[3]（**図2**）。

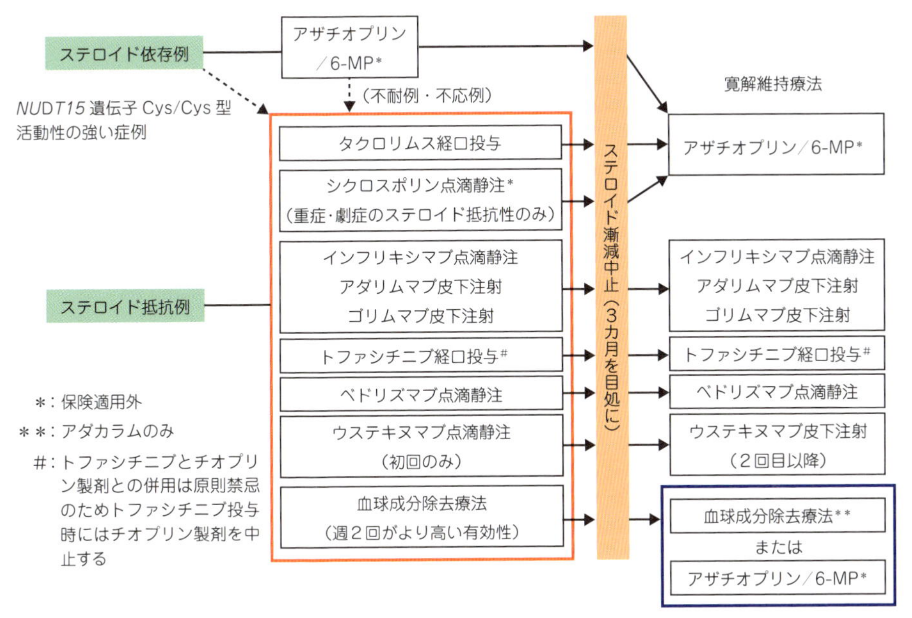

図2　潰瘍性大腸炎－難治例の治療

これらのオプションの複数使用は，感染症や合併症を慎重に判断し（専門家の意見を聞く），外科治療も考慮する

（文献3より引用）

MEMO

【ECCOガイドラインによる難治性潰瘍性大腸炎の定義[12)]】

▶「ステロイド抵抗例」：

プレドニゾロン0.75mg/kg/日を4週間以上投与しているにもかかわらず，疾患活動性を有する

▶「ステロイド依存例」：

①ステロイド投与開始から3カ月以内に疾患の再燃なく，プレドニゾロン換算で10mg/日以下に減量できない

②ステロイド中止から3カ月以内に再燃を認める患者

6 寛解導入療法はステロイド単剤でよいか？

- UCの場合，基本治療に5-ASA製剤の経口剤や局所製剤があるため，ステロイドと併用することが多いです。
- 「ステロイド抵抗例」や「ステロイド依存例」の難治性UCの場合，ステロイド単剤では効果不足のため，免疫調節薬（アザチオプリン）や血球成分除去療法[13]（アダカラム®，イムノピュア®），抗TNF-α抗体製剤（インフリキシマブ，アダリムマブ，ゴリムマブ），カルシニューリン阻害薬（タクロリムス），JAK阻害薬（トファシチニブ），抗$\alpha_4\beta_7$インテグリン抗体製剤（ベドリズマブ），抗IL12/23p40抗体製剤（ウステキヌマブ）を併用しつつ，ステロイドの漸減・中止をめざします。難治例の場合は常に手術の適応も考慮する必要があります。
- CDの場合，基本治療に栄養療法（経腸栄養療法）があるため，ステロイドと併用することが多いです。
- ブデソニドやプレドニゾロンでも寛解導入効果が乏しい場合は，血球成分除去療法（大腸の病変に起因する明らかな臨床症状が残る中等症から重症例）や免疫調節薬（アザチオプリン），抗TNF-α抗体製剤（インフリキシマブ，アダリムマブ），抗IL-12/23p40抗体製剤（ウステキヌマブ），抗$\alpha_4\beta_7$インテグリン抗体製剤（ベドリズマブ）を併用し，ステロイドの漸減・中止を図ります。

ピットフォール

➡UCのステロイド抵抗例や依存例の中には*Clostridioides difficile*やサイトメガロウイルスが関連していることがあり，便検査や内視鏡検査（生検組織CMV免疫染色）を行い鑑別する必要があります。

7 寛解維持療法としてsteroid sparing agentは何かあるか？

- 基本的にUC，CDともにステロイドによる寛解維持療法は推奨されていません。
- UCの場合，難治例でなければステロイドで寛解導入後は5-ASA製剤による寛解維持療法に移行します[14]。
- 難治性UCの場合，免疫調節薬[15, 16]（アザチオプリン）や抗TNF-α抗体製剤[17〜19]（インフリキシマブ，アダリムマブ，ゴリムマブ），JAK阻害薬（トファシチニブ)[20]，抗$\alpha_4\beta_7$インテグリン抗体(ベドリズマブ)[21]，抗IL-12/23p40抗体製剤(ウステキヌマブ)[22]に移行します。カルシニューリン阻害薬(タクロリムス)の寛解維持効果についてはエビデンスに乏しいのが現状です。また血球成分吸着除去療法のうちアダカラムによる寛解導入療法で寛解または有効性が確認され，既存の薬物治療が無効，効果不十分または適用できない難治例に対し，寛解維持療法として，原則としてアダカラムを2週間に1回の頻度で48週間の治療が可能です[23]。

- CDの場合，軽症であれば栄養療法(経腸栄養療法)と5-ASA製剤で寛解維持を図ります。
- 中等症以上の場合は，軽症治療に加えて免疫調節薬[24](アザチオプリン)や抗TNF-α抗体製剤[17](インフリキシマブ，アダリムマブ)，抗IL-12/23p40抗体製剤[25](ウステキヌマブ)，抗$\alpha_4\beta_7$インテグリン抗体[26](ベドリズマブ)で寛解維持を図ります。

MEMO

▶抗TNF-α抗体製剤(特にインフリキシマブ)はアザチオプリンとの併用で，単剤投与に比べ治療効果が高いことが報告されています[27, 28]。

▶チオプリン製剤(アザチオプリン・6-MP)の副作用として重度の白血球減少症や脱毛症を呈することがあります。この原因として，*NUDT15*遺伝子のコドン139における遺伝子多型が報告されており，この遺伝子多型によって酵素活性が変化し，チオプリン製剤の活性型分子の分解が抑制されることで，薬剤の効果が強く出現するため，製剤投与後早期に重篤な副作用(重度の白血球減少症および脱毛症)を発症するとされています。日本人では活性が著しく低下するシステインホモ(Cys/Cys)を持つ患者が約1%存在するとされており[29]，2019年2月より保険適用で検索することができます(☞**1章1**)。初めてチオプリン製剤の投与を考慮する場合は前もって*NUDT15*遺伝子多型を検索し，適応の判断をすることが推奨されます。

8 ステロイド減量のスピードは？

- 適切な投与期間や漸減方法についてのエビデンスはなく，UCの中等症ではプレドニゾロン30〜40mgを1〜2週間投与し，効果が得られたと判断した後は20mg/日までは5mg/週，それ以降は5mg/2週を目安に漸減することが一般的です。原則として投与後3カ月を目処にプレドニゾロンから離脱するようにします。

- ECCOガイドラインでは，中等症の治療ではプレドニゾロン40mg/日を1週間，その後1週間ごとに5mgずつ漸減し，最終的に8週間投与します。早期再燃は不十分な投与期間（3週間未満）が関連しており，活動時には15mg以下のプレドニゾロンは無効で十分量が必要とされています[30]。
- 重症UCの場合はプレドニゾロン1〜1.5mg/kg（1日最大80mgまで）を経静脈的に投与後，1週間以内に効果判定を行い，明らかな効果が得られた場合はプレドニゾロンを40mgまで漸次減量し，その後は1〜2週間を目安に30mg，20mgと病態に応じて減量します。それ以降は2週間ごとに5mgずつ減量し，投与後3カ月を目処にプレドニゾロンから離脱するようにします。
- ECCOガイドラインでは重症例にステロイド大量静注した場合，3日目で反応を確認し，抵抗例であればインフリキシマブやタクロリムス，手術を考慮すべきとされています[30]。
- CDの場合のプレドニゾロンの減量スピードもエビデンスはありませんが，中等症の場合は初期投与40mg/日程度，重症の場合は40〜60mg/日からUCと同様に漸減していきます。
- ECCOガイドラインでは中等症〜重症例では0.5〜0.75mg（最大60mg）で開始し，5mg/週ずつ漸減し，8〜12週間かけて漸減終了としています[31]。
- 病変範囲が回腸から右側結腸を主体とした軽症〜中等症のCDの場合，ブデソニド9mg/日を8週間投与し，次に6mg/日を1〜2週間投与後中止する方法や6mg/日を2週間，3mg/日を2週間投与後中止とする漸減方法があります。

9 減量は何を指標にすればよいか？

- IBD治療の最終的な目標は臨床症状改善だけでなく，粘膜治癒です。
- 臨床症状（下痢，血便，腹痛など）の改善度や内視鏡による粘膜治癒過程を評価します。
- 便中カルプロテクチンの減少やCRP低下，LRG（ロイシンリッチα2グリコプロテイン）もステロイド治療の効果判定の指標となります。

MEMO

▶便中カルプロテクチンとは好中球の細胞質中に存在するカルシウム結合蛋白質で，腸管の炎症により腸管粘膜への好中球浸潤を間接的に反映するものです。

▶ロイシンリッチα2グリコプロテイン（Leucine-rich alpha 2 glycoprotein；LRG）はロイシンリッチリピートと呼ばれるドメインを8つ含む約50kDaの糖蛋白質で，炎症局所で産生される新規血清バイオマーカーです。特にUCやCDにおいて，内視鏡検査による疾患活動性評価とLRG値が相関すると報告されています。また，LRGはTNF-α，IL-22といったIL-6以外のサイトカインで引き起こされる炎症でも発現するため，CRPが正常範囲内の症例における活動性評価に有用とされており，臨床指標とCRP，LRGの組み合わせ測定では単独測定に比べ，活動期の病態検出感度が高くなることが報告されています。

注：「LRG」と「便中カルプロテクチン」はUCまたはCDの病態把握目的として測定した場合に3月に1回を限度として算定できます。ただし，医学的な必要性から本検査を1月に1回行う場合には，その詳細な理由および検査結果を診療録および診療報酬明細書の摘要欄に記載します。「LRG」，「便中カルプロテクチン」，「大腸内視鏡検査」を同一月中に併せて行った場合は主たるもののみ算定します。

10 ステロイドは中止できるか？　投与期間は？

- IBDの場合は基本的に，維持治療としてのステロイド投与は推奨されていません。
- ステロイドで寛解導入を行い漸減・中止できた症例において，再燃した場合のステロイド再投与は可能ですが，ステロイドの総投与量が10,000mgを超えると有意に副作用発現率が高くなると報告されています[32)]。

11 モデル症例

症例①：潰瘍性大腸炎（全大腸炎型）

①腹痛，粘血便，頻回の下痢を主訴に受診。受診時，下部消化管内視鏡検査により全大腸炎型の潰瘍性大腸炎の診断。

②排便回数20回，顕血便，体温37.7℃，脈拍110回/分，Hb 8.9g/dL，血沈40mm/時であり，重症（臨床重症度分類）と判断。便検査（CD トキシン陰性，normal flora），HBs抗原陰性，HBc抗体陰性，クォンティフェロン陰性，胸部X線で異常所見がないことから，プレドニゾロン60mg/body/日を開始。

③1週間の経過で排便回数は7回まで改善。顕血便なし。S状結腸までの内視鏡検査にて初診時より血管透見像の出現と浮腫の改善あり，プレドニゾロンを50mgへ減量。1週間ごとに10mgずつ減量し，30mgの時点で改めて内視鏡検査を行い，臨床症状と内視鏡所見に乖離がないか確認した。30mg×2週間⇒20mg×2週間⇒15mg×2週間⇒10mg×2週間⇒5mg×2週間⇒終了とし，併用していた高用量の5-ASA製剤で寛解維持を図った。

④高用量5-ASA製剤で寛解維持するも，3カ月で症状再燃。ECCOガイドラインではステロイド依存例となり，臨床重症度分類では中等症の範疇で，プレドニゾロン30mgと顆粒球除去療法を外来で開始。その後，アザチオプリンも開始。

⑤症状の改善に乏しく，寛解導入・維持を考慮し，抗TNF-α抗体（インフリキシマブ）による寛解導入を図った。しっかり寛解導入ができ，引き続きインフリキシマブとアザチオプリン併用により，再燃なく粘膜治癒を保てている。

症例②：小腸大腸型クローン病（回腸末端から右側結腸優位）

①発熱，下痢，腹痛，体重減少を主訴に受診。精査にて回腸と上行結腸を中心にびらん，縦走潰瘍が散在。CDAI 223，白血球4,700/μL，CRP 8.94mg/dLで中等症と判断し，入院の上，絶食，補液管理，ブデソニド9mgを開始。

②症状改善に伴い，成分栄養療法や5-ASA製剤を開始。8週時点で下部消化管内視鏡検査にて評価を行ったところ，活動性病変なく，瘢痕化していた。

その後は6mg×2週間⇒3mg×2週間⇒終了とした。寛解維持は成分栄養療法(600〜900kcal)，5-ASA製剤で行い，再燃なく経過中である。

文 献

1) Liu TC, et al:Annu Rev Pathol. 2016;11:127-48.
2) Sartor RB, et al:Gastroenterology. 2017;152(2):327-39.e4.
3) 厚生労働省「難治性炎症性腸管障害に関する調査研究」(久松班):潰瘍性大腸炎・クローン病 診断基準・治療指針. 令和3年度分担研究報告書. 2022年3月.
4) 日本消化器病学会，編:炎症性腸疾患(IBD)診療ガイドライン2020. 改訂第2版. 南江堂，2020.
5) N'guyen Y, et al:J Clin Microbiol. 2009;47(4):1252-4.
6) Ford AC, et al:Am J Gastroenterol. 2011;106(4):590-9.
7) Benchimol EI, et al:Cochrane Database Syst Rev. 2008;(2):CD006792.
8) Summers RW, et al:Gastroenterology. 1979;77(4 Pt 2):847-69.
9) Steinhart AH, et al:Cochrane Database Syst Rev. 2003;(4):CD000301.
10) Hart AL, et al:Aliment Pharmacol Ther. 2010;32(5):615-27.
11) Peyrin-Biroulet L, et al:Clin Gastroenterol Hepatol. 2016;14(3):348-54.
12) Dignass A, et al:J Crohns Colitis. 2012;6(10):965-90.
13) Zhu M, et al:Int J Colorectal Dis. 2011;26(8):999-1007.
14) Wang Y, et al:Cochrane Database Syst Rev. 2016;(5):CD000544.
15) Khan KJ, et al:Am J Gastroenterol. 2011;106(4):630-42.
16) Timmer A, et al:Cochrane Database Syst Rev. 2016;(5):CD000478.
17) Ford AC, et al:Am J Gastroenterol. 2011;106(4):644-59.
18) Sandborn WJ, et al:Gastroenterology. 2012;142(2):257-65.e1-3.
19) Sandborn WJ, et al:Gastroenterology. 2014;146(1):85-95.
20) Sandborn WJ, et al:N Engl J Med. 2017;376(18):1723-36.
21) Feagan BG, et al:N Engl J Med. 2013;369(8):699-710.
22) Sands BE, et al:N Engl J Med. 2019;381(13):1201-14.
23) Naganuma M, et al:J Gastroenterol. 2020;55(4):390-400.
24) Chande N, et al:Cochrane Database Syst Rev. 2015;(10):CD000067.
25) Feagan BG, et al:N Engl J Med. 2016;375(20):1946-60.
26) Sandborn WJ, et al:N Engl J Med. 2013;369(8):711-21.
27) Colombel JF, et al:N Engl J Med. 2010;362(15):1383-95.
28) Panaccione R, et al:Gastroenterology. 2014;146(2):392-400.e3.
29) Kakuta Y, et al:J Gastroenterol. 2018;53(9):1065-78.
30) Harbord M, et al:J Crohns Colitis. 2017;11(7):769-84.

31) Torres J, et al:J Crohns Colitis. 2020;14(1):4-22.
32) 杉田 昭, 他:胃と腸. 2005;40(10):1395-400.

(金城 徹)

B 消化器

14. 自己免疫性肝炎

ステロイド治療の心構え

- 自己免疫性肝炎（autoimmune hepatitis；AIH）は長期間の免疫抑制治療が必要で，再燃も多い疾患です。
- ステロイドはAIH治療において中心的な薬剤ですが，なるべく総投与量が少なくなるようにしましょう。
- 中止後の再燃も多いため，患者とよく相談し，shared decision makingを！

1 疾患の概要

- 通常は慢性，進行性の肝障害をきたす疾患で，中年以降の女性に好発します。無症状～非特異的な症状（倦怠感，食思不振，嘔気，右上腹部痛，瘙痒など）を呈することがあります。AIHの約25％は急性経過を呈します。急性経過のAIHには，慢性AIHの急性増悪と急性発症AIHが混在しています[1]。
- 無治療の場合，多くの患者が肝硬変や肝不全に進展し，死亡します[2]。
- 自己抗体のパターンにより１型と２型に分類されます。１型は抗核抗体または抗平滑筋抗体が陽性で，本邦ではほとんどが１型です。２型は抗LKM抗体が陽性で，本邦ではきわめて稀です[3]。
- 約30％で自己免疫疾患の合併が認められ，本邦の全国調査によると，主な自己免疫疾患として，橋本病（7.5％），シェーグレン症候群（5.7％），原発性胆汁性胆管炎（3.6％），関節リウマチ（3.4％），SLE（3.1％）などがあります[3]。
- 現時点で病因は不明です。環境因子と遺伝素因が関与し，肝自己抗原に対する免疫寛容が破綻していると考えられています[4]。
- 環境因子としては，ウイルスや薬剤などの体内異物が肝臓抗原と交差反応を起こすことが考えられています。

- 本邦では疾患感受性遺伝子としてHLA-DR4（DRB1*0405）が指摘されており，7割程度のAIH患者で陽性とされています。他にも種々の遺伝子多型（CTLA-4やTNF-αなど）がAIHと関連すると報告されており，これらが自己反応性T細胞，B細胞の増殖と生存に影響を与えていると考えられています。
- 抗原提示細胞が，自己反応性を持つ$CD4^{+}$T細胞，$CD8^{+}$T細胞に自己抗原ペプチドを提示し，$CD4^{+}$ヘルパーT細胞（Th細胞），$CD8^{+}$細胞障害性T細胞（CTL）への分化を誘導します。また，MAIT細胞にも細菌により代謝されたビタミンB抗原を提示し，MAIT細胞を活性化します。
- $CD4^{+}$Th細胞は種々のサイトカインを産生します。Th2細胞はB細胞の自己抗体産生を刺激，Tfh細胞はB細胞の形質細胞への分化を誘導します。制御性T細胞（Treg）へも分化しますが，IL-23やIL-6存在下でTGF-βにさらされることでTh17へ変化し，炎症や組織障害を増強してしまいます。Th1細胞は，$CD8^{+}$CTLとマクロファージの増殖を促進するサイトカインを放出します。MAIT細胞はTh1細胞とTh17細胞の特徴を持ち，炎症や組織障害を増強します。これらの結果として，門脈周囲および小葉内の肝細胞障害が起こり，壊死性炎症により肝細胞が破壊され，線維化が進行します。

MEMO

【MAIT細胞（mucosal associated invariant T細胞）】

▶ NK細胞マーカーと遺伝子再構成されたTCRα/β鎖を発現する自然免疫型T細胞。肝臓に存在する全T細胞の20～50%を占める最大のT細胞集団とされる。

2 どういうときにステロイドを使うか？

- AIHは進行性疾患で，無治療の場合，肝硬変や肝不全へ進展するため，基本的には全例が治療適応と考えられています[1,3,4]。
- 進行した線維化の証拠がなく，肝障害も軽度〔ALT＜3×ULN（正常上限），HAI（histology activity index）[5]＜4/18〕であれば，年齢や併存疾患などを考慮して治療をせず経過観察するのも妥当なことがあります[1]。その場合も，経過で肝障害が増悪することや，潜行性に線維化が進行，あるいは肝細胞癌が生じることも起こりうるため，慎重に経過観察することが必要です。European Association for the Study of the Liver（EASL）のガイドラインでは，3カ月ごとにフォローアップをし，ALTやIgGが上昇した場合には，再生検をすることが提案されています。

- 非代償性肝硬変における内科的治療について検討した報告は少ないです。EASLのガイドラインでは，肝生検で炎症スコアが高くない非代償性肝硬変ではおそらく治療適応がないと記載があります。本邦のガイドラインでも，非代償性肝硬変に対する内科的治療の有用性を示すエビデンスは乏しいとしています。
- 非代償性肝硬変のAIH患者を対象とした後ろ向きコホート研究では，ステロイド治療を行った群のほうが，ステロイド治療を行わなかった群に比べて生存率が高かったと報告しています[6)]。また，ステロイド治療により代償性に改善した患者は，ステロイド治療をしても非代償状態のままであった患者に比べて，有意にAST，ALTが高い結果でした。このことは，EASLのガイドラインの記載を支持する結果と考えられます。

3 ステロイドの根拠は？

- 本邦，American Association for the Study of Liver Diseases（AASLD），EASL，British Society of Gastroenterology（BSG）のすべてのガイドラインで，ステロイドを含む免疫抑制治療が推奨されています[1, 3, 4, 7)]。
- EASLのガイドラインには，免疫抑制治療は1970～1980年代にかけての研究に基づいていると記載があります。中等度～重度のAIH患者に対して治療をしなければ，予後は非常に不良でしたが，治療をすることで症状，肝障害，予後が改善したという結果がもとになり，上記の推奨がなされているようです。

4 ステロイドの初期用量は？

① 非重症例

- 本邦のガイドラインでは，プレドニゾロン（PSL）0.6mg/kg/日を，中等症であれば0.8mg/kg/日を推奨しています（**表1**）[3)]。
- EASL，AASLD，BSGでは基本的にPSL単剤ではなく，アザチオプリン（AZA）との併用を推奨しています[1, 4, 7)]。

表1　自己免疫性肝炎の重症度判定〔自己免疫性肝炎（AIH）診療ガイドライン（2021）〕

<table>
<tr><th></th><th>軽症</th><th>中等症</th><th>重症</th></tr>
<tr><td>肝性脳症</td><td rowspan="5">いずれもなし</td><td rowspan="3">いずれもなし</td><td rowspan="3">いずれかがあり</td></tr>
<tr><td>肝萎縮</td></tr>
<tr><td>PT-INR≧1.3</td></tr>
<tr><td>AST or ALT＞200U/L</td><td rowspan="2">いずれかがあり</td><td rowspan="2">問わない</td></tr>
<tr><td>総ビリルビン＞5mg/dL</td></tr>
</table>

（文献3をもとに作成）

- EASLはPSL 0.5～1.0mg/kg/日を，AASLDではPSL 20～40mg/日を，BSGではPSL 30mg/日～1mg/kg/日を推奨しています。
- 治療開始後にトランスアミナーゼが速やかに改善しないこと，トランスアミナーゼ正常化まで時間がかかることが予後不良因子として知られている[8~12]ことから，1mg/kg/日のように高用量を使用し，すばやいトランスアミナーゼの改善を確認して減量していく，ということも行われます。しかし，初期に高用量を用いることが予後改善に寄与するかどうかは検討されていないため，今後の研究課題です。

②重症の場合

- AASLDでは，急性重度AIH（黄疸あり，PT-INR 1.5～2，肝性脳症なし，これまでに肝疾患の指摘なし）ならばPSL単剤60mg/日で治療開始としています。治療開始後1～2週で反応がなければ肝移植を検討せよ，とされています。また，急性肝不全（PT-INR≧2，発症から26週以内に肝性脳症を発症，これまでに肝疾患の指摘なし）をきたしている場合も，肝移植を検討するよう記載があります[4]。
- 本邦のガイドラインでは，重症例についてはステロイドパルス療法や血漿交換などの肝補助療法が必要となることも多く，専門機関への紹介を考慮すること，とされています[3]。

③ブデソニド

- ブデソニドは，本邦での保険適用はありません（2022年11月時点）。肝での初回通過効果が大きいことから，肝での治療効果を得つつ，全身の副作用を減らすことができると期待されています。肝硬変患者や，門脈大循環シャントがある患者では使用できません。
- AASLDでは，急性重度AIH，肝硬変症例では使用しないことを推奨しています。それ以外の場合では，ブデソニド9mg/日＋AZAも推奨しています。

- ブデソニド9mg＋AZA 1～2mg/kgは，PSL 40mg＋AZA 1～2mg/kgと比べて6カ月目の生化学的寛解が多く（60％：39％），ステロイドによる副作用が少ない（25％：53％）という報告が引用されています[13]。
- BSGでは，PSLが使用できない患者での使用を考慮，と記載されています。
- EASLでは，初期治療としての推奨はしていません。PSL投与により併存疾患が増悪するおそれがある場合に使用可能としています。ブデソニドによって治療が成功したという報告も，失敗したという報告もあること，長期間の効果や副作用などがわかっていない，半減期が短く，減量の適切な方法が不明であることなどを理由として記載しています。

5 治療への反応性は？

- トランスアミナーゼは治療開始後速やかに改善します。そのため，改善しない場合や改善が遅い場合は診断が間違っている可能性（**表2**）や，内服をしていない可能性を考慮する必要があります。

表2 自己免疫性肝炎の鑑別疾患

•ウィルソン病
•非アルコール性脂肪肝炎
•薬物性肝障害
•オーバーラップ症候群（原発性胆汁性胆管炎，原発性硬化性胆管炎）

- EASLでは，2週後にALTが25％以上低下していない場合をnon-responderと定義しています[1]。
- 肝不全をきたしている患者は治療反応が悪いことが多く，その場合は肝移植の検討が必要です。
- 一般的に出会う治療失敗例は，数週治療したにもかかわらず検査結果の改善に乏しい，というものですが，診断が正しく内服もきちんと行われていれば稀です。その場合，PSLを60mg/日に，AZAを2mg/kgに増量することがAASLD，BSGで提案されています[4, 7]。
- 改善はしているが寛解しない場合，PSLを増量することは副作用の面から推奨されません。AZAを2mg/kgに増量し，PSLは5～10mg/日にすることが推奨されています。また，セカンドラインの免疫抑制薬も検討します。その場合，

1年半～2年したところで再生検し，組織学的な改善について評価するのが望ましいとされています[1, 4]。

- 生化学的な寛解と，組織学的な寛解の両方を達成するのが目標ではありますが，それが難しい場合は，副作用を最小限にしつつ生化学的活動性を最小限にすることが目標になります。トランスアミナーゼが正常上限の3倍未満であれば，interface hepatitisや肝疾患の進行が起こりにくいという報告があり[14, 15]，それを目標とします。

6 寛解導入療法はステロイド単剤でよいか？

- 本邦のガイドラインでは，PSL単剤を推奨しています[3]。
- EASL，AASLD，BSGのガイドラインでは，AZA併用を推奨しています。AZAの量は50～100mg/日から開始し，1～2mg/kg/日を最大量として漸増します[1, 4, 7]。

7 寛解維持療法としてsteroid sparing agentは何かあるか？

① AZA

- AASLD，EASL，BSGではAZAが推奨されています[1, 4, 7]。これは，PSL単剤，AZA単剤，PSLとAZA併用の3つを比較した試験で，死亡率がPSL単剤，PSLとAZA併用群で同等の好成績であり，副作用はPSLとAZA併用群でPSL単剤よりも少なかったという結果などから推奨されています。
- 本邦のガイドラインでは，ステロイドで効果不十分な場合，再燃した場合，ステロイドの副作用に懸念がある場合にAZAを併用するとしています[3]。長らくAZAがAIHに保険適用外であったことが影響していると思われます。
- 使用の前に*NUDT15*遺伝子多型を提出し，Cys/Cys型の場合は使用を避ける必要があります。
- 非代償性肝硬変の症例では使用しません。

② ミコフェノール酸モフェチル（MMF）（2022年11月時点では保険適用外）

- AASLD，EASLとも，セカンドラインの免疫抑制薬としての推奨で，研究が少なく第一選択としては推奨していません。しかし，PSLとMMFの併用は，PSLとAZAの併用に比べてトランスアミナーゼとIgGの正常化に優れており，治療反応が悪い患者の割合も少ないとの報告もあり[16]，今後はAZAと並列で初期治療として使用されるかもしれません。

- 投与量はEASLガイドラインでは，2,000mgを1日2回にわけて投与との記載があります。
- 本邦からも，既存治療に不応性・不耐性の患者にMMF 1,000～2,000mg/日を併用することでトランスアミナーゼは改善し，PSLも減量できたという報告もあり[17]，今後使用されるようになるかもしれません。

③カルシニューリン阻害薬（2022年11月時点では保険適用外）

- シクロスポリンは，小児のAIHでは長期的にも良好な治療成績であったという報告があります。成人のAIHでは，小さなケースシリーズで2～3mg/kg/日で良好な反応を得たと報告があります。しかし，長期的な報告はありません。最初はトラフ値を150～250ng/mL程度とし，その1年後に寛解していれば50～70ng/mLに漸減すると記載されています。
- タクロリムスも規模の小さな報告で，良好な成績であったとされていますが，長期的な報告はありません。

④ウルソデオキシコール酸（UDCA）

- 本邦のガイドラインでは，ステロイドを漸減するときにUDCA併用が再燃予防に有効と記載されています。147人の患者をUDCA単剤，PSL単剤，PSL＋UDCAにわけて検討したところ，トランスアミナーゼの正常化率はPSL単剤とPSL＋UDCA併用群で同等でしたが，PSL単剤群で再発がより早期に起きており，再発時のPSL量がUDCA群のほうが少なかったという報告があります[18]。このことから，UDCA併用が再発予防とPSL減量に役立つ可能性があります。
- しかし，AASLDやEASLのガイドラインでは言及されていません。
- UDCAは600mg/日を投与します。

MEMO

【オーバーラップ症候群】[1, 3, 4]

▶ AIH，原発性胆汁性胆管炎（primary biliary cholangitis；PBC），原発性硬化性胆管炎（primary sclerosing cholangitis；PSC）と臨床像や血液・画像検査異常の特徴を同時，あるいは異時性に示す症例もあり，「オーバーラップ症候群」と呼ばれています。

【AIH-PBCオーバーラップ症候群】

▶ Paris criteria（**表3**）[19]が診断に用いられますが，EASLは病理学的に中等度から重度のpiecemeal necrosisが必須項目であるとしています。AIHとPBC両者の特徴が同時に現れることが多いですが，PBCが先に発症することもあります。PBCと診断しUDCAで治療していたが反応しないときに，AIH-PBCオーバーラップ症候群の可能性を検討する必要があります。

▶ AASLDでは，Paris criteriaを満たす患者ではPSLにUDCA（13～15mg/kg/日，添付文書上は600～900mg/日）を併用することを推奨しています。併用療法がそれぞれの単剤療法に比べて肝障害，肝線維化，生命予後を改善するという報告に基づいています。

表3　Paris criteria

AIH criteria	PBC criteria
ALT≧5×ULN	ALP≧2×ULN or GGT≧5×ULN
IgG≧2×ULN or 抗平滑筋抗体陽性	抗ミトコンドリア抗体陽性
組織学的に中等度～高度のpiecemeal necrosisを認める	組織学的にflorid bile duct lesionを認める

AIH criteriaとPBC criteriaそれぞれ3項目のうち，各2項目以上を満たす場合に診断とする

（文献19より改変）

【AIH-PSCオーバーラップ症候群】

▶ 診断にはAIHの典型像，抗ミトコンドリア抗体陰性，MRCPまたはERCPによりPSCに合致する胆管病変，あるいは病理所見上の胆管病変（onion-skin fibrosis）が必要です。

▶ AIHに潰瘍性大腸炎（UC）を合併している患者の40%程度に画像上胆管病変があるとされています。そのためAIH患者のうち，UCを合併している患者，原因不明の胆汁うっ滞所見を認める患者，ステロイド治療に反応しない患者ではAIH-PSCオーバーラップ症候群の可能性を検討すべきとされています。

▶ 治療についてはステロイド治療に加えてUDCAの併用が推奨されていますが，患者数が少ないことなどから確固たるエビデンスはありません。

8 ステロイド減量のスピードは？

- 本邦のガイドラインでは，
  トランスアミナーゼが改善してきたら5mg/1～2週で減量
  投与量が＜0.4mg/kg/日になれば，2.5mg/2～4週で減量
  ALT＜30まではPSL＞0.2mg/kg/日
  ALT＜30を維持する量を，2年以上継続
  とされています。
- 体重50kgとした場合，
  軽症：30mg/日，中等症：40mg/日で治療開始
  トランスアミナーゼが改善傾向になれば，2週で5mgずつ，20mg/日まで減量
  その後は10mg/日まで，2～4週で2.5mgずつ減量
  PSL 10mg/日となった段階で，ALT＞30U/Lなら減量せず継続します。
  ALT＜30U/Lであれば，PSLは漸減し，トランスアミナーゼが基準範囲内になる量を2年以上継続します。
- EASLのガイドラインでは，**表4**のような投与スケジュールを推奨しています。
- 10週以降では，肝酵素が正常化していればPSLを7.5mg/日に減量し，その3カ月後に5mg/日に減量します。その後は3～4カ月ごとにフォローしつつ，治療反応をみながらPSLを漸減していきます。
- AASLDでもEASLと同様，2週経過してからAZAを追加します。
- 治療開始から4～8週以内にトランスアミナーゼが改善してくれば，2.5～5mg/2～4週の速度でPSL 5～10mg/日まで減量します。その後，寛解（AST，ALT，

表4　EASLガイドラインにおけるステロイドの投与スケジュール（体重60kgの場合）

週数	プレドニゾロン（mg/日）	アザチオプリン（mg/日）
1	60（=1mg/kg）	—
2	50	—
3	40	50
4	30	50
5	25	100（=1～2mg/kg）
6	20	100
7+8	15	100
8+9	12.5	100
10	10	100

IgGが正常値になる）していれば，AZAは継続したまま，PSLを漸減終了します。

9 減量には何を指標にすればよいか？

- 基本的にはAST，ALT，IgGを参考にします。トランスアミナーゼは肝での炎症を反映し，IgGは形質細胞の活動性を反映していると考えられます。しかし後述しますが，これらが正常であっても肝組織には炎症が残存していることもあり，治療効果判定のために再度肝生検を行うこともあります。
- 肝硬変患者では，IgG値が上昇する傾向にあります。このため，肝硬変を呈している場合は，IgG値がAIHの活動性を正確には反映しないことがあります。

10 ステロイドは中止できるか？　投与期間は？

- 上述した通り，EASL，AASLDではステロイドにAZAを併用することが推奨されており，AZAを残してステロイドを漸減終了することができます。
- AASLDでは，AST，ALT，IgGが少なくとも2年間正常値であれば，治療終了を検討できるとしています。治療終了前の肝生検は，小児では必須，成人では有用だが必須ではないとしています。
- 治療終了前の肝生検については，種々の報告があります。治療終了前の肝生検で活動性がなければ，治療終了後の再燃が28％に減るという報告[20]，また治療終了前の肝生検で門脈域に形質細胞を認める場合，ほぼ再発する[21]という報告もあります。感度は低いが特異度は高いと言えます（肝生検で異常がないから再発しないとは言えませんが，異常があれば再発することが多いです）。
- 28人のAIH患者が2年以上，生化学的寛解（AST，ALT，IgGが正常化する）を達成していたため治療終了したところ，15人（54％）が，その後17～57カ月（中央値28カ月）の間，寛解を維持していました。これらの患者はALTが正常上限の50％以下で，IgG＜1,200mg/dLであったという特徴がありました。同じ28人のうち13人が治療終了前の肝生検を受け，そのうち11人が正常肝組織でしたが，46％で再燃が起こり，54％では寛解を維持していました[22]。
- このことから，ALT，IgG値は我々が「正常値」と判断している領域でもグラデーションをもって，連続的に，微細な肝障害や形質細胞の存在を示しているかもしれないと考えられます。
- また，患者数が少ない研究であったためはっきりとは言えないものの，この閾値を用いることで肝生検と同程度の寛解維持予測ができるのかもしれません。今後さらなる研究が望まれます。

11 モデル症例

症例：倦怠感，肝障害，特に既往歴なし（50歳代女性）

①来院2週前から倦怠感があり，近医で肝障害を指摘され当院へ紹介受診。

②血液検査では肝障害（ALT 400U/L），黄疸，IgG高値（2,200mg/dL）を認めた。肝炎ウイルスは陰性で抗核抗体が陽性，新規開始薬剤もなく，画像検査でも異常がないことから自己免疫性肝炎を疑い肝生検を行った。肝生検では，門脈域に形質細胞を含む炎症細胞浸潤があり，interface hepatitisも認め，自己免疫性肝炎に合致する所見であった。

③EASLのガイドライン通り，PSL 60mgを開始し，ALTは速やかに改善。*NUDT15*遺伝子多型はArg/Argであり，3週目からAZA 50mg/日を追加した。その後も**表4**の通りPSLを漸減し，寛解を達成。AZA 100mg/日を残してPSLは終了した。寛解を合計2年継続したところでAZAを終了するかどうか，患者と相談する予定である。

文献

1) European Association for the Study of the Liver:J Hepatol. 2015;63(4):971-1004.
2) Czaja AJ:Liver Int. 2009;29(6):816-23.
3) 厚生労働省難治性疾患政策研究事業「難治性の肝・胆道疾患に関する調査研究」班，編：自己免疫性肝炎（AIH）診療ガイドライン（2021年）. 2022.
4) Mack CL, et al:Hepatology. 2020;72(2):671-722.
5) Knodell RG, et al:Hepatology. 1981;1(5):431-5.
6) Wang Z, et al:Clin Rev Allergy Immunol. 2017;52(3):424-35.
7) Gleeson D, et al:Gut. 2011;60(12):1611-29.
8) Tan P, et al:Liver Int. 2005;25(4):728-33.
9) Werner M, et al:Scand J Gastroenterol. 2010;45(4):457-67.
10) Miyake Y, et al:Aliment Pharmacol Ther. 2006;24(8):1197-205.

11) Verma S, et al:Am J Gastroenterol. 2004;99(8):1510-6.
12) Muratori L, et al:Hepatology. 2010;52(5):1857.
13) Manns MP, et al:Gastroenterology. 2010;139(4):1198-206.
14) Czaja AJ, et al:Gastroenterology. 1981;80(4):687-92.
15) Selvarajah V, et al:Aliment Pharmacol Ther. 2012;36(8):691-707.
16) Yu ZJ, et al:Eur J Gastroenterol Hepatol. 2019;31(7):873-7.
17) 三浦　亮, 他:日消誌. 2021;118(4):318-26.
18) Miyake Y, et al:Hepatol Int. 2009;3(4):556-62.
19) Chazouillères O, et al:Hepatology. 1998;28(2):296-301.
20) Czaja AJ, et al:Hepatology. 1984;4(4):622-7.
21) Czaja AJ, et al:Liver Int. 2003;23(2):116-23.
22) Hartl J, et al:J Hepatol. 2015;62(3):642-6.

(東野　誠)

C 呼吸器

15. 特発性間質性肺炎

ステロイド治療の心構え

▶ステロイドに対する反応は疾患ごとに異なり，特に特発性肺線維症（idiopathic pulmonary fibrosis；IPF）を鑑別することが重要です。
▶有症状，進行性の場合にステロイドを導入します。
▶IPFの場合，急性増悪と考えられるときにのみステロイドを投与します。
▶可能な限りステロイドの中止をめざします。

1 疾患の概要

- 胸部X線写真や胸部CT画像にて，両側肺野にびまん性の陰影を認める疾患群をびまん性肺疾患と総称しています（**表1**）[1]。
- びまん性肺疾患の中で，間質を主座として炎症を起こす疾患群が間質性肺炎です。そのうち原因不明のものを特発性間質性肺炎（idiopathic interstitial pneumonias；IIPs）と呼びます。
- IIPsは主要な6病型，稀な2病型，分類不能な1病型にわけられます（**表2**）[1,2]。
- 臨床，画像，病理所見などで診断を行います（**図1**[3]，**図2**[4]，**表3**[4]，**表4**）。
- 疾患ごとに臨床経過や治療目的は異なります（**表5**[2]，**表6**[1,5,6]）。
- 臨床的に遭遇することが多い疾患は，IPF，非特異性間質性肺炎（nonspecific interstitial pneumonia；NSIP），特発性器質化肺炎（cryptogenic organizing pneumonia；COP）です（**表6**）。

表1　びまん性肺疾患

特発性間質性肺炎(IIPs)	膠原病関連肺疾患	腫瘍性肺疾患
特発性肺線維症（IPF） 非特異性間質性肺炎（NSIP） 特発性器質化肺炎（COP） 急性間質性肺炎（AIP） 剥離性間質性肺炎（DIP） 呼吸細気管支炎を伴う間質性肺疾患（RB-ILD） リンパ球性間質性肺炎（LIP）	関節リウマチ 多発筋炎/皮膚筋炎（PM/DM） 全身性エリテマトーデス（SLE） 強皮症 混合性結合組織病 Sjögren症候群 ANCA関連肺疾患　など	癌性リンパ管症 癌血行性肺転移 細気管支肺胞上皮癌 悪性リンパ腫 Castleman病 リンパ腫様肉芽腫症 Kaposi肉腫
IIPs以外の原因不明疾患	**医原性肺疾患**	**感染性肺疾患**
サルコイドーシス 慢性好酸球性肺炎 急性好酸球性肺炎 肺胞蛋白症 リンパ脈管筋腫症（LAM）　など	薬剤性肺炎 放射性肺炎 酸素中毒　など	細菌性肺炎 ウイルス性肺炎 ニューモシスチス肺炎 粟粒結核 肺真菌症　など
職業・環境性肺疾患	**気道系が関与する肺疾患**	**その他のびまん性肺疾患**
過敏性肺臓炎 塵肺	びまん性汎細気管支炎 Immotile cilia症候群 嚢胞性線維症	心原性肺水腫 急性呼吸窮迫症候群（ARDS） IgG4関連肺疾患　など

（文献1をもとに作成）

表2　IIPsの分類と病理組織像

主要なIIPs		病理組織像
Chronic fibrosing IP	IPF	通常型間質性肺炎（UIP）
	Idiopathic NSIP	非特異性間質性肺炎（NSIP）
Smoking related IP	RB-ILD	呼吸細気管支炎（RB）
	DIP	剥離性間質性肺炎（DIP）
Acute/subacute IP	COP	器質化肺炎（OP）
	AIP	びまん性肺胞傷害（DAD）
稀なIIPs	Idiopathic LIP	リンパ球性間質性肺炎（LIP）
	Idiopathic PPFE	PPFE
分類不能IIPs		

PPFE：idiopathic pleuroparenchymal fibroelastosis

（文献1，2をもとに作成）

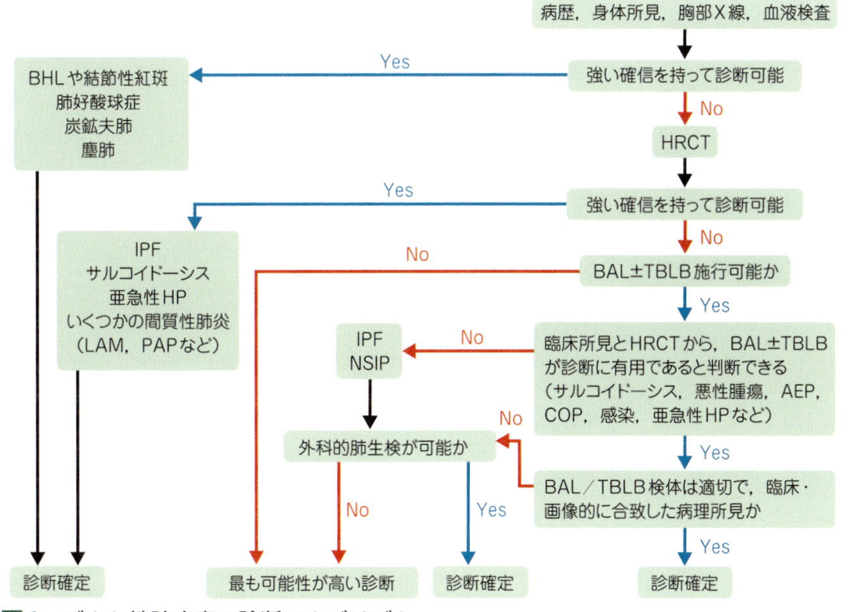

図1　びまん性肺疾患の診断アルゴリズム

BHL：両側肺門リンパ節腫脹，HP：過敏性肺臓炎，LAM：リンパ脈管筋腫症，PAP：肺胞蛋白症，HRCT：高分解能CT，BAL：気管支肺胞洗浄，TBLB：経気管支肺生検，AEP：急性好酸球性肺炎　（文献3をもとに作成）

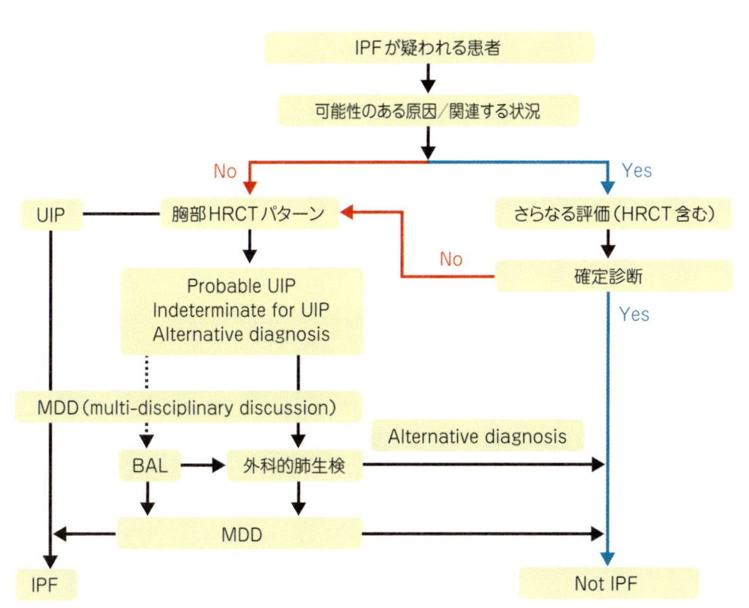

図2　IPFの診断アルゴリズム

外科的肺生検は，施行困難な患者の場合には適応されない　（文献4をもとに作成）

表3　HRCTパターン

UIP	•胸膜直下，肺底部優位 •蜂巣肺
probable UIP	•胸膜直下，肺底部優位 •末梢性の牽引性気管支拡張または細気管支拡張を伴う網状影 •軽度のすりガラス影がみられる場合もある
indeterminate for UIP	•胸膜直下，肺底部優位 •わずかな網状影 •他に特定の病因が示唆されない肺線維症のCT所見分布
alternative diagnosis	他疾患が示唆される所見 •CTの特徴（嚢胞，すりガラス影優位，多数の微小結節，小葉中心性の結節，浸潤影など） •優位な分布（上中肺野，気管支血管束優位，リンパ管周囲） •その他（胸膜プラーク，食道拡張，広範なリンパ節腫大，胸水/胸膜肥厚など）

（文献4をもとに作成）

表4　びまん性肺疾患の発症経過

急性（数日～数週）	亜急性（数週～数カ月）	慢性（数カ月～数年）
AIP COP IPFの急性増悪 急性好酸球性肺炎 急性過敏性肺臓炎 細菌性肺炎 心原性肺水腫　など	COP NSIP びまん性肺胞出血 薬剤性肺炎 膠原病関連肺疾患　など	IPF NSIP 慢性過敏性肺臓炎 サルコイドーシス 膠原病関連肺疾患　など

表5　IIPsの主な臨床経過と治療目的

臨床経過	治療の目的
可逆性で自然寛解（RB-ILD）	原因を除去し，寛解を得られるか経過観察する
可逆性だが悪化のリスクあり（COP，NSIPの一部，DIP）	初期の反応性をみて，有効な長期加療を行う
安定化（NSIPの一部）	状態維持のため，必要に応じて有効な長期加療を行う
進行性，不可逆性だが安定化する可能性もある（f-NSIPの一部）	安定化をめざして，必要に応じて有効な長期加療を行う
進行性，不可逆性（IPF，f-NSIPの一部）	進行を遅くするための加療，必要に応じて移植や緩和加療も検討する

f-NSIP：線維性非特異性間質性肺炎

（文献2をもとに作成）

表6 IPFとNSIPとCOPの主な特徴

	IPF	NSIP	COP
臨床経過	慢性経過	亜急性～慢性経過	亜急性経過
好発年齢	70歳前後	50歳前後	50～60歳
男女差	男性に多い	女性に多い	男女差なし
臨床症状	乾性咳嗽 進行性の労作時呼吸困難	咳，体重減少 労作時呼吸困難	咳，息切れ，倦怠感，発熱
画像所見	UIP pattern	両側，多発性のすりガラス影 胸膜下優位の網状影 一部に牽引性気管支拡張 病変は全体に均一	中下肺野優位の斑状影 気管支血管束，胸膜下優位 小葉辺縁性分布
BAL所見	多くは健常者と大差ない	リンパ球比率の上昇*	リンパ球主体の総細胞増多
病理所見	UIP	NSIP	OP
治療反応性	不良	通常は良好だが，一部不良	良好
予後	不良	通常は良好だが，一部不良	良好

*：f-NSIPにおいては，リンパ球比率が上昇しないとの報告もある

（文献1，5，6をもとに作成）

MEMO

▶特に予後が悪く，最も頻度が高いIPFを診断することが大切です。

▶診断の精度を高めるために臨床医，放射線科医，病理医によるMDD (multi-disciplinary discussion) が重要とされています。

▶NSIPは線維化型のfibrotic-NSIP (f-NSIP) と細胞浸潤型のcellular-NSIP (c-NSIP) に亜分類されます。c-NSIPのほうが治療反応性は良好とされています。

2 どういうときにステロイドを使うか？

- 全例に使用する必要はありません。
- 確たる基準はありませんが，原則は有症状（呼吸困難感や酸素需要の増大），進行性〔呼吸機能検査で努力性肺活量（FVC）や肺活量（VC），拡散能の低下，画像所見の継時的悪化〕のときに使用します。

ピットフォール

➡ IPFは急性増悪のときにのみステロイドを使用し，慢性経過のときは使用しません（**図3**[7]，**表7**[1]，**表8**[8, 9]）。

➡慢性経過のときには抗線維化薬の導入を検討します。

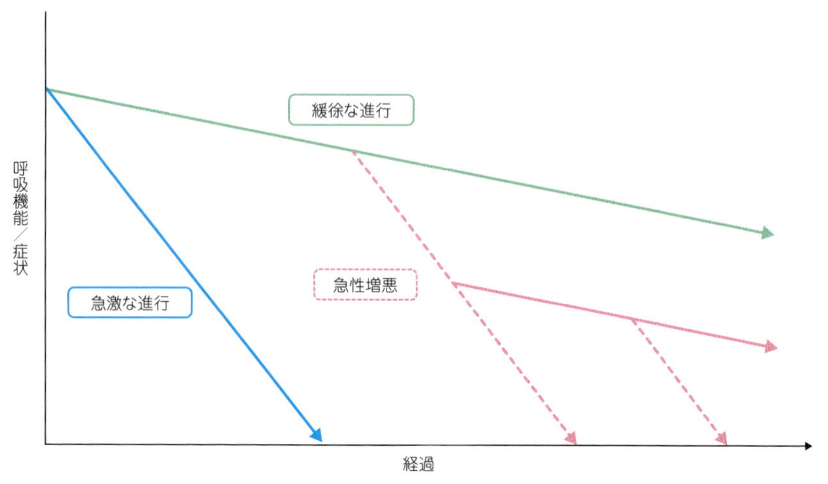

図3　IPFの自然経過

（文献7をもとに作成）

表7　IPF急性増悪の診断基準

1. IPFの経過中に，1カ月以内の経過で以下の所見がすべてみられる
①呼吸困難感の増強 ②胸部HRCTで蜂巣肺所見＋新たに生じたすりガラス影・浸潤影 ③動脈血酸素分圧の低下（同一条件下でPaO_2 10mmHg以上）
2. 明らかな感染症，気胸，悪性腫瘍，肺塞栓や心不全を除外する
参考所見：CRP，LDH，KL-6，SP-D，SP-Aなどの上昇

（文献1をもとに作成）

表8　IPFの治療

使用しないことを強く推奨	使用を条件付きで推奨	使用しないことを条件付きで推奨
•副腎皮質ステロイド •コルヒチン •シクロスポリンA •ステロイド＋免疫抑制薬 •抗凝固薬（ワルファリン） •PSL+AZA+N-アセチルシステイン経口併用 •選択的エンドセリン拮抗薬 •イマチニブ	•ニンテダニブ •ピルフェニドン	•非選択的エンドセリン拮抗薬 •ホスホジエステラーゼ阻害薬 •N-アセチルシステイン経口

（文献8，9をもとに作成）

3 ステロイドの根拠は？

- いずれも無作為化比較試験などの質の高いエビデンスはなく，ケースシリーズなどの観察研究に基づいています。

4 ステロイドの初期用量は？

- IPF急性増悪の場合は，初期からステロイドパルス療法ないしステロイド連日静注法が行われます（**図4**）[1]。
- NSIPの場合，通常はステロイド単独療法（0.5～1mg/kg/日）で開始し，反応性不良の場合に免疫抑制薬を併用します。重症例の場合は初期から免疫抑制薬が併用されることもあります（**図5**）[1]。
- COPの場合は原則，ステロイド単独療法（0.5～1mg/kg/日）で開始します（**図6**）[1]。

①ステロイドパルス療法
メチルプレドニゾロン1,000mg,1日1回点滴,3日間 メチルプレドニゾロン500mg,1日2回点滴,3日間 ➡反応をみながら1週間ごとに繰り返す（1～4回）

②ステロイド連日静注法
メチルプレドニゾロン1mg/kg×2週間 ➡0.5mg/kg,1日1回点滴,1～2週間

③後療法と併用薬
1. ①の後，プレドニン®1mg/kg/日で開始し漸減 2. ①，②に免疫抑制薬を併用してもよい

※免疫抑制薬の使用例
- シクロスポリン2～3mg/kg/日から（トラフ値100～150mg/mL）
- タクロリムス0.0375mg/kg×2回/日から（トラフ値5～10ng/mL）
- アザチオプリン2～3mg/kg/日
- シクロホスファミド1～2mg/kg/日

図4 IPF急性増悪の治療例

（文献1をもとに作成）

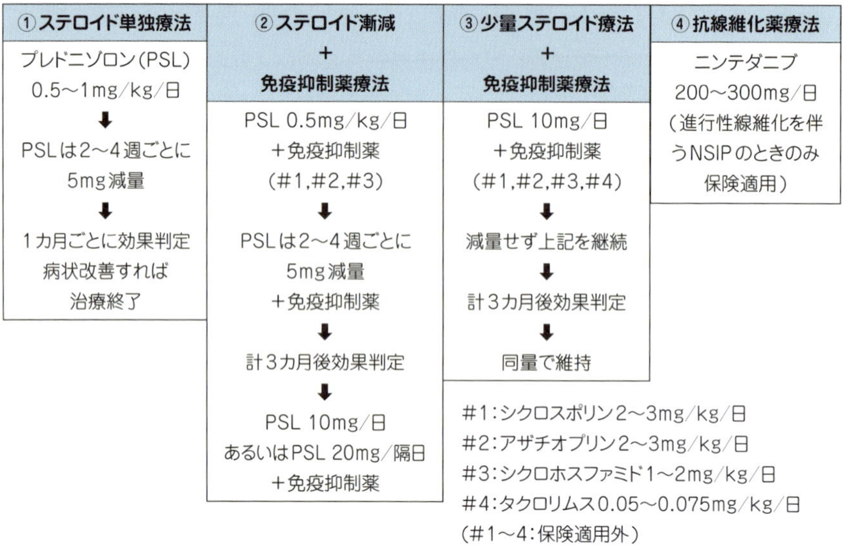

①ステロイド単独療法	②ステロイド漸減 ＋ 免疫抑制薬療法	③少量ステロイド療法 ＋ 免疫抑制薬療法	④抗線維化薬療法
プレドニゾロン(PSL) 0.5～1mg/kg/日 ⬇ PSLは2～4週ごとに 5mg減量 ⬇ 1カ月ごとに効果判定 病状改善すれば 治療終了	PSL 0.5mg/kg/日 ＋免疫抑制薬 (#1,#2,#3) ⬇ PSLは2～4週ごとに 5mg減量 ＋免疫抑制薬 ⬇ 計3カ月後効果判定 ⬇ PSL 10mg/日 あるいはPSL 20mg/隔日 ＋免疫抑制薬	PSL 10mg/日 ＋免疫抑制薬 (#1,#2,#3,#4) ⬇ 減量せず上記を継続 ⬇ 計3カ月後効果判定 ⬇ 同量で維持	ニンテダニブ 200～300mg/日 (進行性線維化を伴うNSIPのときのみ保険適用)

#1：シクロスポリン2～3mg/kg/日
#2：アザチオプリン2～3mg/kg/日
#3：シクロホスファミド1～2mg/kg/日
#4：タクロリムス0.05～0.075mg/kg/日
(#1～4：保険適用外)

図5　NSIPの治療例
c-NSIPなら①または②，f-NSIPなら②～④を基本とする　　(文献1をもとに作成)

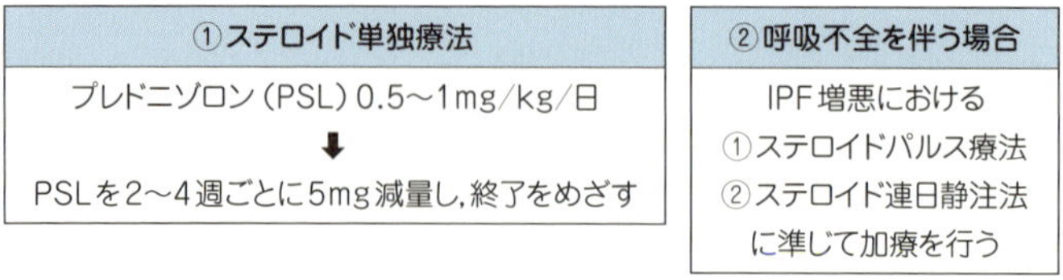

①ステロイド単独療法	②呼吸不全を伴う場合
プレドニゾロン(PSL)0.5～1mg/kg/日 ⬇ PSLを2～4週ごとに5mg減量し，終了をめざす	IPF増悪における ①ステロイドパルス療法 ②ステロイド連日静注法 に準じて加療を行う

※ステロイド治療反応不良の場合，下記免疫抑制薬を併用してもよい
シクロスポリン2～3mg/kg/日
アザチオプリン2～3mg/kg/日
シクロホスファミド1～2mg/kg/日
(保険適用外)

図6　COPの治療例　　(文献1をもとに作成)

MEMO

▶近年のTopicとしては，進行性肺疾患に伴う間質性肺疾患(progressive fibrosing interstitial lung disease：PF-ILD)/進行性フェノタイプを示す慢性線維化性間質性肺疾患[1]が挙げられます。IPFにしか適応がなかった抗線維化薬の適応が拡大しており，NSIPの治療例(**図5**)[1]にも追加されました。

5 治療への反応性は？

- IPF増悪の死亡率は50〜80%とされており，非常に予後不良です[1]。
- NSIPの場合，約2/3の症例で改善ないし安定化が得られるとされています。一方で，15〜26%程度の5年死亡率も報告されています[10]。
- COPは反応性良好で，約86%の症例で改善が得られたとされています。また，症状の改善は数日程度，画像や呼吸機能検査の改善は3カ月以内の経過で認めたとされています[2]。

6 寛解導入療法はステロイド単剤でよいか？

- 原則は単剤で行い，反応性不良の場合や漸減中に再燃を認める場合は併用を行います。
- f-NSIPやNSIP重症例の場合には，初期から免疫抑制薬を併用することもあります。

7 寛解維持療法としてsteroid sparing agentは何かあるか？

- f-NSIPのような線維化が強い症例では，ステロイドに対する反応が不良であり，免疫抑制薬の併用が検討されます（**図5**）[1]。
- COPではステロイド減量中の再燃が多く，再燃を繰り返す場合は免疫抑制薬を併用します（**図6**）[1]。
- 一般に，初期加療に反応不良，再燃を繰り返す，長期ステロイド使用に忍容性がない場合に免疫抑制薬の使用が検討されます。

MEMO

▶症状が比較的軽微なCOPに対して，マクロライド長期使用の報告もあります。しかし，少数の症例報告に基づいており，実臨床ではあまり使用されていません[11]。

8 ステロイド減量のスピードは？

- IPF増悪の場合には，治療反応性や臨床経過に応じて，週～月単位で減量します。
- NSIP，COPは2～4週間ごとに，反応性をみながらPSL 5mgずつ減量します。

ここがPOINT！

◉減量に関する明確なエビデンスはなく，観察研究や臨床経験に基づいて提示されています。そのため画一的に判断するのは困難です。

◉COPはPSL 15mg/日以下で再燃することが多いとされています[1]。

◉当院ではPSL 1mg/kg/日で開始し，2週間後に0.5mg/kg/日に減量します。その後，PSL 15mg/日までは5mgずつ早めに減量を行っています。以降は2.5～5mgずつ緩徐に減量します。

ピットフォール

➡PSL 20mg/日より多い量で再燃する器質化肺炎の場合には，二次性の器質化肺炎を疑います[12)]。

➡IIPsの診断には，あくまで他疾患の除外が必要です。

9 減量は何を指標にすればよいか？

- 息切れや咳などの臨床症状，画像所見，呼吸機能検査（FVCやDLco）などを継時的にフォローしながら減量します。
- 増悪がなければ漸減し，増悪の程度が強ければ再度初期用量に戻すこともあります。

10 ステロイドは中止できるか？ 投与期間は？

- 中止をめざしますが，個々の病型や臨床経過に応じて判断します。
- NSIPの場合，5～10mg/日が維持量として必要になることが多いです。6～9カ月かけて5～10mg/日まで減量します。1年以上かけて中止するというエキスパートオピニオンもあります[13)]。
- COPの場合，6カ月程度で中止をめざしますが，しばしば再燃を認めます。

11 モデル症例

症例：特発性器質化肺炎（54歳男性）

①発熱，咳，呼吸困難感，左上葉の浸潤影を認め，市中肺炎と診断。セフトリアキソンとアジスロマイシンの投与を行ったが，1週間経過しても解熱傾向なく，肺野浸潤影の増大傾向を認めた。痰培養からは口腔内常在菌のみで，器質化肺炎の可能性が疑われた。

②第8病日に気管支鏡検査を施行し，同日よりPSL 60mg/日の内服を開始した。第10病日より咳や呼吸困難感の改善傾向を認めた。加療開始1週間後のCT検査では浸潤影の軽度縮小傾向を認め，第16病日に退院となった。気管支鏡検査での結果，リンパ球優位のBALF細胞分画と，器質化肺炎に矛盾しない病理所見を認めた。

③その後，PSL 60mg/日を投与開始2週間後に30mg/日に減量した。以降は臨床所見，画像所見の再燃がないことを確認しながら，4週間ごとに5mgずつ減量し，PSL 15mg/日まで減量した。

④その後，4週ごとに2.5mgずつ減量し，PSL 7.5mg/日まで減量を行った。以降4週ごとにPSL 10mg/隔日，5mg/隔日を経てステロイドを中止した。

⑤その後，1カ月に1回画像フォローを行っているが，再燃を認めず経過している。

文 献

1) 日本呼吸器学会びまん性肺疾患診断・治療ガイドライン作成委員会，編：特発性間質性肺炎 診断と治療の手引き．改訂第4版．南江堂，2022.
2) Travis WD, et al:Am J Respir Crit Care Med. 2013;188(6):733-48.
3) Bradley B, et al:Thorax. 2008;63 Suppl 5:v1-58.
4) Raghu G, et al:Am J Respir Crit Care Med. 2018;198(5):e44-e68.
5) 日本呼吸器学会びまん性肺疾患学術部会/厚生労働省難治性疾患政策研究事業びまん性肺疾患に関する調査研究班：気管支肺胞洗浄（BAL）法の手引き．改訂第3版．克誠堂出版，2017.

6) Cordier JF: Eur Respir J. 2006; 28(2): 422-46.
7) Kim DS, et al: Proc Am Thorac Soc. 2006; 3(4): 285-92.
8) Raghu G, et al: Am J Respir Crit Care Med. 2011; 183(6): 788-824.
9) Raghu G, et al: Am J Respir Crit Care Med. 2015; 192(2): e3-19.
10) Travis WD, et al: Am J Respir Crit Care Med. 2008; 177(12): 1338-47.
11) Vaz AP, et al: Rev Port Pneumol. 2011; 17(4): 186-9.
12) Lazor R, et al: Am J Respir Crit Care Med. 2000; 162(2 Pt 1): 571-7.
13) Belloli EA, et al: Respirology. 2016; 21(2): 259-68.

（永井達也）

D 腎臓

16. ネフローゼ症候群

ステロイド治療の心構え

▶病理の組織形態や尿蛋白の程度，保存療法への反応性に応じて，ステロイドの適応や投与量を決定します。
▶治療抵抗例では，免疫抑制薬を積極的に導入してステロイドの減量を試みます。
▶疾患ごとに治療に対する反応性が異なります。
▶最終的にはステロイドの中止をめざします。

1 疾患の概要

- ネフローゼ症候群は糸球体疾患の臨床診断，病理診断，最終診断の3つの診断過程のうち，臨床診断のひとつであり，尿蛋白（蓄尿蛋白3.5g/日以上の持続または随時尿で尿蛋白/尿クレアチニン比3.5g/gCr以上）と低アルブミン血症（血清アルブミン3.0g/dL以下）で診断されます[1]。
- KDIGOのガイドラインでは，上記の診断基準に加えて「浮腫」も必須条件となっています。
- ネフローゼ症候群は，一次性（原発性）と二次性（続発性）にわけられます。二次性を否定した後に一次性の診断とします。
- 代表的な疾患としては，①微小変化型ネフローゼ症候群，②膜性腎症，③巣状分節性糸球体硬化症，④膜性増殖性糸球体腎炎の4つがあります。

①微小変化型ネフローゼ症候群

- T細胞の機能異常によりIL-13などが産生され，糸球体濾過膜の透過性が亢進していると言われています。
- 主にヘルパーT細胞の中でもTh2細胞が関与し，糸球体の足細胞と基底膜を固定するアクチンを含む接着物質を破壊することで蛋白尿が出ていると考えられており，Ⅳb型アレルギーの機序が想定されています。

- 一部ではB細胞の関連を指摘する報告もあります[2]。
- ステロイド反応性が良好な患者に関しては，腎予後も比較的良好と考えられています[1]。

②膜性腎症

- 糸球体基底膜の上皮下へ免疫複合体が沈着することで補体の活性化が起き，蛋白尿が発生すると言われています。
- 抗原は基底膜上にある足細胞に由来するものと考えられており，代表的な原因抗原としてM型ホスホリパーゼA2受容体（M-type phospholipase A2 receptor；PLA2R）やthrombospondin type-1 domain-containing 7A（THSD7A）が報告されています[3]。
- 従来，糸球体疾患の原因検索のためには腎生検が必須とされていましたが，欧米の場合，抗PLA2R抗体が陽性かつ正常腎機能の場合は，生検は行わずに経過をみるという選択肢も出てきました。
- PLA2Rに対する自己抗体（IgG4）は，原発性膜性腎症患者の70％で陽性になると報告されており，日本人患者に限っても50％が陽性になると言われています[1]。THSD7Aは約5％が陽性となり，特に悪性腫瘍の発現との関わりも認められています[4]。
- 病態としては，Ⅲ型アレルギーの機序が想定されています。
- 長期的な腎予後は必ずしも良好とは言えませんが，自然に蛋白尿が消失する症例も約20～30％あることが知られています[1]。

③巣状分節性糸球体硬化症

- 一部の糸球体（巣状）に，分節的に硬化を認めるという病理学的な診断名です。原因として，微小変化群と類似したT細胞の機能異常に伴う糸球体上皮細胞，特に足細胞の障害が想定されています。
- 皮質部糸球体と傍髄質部糸球体との循環動態の違いといった血行力学的な影響によっても足細胞が障害されます。最初の障害部位は傍髄質部であることが典型的です[5]。
- 機序としてⅣ型アレルギーが考えられていますが，詳細ははっきりしません。
- 病理分類であるColumbia分類による亜型分類ごとに臨床的特徴と予後に差があります。一般的には腎予後不良な症例が多く，特に病理像でIgMとC3の沈着が認められるものは予後不良と言われています。 ただし，寛解を認めている症例では予後の改善が認められるものがあります[1]。

④膜性増殖性糸球体腎炎

- 病理学的に，主として糸球体毛細血管膜の二重化を伴う糸球体係蹄壁の肥厚と，係蹄内の細胞増殖を特徴とする病理組織像を呈する糸球体腎炎のことです。
- 免疫複合体が糸球体のメサンギウム領域と血管内皮細胞に沈着することで障害を起こします。補体の沈着は，主に補体の古典経路の活性化とC3bの活性化を代表とする副経路の制御が破綻する2つのパターンのいずれかで形成されます。
- 従来，電子顕微鏡像での高電子密度沈着物（electron dense deposit；EDD）の存在様式によりⅠ型（内皮下），Ⅱ型（基底膜内），Ⅲ型（内皮下と上皮下）に分類されていました。
- 近年では，免疫学的に免疫複合体関連と補体関連（C3腎症）の2つにわける方法も提唱されています[6]。
- 免疫複合体関連では，Ⅲ型アレルギー，C3腎症は補体制御異常が病態として考えられています。
- 未治療の場合，続発性，特発性を合わせて自然経過をみた症例の日本での10年腎生存率は，小児の場合で40～50％と考えられています。成人に関しては，背景疾患の多様さによりわかっていません。

◎

- すべてのネフローゼ症候群の治療目標は，腎予後を改善し，ネフローゼ症候群自体や治療による合併症（代表的には感染症や心血管イベントなど）を防ぐことにあります。

2 どういうときにステロイドを使うか？

- 二次性のネフローゼ症候群であった場合は，ステロイドを投与する前に先行して背景疾患の治療を行います。一次性の場合は，組織ごとに投与量と投与期間が異なります。
- 「エビデンスに基づくネフローゼ症候群診療ガイドライン2020」[1]とKidney Disease：Improving Global Outcomes（KDIGO2021）のガイドライン[7]がステロイド投与の基準を決める上で参考になります。
- 上記ガイドラインを参考にする際の注意点として，寛解や抵抗性の定義，保険適用などから治療薬の選択が日本と欧米で異なる点が挙げられます。

- 微小変化型ネフローゼ症候群や巣状糸球体硬化症では，早期診断・早期治療が予後の改善に有効です。また，膜性腎症では近年，保存療法の重要性も見直されており，保存療法を先行します。

疾患別

(1) 微小変化型ネフローゼ症候群

- 日本・欧米ともに，二次性（腫瘍や薬剤など）を除く一次性に対し全身ステロイドの適応となります。

(2) 膜性腎症

- 欧米では重症化リスクの高いものに関して選択的に免疫抑制療法を実施するのに対し，日本では支持療法か免疫抑制療法を行うかは並列で考えます。
- 欧米ではKDIGO2020から初めて，リスクに応じた治療選択肢を提唱しています。すなわち，すべての症例に十分な保存療法を行った上で，腎障害が悪化するリスク別の4つに分類し，中等度以上でステロイドの併用を検討します。背景として，自然に寛解する症例が20～30％認められるため，免疫抑制薬の有効性と副作用を考慮した結果と考えられます。
- 日本では補助療法・支持療法，ステロイド単独療法，ステロイド＋免疫抑制薬の選択肢が並列で記載されています。

(3) 巣状分節性糸球体硬化症

- 日本・欧米ともに，続発性を除くすべての症例で全身ステロイドの適応となります。

(4) 膜性増殖性糸球体腎炎

- 欧米では，背景疾患に応じて免疫抑制薬での治療が勧められる症例があります。日本では，一部の症例でステロイド療法を考慮してよいとされています。

3 ステロイドの根拠は？

①微小変化型ネフローゼ症候群

- 主にT細胞を治療のターゲットとするため，ステロイドは有効になります。
- ステロイドとプラセボを比較した無作為化比較対照試験は，小児の微小変化型ネフローゼ症候群に関しての報告がほとんどですが，成人に関しての研究が1つあります[8]。

- 微小変化型ネフローゼ症候群，巣状分節性糸球体硬化症，膜性腎症および膜性増殖性糸球体腎炎のあるネフローゼ症候群の患者において，30mg以下の低用量ステロイド群と不使用群で6カ月目までの尿蛋白の変化をみた研究です。結果として，微小変化型ネフローゼ症候群に関しては，ステロイド投与群の75%以上の患者が6カ月目で尿蛋白1g/日以下になったのに対し，不使用群では18カ月後で50%程度までしか寛解に至りませんでした。
- 早期に寛解に至った例でも再発率が比較的高い疾患です。1970年頃からステロイドが使用されるようになり，小児に関しては明確なエビデンスはあるものの，成人への投与に関しては小児のエビデンスをやや拡大解釈し，ステロイドなしでは自然寛解率は高くないことから，ステロイドが微小変化型ネフローゼ症候群の初期治療として選択されています（KDIGO2020での推奨は1C）。

② 膜性腎症

- ステロイドとプラセボを比較した無作為化比較対照試験はいくつか報告があります。
- 日本人を対象とした後ろ向き研究では，ステロイド単独，シクロホスファミド併用，支持療法群の間の寛解率に有意差はありませんでしたが，ステロイド単独治療群とステロイド＋シクロホスファミド群では，支持療法より末期腎不全に至る症例が少なかったです[9]。

③ 巣状分節性糸球体硬化症

- 主にT細胞を治療のターゲットとするため，ステロイドは有効になります。
- 一次性の巣状分節性糸球体硬化症の治療において，成人の場合はステロイドとプラセボを比較した無作為化比較対照試験はなく，観察研究のみです。
- 観察研究では，初回治療において副腎皮質ステロイド療法における完全寛解率は40%前後であり，不完全寛解も合わせると50%台になると示されています[10]。

④ 膜性増殖性糸球体腎炎

- 小児特発性の膜性増殖性糸球体腎炎に対しては，ステロイド療法による尿蛋白減少・腎機能低下抑制効果が示されていますが，成人での明確なエビデンスはありません。

4 ステロイドの初期用量は？

①微小変化型ネフローゼ症候群（表1）

- 一次性微小変化型ネフローゼ症候群であれば，PSL 0.8〜1.0mg/kg/日（最大60mg/日）から開始します。
- 腸管浮腫がある場合や経口摂取困難な場合などでは，経静脈的に投与されることがあります。
- ステロイドパルス療法は，現時点では経口ステロイド療法に比較して寛解導入の達成率に明確な差がなく，副作用の発生頻度が増加することから実施されないことも多く，さらなる研究が待たれます。

②膜性腎症（表2）

- 一次性膜性腎症であれば，日本の場合，腎機能が低下しうる患者に対してPSL 0.6〜0.8mg/kg/日で投与します。

表1　微小変化型ネフローゼ症候群の治療推奨

	ネフローゼ症候群診療ガイドライン2020	KDIGO2021
初期治療	PSL 0.8〜1.0mg/kg/日（最大60mg/日）	PSL 1.0mg/kg/日 連日 最大80mg/日　または PSL 2.0mg/kg/日 隔日 最大120mg/日
初期量での治療期間	寛解後，1〜2週間継続 初期量を2〜4週間程度持続	完全寛解：最低4週間 不完全寛解：最長16週間
減量，治療期間	完全寛解後， 5〜10mg/日 2〜4週ごとに減量 5〜10mg/日達成で少なくとも1年程度を目安に漸減・中止する	完全寛解後，24週間かけて漸減中止
初期治療以外	**〈再発例〉** •状況により初回治療と同様あるいは初回治療より減量 •シクロスポリン 1.5〜3.0/kg/日 •経口シクロホスファミド 50〜100mg/日 •ミゾリビン 150mg/日 **〈頻回再発例，ステロイド依存例，ステロイド抵抗例〉** 再発例のレジメンを患者の状況に応じて投与 上記で寛解しないステロイド抵抗性または難治性症例に対しては，リツキシマブの投与を考慮する	**〈頻回再発例/ステロイド依存性〉** 下記のいずれかを選択 •経口シクロホスファミド 2〜2.5mg/kg/日を8〜12週間 •シクロスポリン 3〜5mg/kg/日 分2 •タクロリムス 0.05〜0.1mg/kg/日，完全寛解後3カ月間の後に漸減し，最小用量として1〜2年間継続する •リツキシマブ 375mg/m^2 週1回を4回 375mg/m^2 週1回，CD19細胞>5/mm^{3}で続けて投与 •ミコフェノール酸モフェチル 1,000mg 1日2回を1〜2年投与

表2　膜性腎症の治療推奨

	ネフローゼ症候群診療ガイドライン2020	KDIGO2021
初期治療	①補助療法・支持療法 ②①+ステロイド単独療法 ③ステロイド+免疫抑制薬の併用 のいずれかを選択 ①で尿蛋白<1g/日であればそのまま 6カ月経過しても尿蛋白<1g/日を達成できない場合は②か③を選択 PSL 0.6～0.8mg/kg/日 高齢者の場合は補助療法のみで経過をみることもある	腎機能悪化のリスク分類を4段階(後述の**表3**参照)にわけて行う 蛋白尿を伴う場合,支持療法を最適化する 低リスク:経過観察 中等度リスク:経過観察またはリツキシマブ,またはカルシニューリン阻害薬±ステロイド 高リスク:リツキシマブ,またはシクロホスファミド+ステロイド,またはカルシニューリン阻害薬+リツキシマブ **最高リスク:シクロホスファミド+ステロイド** **〈投与方法〉** •周期的なシクロホスファミド投与:ステロイド(1g 3日間+PSL 0.5mg/kg/日を27日間)+経口アルキル化薬(シクロホスファミド2.0mg/kg/日を30日間)の2カ月治療を合計6カ月間繰り返す •持続的なシクロホスファミド投与:ステロイド(1g 3日間+PSL 0.5mg/kg/日 隔日療法で6カ月まで緩徐に減らしつつ投与)+経口アルキル化薬(シクロホスファミド 1.5mg/kg/日を6カ月間) •リツキシマブ 1gを週1回,2週連続投与 375m²を週1～4の間隔で投与 •カルシニューリン阻害薬(①シクロスポリン3.5mg/kg/日 分2,トラフ値:125～225ng/mLないし②タクロリムス 0.05～0.1mg/kg/日 分2,トラフ値:3～8ng/mLで12カ月) 初期治療として,ステロイド単独は推奨しない
初期量での治療期間	4週間	投与レジメンごとに異なる
減量,治療期間	病型と個々の病態に応じて判断する	6カ月経過しても完全ないし部分寛解に至らなかった場合は他の薬剤に変更

▼次ページへ続く

表2　膜性腎症の治療推奨（続き）

	ネフローゼ症候群診療ガイドライン2020	KDIGO2021
初期治療以外	**〈治療抵抗性の場合〉** 最終的にステロイド+免疫抑制薬を選択 免疫抑制薬： シクロスポリン 2.0～3.0mg/kg/日を1日1回投与 ミゾリビン 150mg/日 シクロホスファミド 50～100mg/日を経口投与，総投与量は300mg/kgまで ACTH ・リツキシマブは限定的な報告 ・治療抵抗性が続けば，他の治療やLDLアフェレーシス療法も検討	寛解後の再発であれば再評価 初期治療がリツキシマブであれば再投与 カルシニューリン阻害薬は，リツキシマブを併用 シクロホスファミドの積算量増多（25g以上）であれば，リツキシマブとカルシニューリン阻害薬に変更する **〈治療抵抗性の場合〉** 初期治療はリツキシマブ eGFRが安定→カルシニューリン併用，反応が乏しければシクロホスファミド eGFRが低下→シクロホスファミド 初期治療はシクロホスファミド 2回目はリツキシマブ，その後シクロホスファミド eGFRが低下→2回目はシクロホスファミド 上記治療でも抵抗性の場合は高次医療機関へ紹介

表3　KDIGO2021のガイドラインにおける膜性腎症での腎障害進行のリスク分類

腎障害進行のリスク分類	〈項目〉 ルーチンに行えるのは，尿蛋白測定とeGFRである 他の検査は施設の状況に従う
低リスク	•eGFR正常+蛋白尿＜3.5g/日+血清アルブミン≧3g/dL あるいは •eGFR正常+蛋白尿＜3.5g/日 or ACE阻害薬/ARBによる6カ月間の保存療法で，蛋白尿に50%以上の改善あり
中等度リスク	•eGFR正常+蛋白尿＞3.5g/日+ACE阻害薬/ARBによる6カ月間の保存療法で，蛋白尿に50%以上の改善がない +高リスク要因がまったくない
高リスク	•eGFR＜60mL/分/1.73m^2（または，Cr≧1.5mg/dL）and/or尿蛋白＞8g/日が6カ月以上 or •正常eGFR+尿蛋白＞3.5g/日+ACE阻害薬/ARBによる6カ月間の保存療法で蛋白尿に50%以上の改善がない +下記の1つ以上が陽性となる場合 •血清Alb＜2.5g/dL •PLA2R抗体＞50RU/mL •尿中α1MG＞40μg/分 •尿中IgG≧1μg/分 •尿中β_2MG＞250mg/dL •selectivity index＞0.20
最高リスク	•生命に危険の及ぶネフローゼ症候群 or •他の原因では説明のつかない急速な腎機能低下

③巣状分節性糸球体硬化症（表4）

- 一次性巣状分節性糸球体硬化症であれば，日本の場合，PSL 1.0mg/kg/日（最大60mg/日）から開始します。実臨床では，より高用量のステロイドを必要とするケースもあります。

表4　一次性巣状分節性糸球体硬化症の治療推奨

	ネフローゼ症候群診療ガイドライン2020	KDIGO2021
初期治療	PSL 1.0mg/kg/日（最大60mg/日） •経口で効果不十分であればステロイドパルスを検討 •経口での吸収不良が疑われる場合は，経静脈的投与を検討	高用量ステロイド PSL 1.0mg/kg/日 連日（最大80mg/日） あるいは PSL 2.0mg/kg/日 隔日（最大120mg/日） 高用量ステロイド使用困難時はカルシニューリン阻害薬を使用
初期量での治療期間	2～4週間	完全寛解：最低4週間 不完全寛解：最長16週間 副作用が出れば治療期間短縮も考慮
減量，治療期間	観察研究では，平均6カ月間続けたとの報告あり	完全寛解後，2週間は同量を継続 1～2週ごとに5mgずつ減量し，合計24週間で終了とする 部分寛解が8～12週で得られた場合は，16週まで同量を継続し完全寛解をめざす その後，減量を開始する ステロイドでの毒性が出現したら直ちに減量し，代替薬（カルシニューリン阻害薬など）に切り替える
初期治療以外	〈再発例〉 •エビデンスが乏しく微小変化型の治療に準じる •シクロスポリン 1.5～3.0mg/kg/日を併用 〈頻回再発例/ステロイド依存例〉 •エビデンスが乏しく，微小変化型の治療に準じる 〈ステロイド抵抗例〉 •免疫抑制薬の併用（シクロスポリン，シクロホスファミド，ミゾリビン，ミコフェノール酸モフェチルなど） 上記で治療効果が乏しい場合は，リツキシマブの投与を考慮してよい 〈薬剤抵抗例〉 •3カ月間，12回のLDLアフェレーシス	〈ステロイド抵抗性の場合〉 ステロイド単独治療や無治療よりもカルシニューリン阻害薬を6カ月用いることを推奨する（1C） •シクロスポリン 3～5mg/kg/日 分2（血中濃度：100～175ng/mL） ないし •タクロリムス 0.1～0.2mg/kg/日 分2（血中濃度：5～10ng/mL）で少なくとも6カ月以上は投与する その後1年間漸減 完全寛解または部分寛解では，少なくとも12カ月継続して再発リスクを最小化すべき 〈カルシニューリン阻害薬に耐性の場合〉 他のエビデンスはない •ミコフェノール酸モフェチルと高用量デキサメタゾン，リツキシマブ，ACTHが考慮される •患者の個別化が重要

④膜性増殖性糸球体腎炎（表5）

- 一次性膜性増殖性糸球体腎炎のうち，免疫グロブリンと補体を介した糸球体腎炎であれば，明確なエビデンスはありませんが，PSL 1.0mg/kg/日（最大60〜80mg/日）から開始されることが多いです。

表5　一次性膜性増殖性糸球体腎炎の治療推奨

	ネフローゼ症候群診療ガイドライン2020	KDIGO2021
治療内容	詳細な記載はない	•免疫グロブリン/免疫複合体を介した機序 尿蛋白<3.5g/日かつ腎機能正常：保存療法のみ ネフローゼ症候群で腎機能はほぼ正常：少量のステロイド投与 腎機能低下があり，かつ少量の蛋白尿あり：ステロイド+免疫抑制薬 急速進行性糸球体腎炎パターン：高用量ステロイド+免疫抑制薬（シクロホスファミド） 腎機能障害（eGFR<30）：保存療法のみ •C3腎症（中等度〜重度，モノクローナルなガンマグロブリン血症なし）：ミコフェノール酸モフェチルで治療し，改善なければエクリズマブを検討する

5 治療への反応性は？（表1，表2，表4）

①微小変化型ネフローゼ症候群

- 治療への反応は良好であり90%程度が初期治療で寛解しますが，成人の場合，小児より寛解までの期間が長いです。また，高齢発症の場合などは，難治性のケースが少なくありません。
- 早ければ2〜3週目で尿蛋白が減少しますが，症例によっては8週間ほど要する場合や，ステロイドに対して治療抵抗性の場合もあります。

ピットフォール

【微小変化型ネフローゼ症候群で2回目の腎生検を考えるとき？】

➡微小変化型ネフローゼ症候群として治療を開始しても，12〜16週間以上蛋白尿が継続する場合があります。

➡治療抵抗性の場合は，免疫抑制薬の併用が必要となる場合や，そもそも診断の間違い（巣状分節性糸球体硬化症や初期の膜性腎症，メサンギウムの増殖，IgM腎症やC1q腎症など）の可能性を考慮する必要があります。いずれの疾患も糸球体を構成する足細胞の障害でありながら，疾患の分布が異なったりするため，初期の病変の場合は判断が困難となるためです。

②膜性腎症

- 治療開始後，早ければ4週間以内に効果が出現することもありますが，寛解に至るのは6カ月で50％ほど，場合によっては1年を要することもあります。
- 年齢による寛解率に差はなく，部分寛解ないし完全寛解をめざします。
- 非ネフローゼ程度の尿蛋白の患者もいれば，ネフローゼ症候群を呈している膜性腎症患者もいます。
- 長期的にみて症例の30％が自然寛解します。

③巣状分節性糸球体硬化症

- 微小変化型ネフローゼ症候群に比べて，治療反応に乏しいです。
- 寛解のために十分な量のステロイドが必要となることや，長期間の投与が必要となることも多いです。
- 難治性の場合には，ステロイドの副作用に十分留意しながら，他の免疫抑制薬の併用も行います。

④膜性増殖性糸球体腎炎

- 成人発症例では続発性であることが多いため，寛解率に関するまとまった報告はなく，背景疾患の状況によります。
- 過去の報告で，Ⅰ型膜性増殖性糸球体腎炎ではネフローゼを伴う場合，腎生存率が40％であるのに対し，ネフローゼを伴わない場合は85％と言われています[11]。

6 寛解導入療法はステロイド単剤でよいか？

- いずれの疾患においても，日本と欧米で方針に多少の違いがあります。**表1**，**表2**，**表4**，**表5**を参考にします。

①微小変化型ネフローゼ症候群

- 90％の患者がステロイドに反応するため，最初はステロイド単剤で治療されることが多いです。
- ステロイド依存性ないし治療抵抗性の場合は，他の免疫抑制薬を併用します。
- 主に巣状分節性糸球体硬化症を認める場合に使用されることが多いLDLアフェレーシスですが，難治例の場合に検討されることもあります。

②膜性腎症

- 日本では支持療法，ステロイド単剤療法，ステロイド＋免疫抑制薬のいずれかを選択するようになっていますが，欧米では腎障害の増悪リスク別の4段階にわけて（**表3**），ステロイド＋免疫抑制薬やステロイド以外の免疫抑制薬を併用して対応することが推奨されています。
- ステロイド単剤療法に比べてアルキル化薬剤（シクロホスファミドを含む）併用療法のほうが，腎機能が維持されることが示されています[12)]。
- リツキシマブ単剤による治療では，ステロイド＋シクロホスファミドによる治療と比べて完全寛解率は変わらず（部分寛解率が有意に多く），副作用が有意に少なかったとする報告があります。

③巣状分節性糸球体硬化症

- 最初はステロイド単剤療法で治療を開始します。
- ステロイド抵抗性の巣状分節性糸球体硬化症の場合，低用量ステロイドに加えて免疫抑制薬，特にカルシニューリン阻害薬を併用することがあります。
- また，本邦では脂質異常を伴う薬剤抵抗性を呈する症例に対してLDLアフェレーシスを行い，寛解導入に有効であったとする報告があります[13)]。

④膜性増殖性糸球体腎炎

- 治療の選択は病型と腎障害の程度によります。日本のガイドラインには詳細な記載はありませんが，欧米のガイドラインでは**表5**のように示されています。
- 現時点では明確なエビデンスの集積はありませんが，リツキシマブ，エクリズマブなどの分子標的薬が背景疾患に応じて検討されています。

7 寛解維持療法としてsteroid sparing agentは何かあるか？

- ネフローゼ症候群の治療では，寛解導入と寛解維持療法をわけて考えることはほとんどありません（**表1**，**表2**，**表4**，**表5**を参照）。
- シクロホスファミドで寛解導入した場合，そのまま用量調整をして維持療法とすることもありますが，蓄積毒性を避けるために，他の免疫抑制薬（シクロスポリン，ミゾリビン，ミコフェノール酸モフェチル，リツキシマブなど）に変更することもあります。

8 ステロイド減量のスピードは？

①微小変化型ネフローゼ症候群

- **表1**を参考に減量を行います。
- ステロイドによると思われる副作用が増悪傾向の場合は，早期に減量することもあります。ただし再発例も多い疾患であり，早期減量により再発を繰り返してしまうことには留意する必要があります。

②膜性腎症

- **表2**を参考に減量を行います。
- 原則は早期の減量ですが，症例に応じて使用期間が延長する場合もあります。

③巣状分節性糸球体硬化症

- **表4**を参考に減量を行いますが，十分な量のステロイドが必要になるケースが多く，減量スピードは微小変化型ネフローゼ症候群よりも遅くなることが多いです。

④膜性増殖性糸球体腎炎

- 明確な指針はありません。

9 減量は何を指標にすればよい？

- 疾患活動性の低下の指標としては，自覚症状（呼吸困難感，浮腫，体重増加など）の改善や採血でのAlb値の改善，尿蛋白量の低下が考えられます。
- 寛解の基準は日本と欧米で異なるため，定義を確認します。

ピットフォール

【ネフローゼ症候群の寛解とは？】

➡治療目標に「寛解」と記載がありますが，日本のガイドラインでは明確に定義されています。

➡治療開始後，一定期間（1カ月および6カ月）での尿蛋白量（寛解・無効）による治療効果判定基準（**表6**）および治療反応による分類（**表7**）が示されています。

表6　ネフローゼ症候群の治療効果判定基準（日本）

完全寛解	尿蛋白＜0.3g/日
不完全寛解Ⅰ型	0.3g/日≦尿蛋白＜1.0g/日
不完全寛解Ⅱ型	1.0g/日≦尿蛋白＜3.5g/日
無効	尿蛋白≧3.5g/日

効果判定は治療開始後1カ月，6カ月の尿蛋白定量で行う

表7　ネフローゼ症候群の治療反応による分類（日本）

抵抗性	ステロイドのみで治療して1カ月後の判定で不完全寛解Ⅱ型ないし無効例
難治性	ステロイド+免疫抑制薬で6カ月治療しても不完全寛解Ⅱ型ないし無効例
ステロイド依存性	再発を2回以上繰り返すためステロイドを継続している症例
頻回再発型	6カ月間に2回以上再発する例
長期治療依存型	2年以上ステロイド，免疫抑制薬等で治療されている場合

10 ステロイドは中止できるか？　投与期間は？

- ネフローゼ症候群で完全寛解を維持できている場合は，疾患ごとに一定期間の投与の後，ステロイドを漸減し中止することは可能です。ステロイドを含めた免疫抑制薬の有効性＞副作用であるうちは投与を継続し，有効性＜副作用となった場合は中止します。
- 日本のガイドラインでは，微小変化型ネフローゼ症候群では最小投与量となって1～2年，巣状分節性糸球体硬化症も寛解後は微小変化型ネフローゼ症候群に準じて減量します。膜性増殖性糸球体腎炎では背景疾患によりますが，漸減しながら2年間で中止とされています[1)]。欧米のガイドラインでも期間は異なりますが，同様に漫然と使用継続しないようになっています。

11 モデル症例

症例：ネフローゼ症候群，病理診断：一次性微小変化型ネフローゼ症候群（36歳女性）

①最初に二次性の要素がないことを年齢相応のがんスクリーニングを含む各種採血で確認した。ステロイド開始前のチェック（☞**1章2**）を行い，PSL 60mg/日（1mg/kg）で寛解導入療法を開始した。

②血圧152/88mmHgと高血圧を合併していたため，エナラプリル5mg/

日，また脂質異常症の治療としてアトルバスタチン10mg/日を開始し，栄養指導により塩分制限6g/日未満を指導した。著明な浮腫はきたしていなかったため，利尿薬の使用は見送った。

③2週後に再診し，蛋白尿が減少し浮腫が改善していることを確認した。

④4週後の再診時に尿蛋白定量0.2g/gCrにより完全寛解を確認した。

⑤2～4週ごとにPSL 10mg/日の減量を行い，10mg/日になった時点で，その後は2～4週ごとに2.5mg/日ずつ減量し，5mg/日にした時点で1年間維持した。

⑥完全寛解は継続し，1カ月ごとに1mg/日ずつ減量し，計17カ月でステロイドを中止とした。その後も月1回の外来で経過観察としたが，浮腫の増悪や尿蛋白を認めず，完全寛解を維持している。

文 献

1) 成田一衛，監：エビデンスに基づくネフローゼ症候群診療ガイドライン2020. 厚生労働科学研究費補助金難治性疾患等政策研究事業（難治性疾患政策研究事業）難治性腎障害に関する調査研究班，編. 東京医学社，2020.
2) Vivarelli M, et al:Clin J Am Soc Nephrol. 2017;12(2):332-45.
3) Couser WG:Clin J Am Soc Nephrol. 2017;12(6):983-97.
4) Tomas NM, et al:N Engl J Med. 2014;371(24):2277-87.
5) Rosenberg AZ, et al:Clin J Am Soc Nephrol. 2017;12(3):502-17.
6) Pickering MC, et al:Kidney Int. 2013;84(6):1079-89.
7) Kidney Disease:Improving Global Outcomes (KDIGO) Glomerular Diseases Work Group. Kidney Int. 2021;100(4S):S1-S276.
8) Black DA, et al:Br Med J. 1970;3(5720):421-6.
9) Shiiki H, et al:Kidney Int. 2004;65(4):1400-7.
10) Troyanov S, et al:J Am Soc Nephrol. 2005;16(4):1061-8.
11) Cameron JS, et al:Am J Med. 1983;74(2):175-92.
12) Ponticelli C, et al:N Engl J Med. 1992;327(9):599-603.
13) Muso E, et al:Nephron Extra. 2015;5(2):58-66.

（北村浩一）

D 腎臓

17. IgA腎症

ステロイド治療の心構え

▶尿蛋白と腎機能の程度に応じてステロイドの投与がなされます。
▶IgA腎症の病態に関してはマルチヒット説があり，ステップ別に応じた新規治療薬が検討されています。
▶ステロイドを漫然と使用する治療は推奨されていません。
▶最終的にステロイドの中止をめざします。

1 疾患の概要

- IgA腎症とは，1968年にJean Berger[1]により最初に免疫染色の結果として報告されました。現在のガイドラインの定義は糸球体性の血尿，尿蛋白陽性を呈し，有意なIgA沈着を糸球体に認め，その原因となりうる基礎疾患が認められないものとされます。すなわち，免疫応答が病態に関わっており，糖尿病など二次性の要因が認められないことが特徴であり，腎生検のみで診断されます。
- 原発性糸球体疾患の中で最も頻度が高く，本邦で行われる腎生検の1/3を占め，IgA腎症の発症率は10万人当たり3.9～4.5人/年と推定されています[2]。臨床症状は非常に多様性があり，本邦では検尿での蛋白尿や血尿を契機に発見されることが多いです。
- 未治療の場合の腎予後は不良です。これまでの報告では，診断されてから10年で腎生存率が80%に低下し，約20年で40%が末期腎不全に至ると考えられています[2]。
- IgA腎症の病態には，主にIgAを含む免疫応答が関与しています。IgAはIgA1とIgA2からなり，粘膜免疫に関与します。狭義では免疫グロブリンの重鎖のヒンジ部に結合している一部のガラクトースが欠損した糖鎖異常IgA1（Gd-IgA1）が血液中に増加し，後述するマルチヒットが起き，メサンギウム領域に沈着することで腎障害を生じると考えられています。

- マルチヒット説とは，ヒット1（IgA1産生B細胞の異常により糖鎖異常IgA1が産生され，血中に増加），ヒット2（糖鎖異常IgA1に対するIgGやIgAが形成），ヒット3（糖鎖異常IgA1と特異的抗体が免疫複合体を形成），ヒット4（免疫複合体が肝臓で上手くクリアランスされず，糸球体のメサンギウム領域に沈着し組織障害を起こす）がそろうことで腎障害が起きる一連の流れを指します[3)]（**図1**）[4)]。

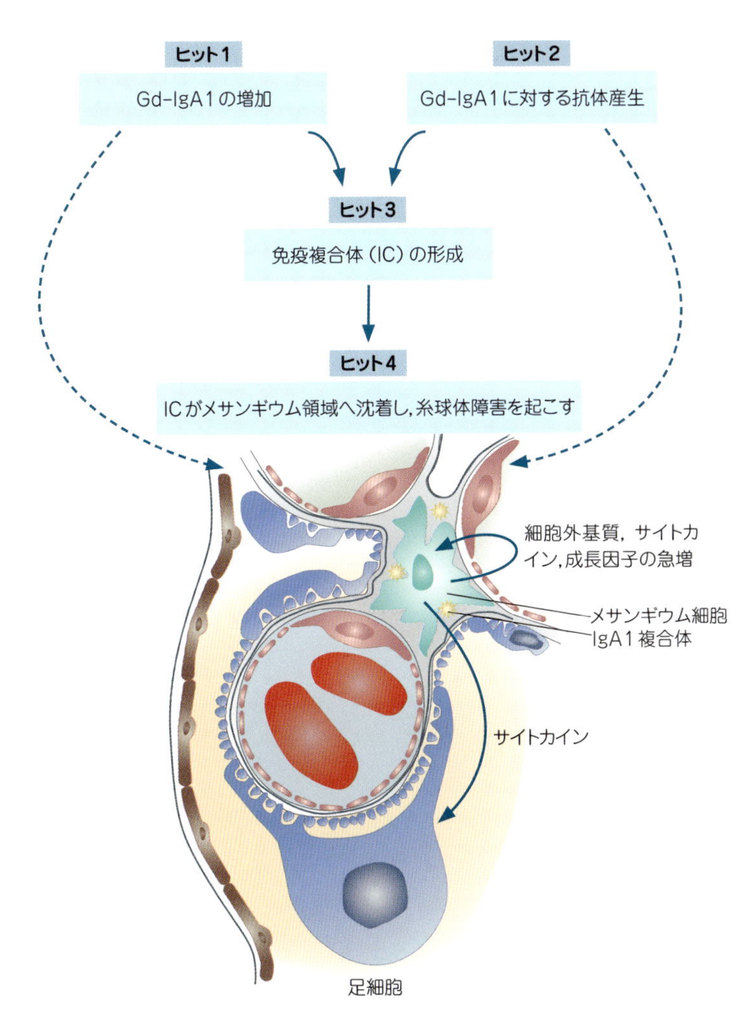

図1　マルチヒット説と腎障害　（文献4より改変）

- マルチヒットが起きるための最初の粘膜刺激・抗原曝露の原因のひとつとして，本疾患では上気道感染後に肉眼的血尿が認められる例もあることから，咽頭扁桃を構成のひとつとする鼻粘膜関連リンパ組織（nasopharynx-associated lymphoid tissue；NALT）の関与が示唆されており，特にアジア人に多いとされています。
- 欧米人では，腸管関連リンパ組織（gut-associated lymphoid tissue；GALT）との関連が示唆されています。これらの粘膜刺激・抗原曝露を経た後に，前述のマルチヒット説を経て腎障害が起きると想定されます。
- IgA腎症の可能性が高い検査所見は，①持続的顕微鏡的血尿（尿中赤血球≧5個/HPF），②間欠的または持続的蛋白尿（尿P/C≧0.3g/Cr），③血清IgA 315mg/dL以上，④血清IgA/C3比3.01以上，の4項目のうち3項目以上を認める場合とされており，最終診断は腎生検によってのみ行われます[5]。
- 治療の目標は疾患のコントロールを行い，末期腎不全への進展を抑制することです。
- IgA腎症は早期に進展する例もあり，早期の診断・治療が有効とされています。
- 定性検査で2＋程度の持続，1日尿蛋白量が0.3〜0.5g以上（尿蛋白/クレアチニン比でも同様）の場合，腎生検を検討します。
- 尿蛋白1g/日を超えるとGFR低下のリスクが増悪すると言われており[6]，蛋白尿とGFR低下，高血圧を十分に管理する必要があると考えられます。
- 腎病理所見を評価するツールとして，欧米ではOxford分類，日本では組織学的重症度分類（H-grade）が用いられ，今後の予後予測ツールとしての期待がなされています。

MEMO

【IgA腎症の発症パターン】

▶無症候性血尿：検査で偶然発見されるものです。特に学校検診や職場検診がある日本では，このパターンでの発見が多いです。

▶肉眼的血尿：感冒後数日（1〜3日）以内に肉眼的血尿を呈します。

▶急性腎障害：急性尿細管壊死のパターンと急速進行性糸球体腎炎（rapidly progressive glomerulonephritis；RPGN）のパターンがあります。RPGNの場合は，状況に応じてシクロホスファミドなどの免疫抑制薬を使用します。

▶ネフローゼ症候群：微小変化群を合併したIgA腎症ないし巣状糸球体硬化症パターンを呈することがあります。

2 どういうときにステロイドを使うか？

- 治療の基本は，ヒット4以降のRAS（renin-angiotensin-aldosterone）系の亢進に伴う糸球体高血圧による蛋白尿増加，腎機能障害を抑制するために，保存療法，特にACE阻害薬ないしはARBを最大限に投与することです。これのみが日米ともに確立された治療法となります[7, 8]。
- 保存療法で改善が認められない症例に関しては，ステロイド投与を検討します。
- 本邦のガイドラインでは，**図2**[9]に示す条件に照らして，尿蛋白減少と腎機能低下抑制のためにステロイドの投与を検討します。特に，尿蛋白≧1g/日かつeGFR≧60mL/分/1.73m^{2}のIgA腎症に対するステロイド投与は推奨されています（推奨グレード1B）。
- KDIGOのガイドラインでは，3カ月間の厳格な保存的治療（ACE阻害薬またはARBの最大用量の投与と血圧コントロール，生活改善，心血管リスク評価）に

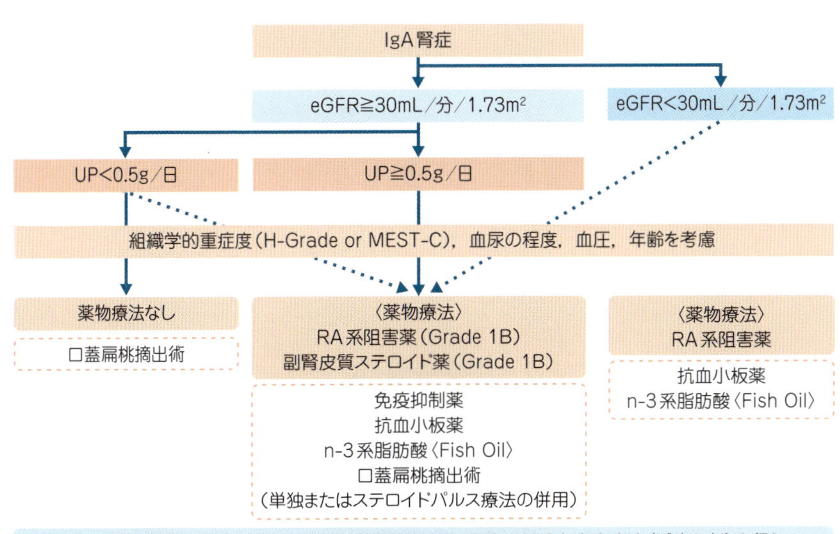

図2　成人IgA腎症の治療アルゴリズム
腎病理組織学的所見や年齢なども考慮し，治療介入の適応を慎重に判断する

（文献9より引用）

もかかわらず，尿蛋白≧1g/日が持続する患者で，GFR≧30mL/分/1.73m^{2}であれば，各種患者背景（高齢，メタボリック症候群，肥満，潜在性感染症など）を考慮した上で，副腎皮質ステロイドによる治療のメリットとデメリットを検討し，必要であれば投与するという方針になっています。

3 ステロイドの根拠は？

- ステロイドはすべてのヒットに対する治療と考えられています。
- 本邦でIgA腎症に対しステロイドを使用した最初の報告は，1986年にKobayashiら[10)]からなされ，蛋白尿1～2g/日かつCcr＞70mL/分のIgA腎症患者に対して経口PSL 40mg/日で1～2年経過をみたところ，蛋白尿減少や腎機能低下の改善を認めました。ただし，当時は現在の主流であるRAS阻害薬の併用は考慮されていませんでした。
- 1999年にPozziらにより行われた研究[11)]は，ステロイドパルスを用いた初めての無作為化比較対照試験（RCT）でした。 対象患者は尿蛋白≧1g/日かつ，主にCKDステージG1・G2（eGFR≧60）のIgA腎症患者であり，介入としてステロイドパルス療法群とプラセボ群を比較しました。結果としては，血清Crの1.5倍化および2倍化の発症率がステロイドパルス療法群で抑制されました。特に6カ月間治療を続けることが10年後の腎予後に影響をもたらすことが判明した試験です。この試験でもRAS阻害薬が全例には投与されていない点は，注意して解釈する必要があります。
- 2009年にMannoらにより行われた研究[12)]は，対象患者を尿蛋白≧1g/日かつ，主にCKDステージG1・G2（eGFR≧60）のIgA腎症患者とし，介入として高用量ステロイド療法＋RAS阻害薬群とRAS阻害薬単独群を比較することで，高用量ステロイド療法の有効性を検討したものでした。結果としては，介入群のほうがベースラインの蛋白尿が多かった（2.5g/日 vs. 2g/日）にもかかわらず，併用群の8年後の腎機能予後（血清Crの1.5倍化および2倍化の発症率）が改善されました。
- Pozzi[11)]とManno[12)]の研究のいずれもステロイドによる副作用はごくわずかであり，死亡例は認められませんでした。
- 上記の報告をふまえ，投与方法としては**表1**に示したPozzi[11)]ないしManno[12)]のレジメンが用いられることが多いです。加えて日本では，仙台方式のレジメン[13]も報告されています。

- 2015年に報告されたSTOP-IgAN研究[14]では，RAS系阻害薬使用下で尿蛋白0.75g/日以上持続する症例に対して，保存療法群と免疫抑制療法群に無作為に割り付けし，腎機能障害進行抑制効果を検証しました。結果として，ステロイドを併用することで蛋白尿は減りましたが，腎機能予後（平均観察期間3年間でのeGFR低下>15mL/分/1.73m^2）の改善に有意差は認められませんでした。
- 2017年に報告されたTESTING研究[15]では，尿蛋白1g/日以上でeGFRが20〜120mL/分/1.73m^2（平均eGFR 59.4mL/分/1.73m^2，平均尿蛋白2.4g/日）のIgA腎症患者を対象にステロイド療法の効果を検証しました。ステロイドを併用することで，ごくわずかに腎機能予後（平均観察期間2.1年間におけるeGFRの基礎値からの40％の低下ないし末期腎不全への進展ないし死亡）が改善しましたが，感染合併が多く死亡例も出たため，試験は早期（観察期間の中央値：2.1年）に中止となりました。
- 本邦においてはST合剤の早期併用や，高齢者に対してはミニパルスにすることで感染抑制効果を期待した治療方法もあります。
- 現時点では，IgA腎症患者の背景を加味して，ステロイドを全例に使うのではなく，使用に伴うリスクを考慮して治療適応を決めます。

4 ステロイドの初期用量は？

- **表1**[11〜13]に示したように，Pozzi[11]ないしManno[12]のレジメンが用いられます。

表1 ステロイド投与のレジメン

方法	Pozzi[11]	Manno[12]	Hotta[13]
内容	静注mPSL 1g 3日間を1, 3, 5カ月目に実施 その間は PSL 0.5mg/kg/日を隔日投与 6カ月	初回投与 経口PSL 0.8〜1.0mg/kg/日で2カ月投与 その後， 0.2mg/kg/日ごとに1カ月ずつ減量していく	1クール静注mPSL 500mg 3日間 経口PSL 30mg 4日間 上記を3クール連続で実施 経口PSL 30mg/隔日で2カ月投与し，5mg/2カ月ずつ減量して投与 最終的には5mg/隔日で終了 治療中に寛解したら早期減量・中止可能 経過をみて抗血小板薬を併用
総治療期間	6カ月	6カ月	最長1年間

（文献11〜13をもとに作成）

5 治療への反応性は？

- 患者の背景も様々であることから，治療の反応性も様々とされています。

6 寛解導入療法はステロイド単剤でよいか？

- これまで述べたように，RAS阻害薬を含めた保存療法（☞ **p.220 MEMO「RAS阻害薬，免疫抑制薬以外で可能な治療介入は何か？」**）を徹底した上で，限定された症例のみにステロイドを使用します。RAS阻害薬の2剤併用は，高カリウム血症の懸念から推奨されません[16]。
- 日本ではこのほかに，扁桃摘出術併用ステロイド投与が行われることが多いです。
- 扁桃摘出療法は主にヒット1への治療として考えられており，2001年にHottaら[13]が口蓋扁桃摘出術（扁摘）＋ステロイドパルス療法がIgA腎症の尿所見を改善させることを報告して以来，複数の施設で実施されています。しかし，別の中間報告[17]では尿蛋白減少効果は認められましたが，尿所見の正常化率や腎機能低下の抑制効果には差がなかったとする報告もあります。
- 近年本邦では，eGFR≧60程度のIgA腎症においては，腎生検後どのタイミングで扁桃摘出術を行ってもCrと尿蛋白の増悪と末期腎不全への進展を抑制したとする報告[18]や，IgA腎症の診断後1年以内に扁桃摘出術の実施群と未実施群において，実施群のほうが腎障害の進展を抑えることができたとする報告[19]があり，引き続き治療の選択肢となっています。
- KDIGO2021のガイドラインにおいても，日本では扁桃摘出術を考慮（グレード記載なし）と表記されています。
- ステロイドパルス療法併用の場合は感染増悪の懸念がありますが，扁桃摘出術に他の免疫抑制薬であるミゾリビンを併用することで，ステロイドパルスの実施を3回から1回に減らすことができたとする報告[20]があるなど，投与方法の工夫も認められます。
- 他にもいくつかの免疫抑制薬（シクロスポリンやミコフェノール酸モフェチルなど）で治療報告[21, 22]がありますが，まだ標準療法になったものはありません。

7 寛解維持療法としてsteroid sparing agentは何かあるか？

- 現在，様々な薬剤の治験がされており，将来的にはsparing agentとなる可能性がありますが，現時点で標準化されたものはありません。
- シクロホスファミド，アザチオプリン，シクロスポリン，ミコフェノール酸モフェチル，ミゾリビンは，ごく小規模の研究で尿蛋白減少効果ないし腎機能予後の改善効果が報告されており，今後の大規模研究が待たれます。ただし，現時点で日本では保険適用がありません。

MEMO

【IgA腎症の治療ターゲットはどこへ行く？】

▶病態の中心であるマルチヒット説のどこを各治療方法がターゲットにしているかを理解します（**図3**）。

▶ステロイドはヒット1～4に対しての治療と考えられます。

▶現在は各ヒットに対する治療方法の研究が行われており，将来はステロイドを用いない，よりターゲットを絞った治療法が確立する可能性があります。

- ヒット1の前の抗原曝露の制御に関して，NALTをターゲットにしたものは扁桃摘出術になります。
- もう1つの抗原曝露の制御に関して，GALTを治療のターゲットとした腸管選択性ステロイドの有効性を検証した報告もあります。
- IgA血管炎に対してリツキシマブは有効性が示唆されていますが（☞**2章8**），IgA腎症に対する無作為化比較試験[23]では有効性を示せませんでした。腸管でGd-IgA1をつくる形質細胞や骨髄で抗Gd-IgA1抗体をつくる形質細胞はCD20陰性であり，リツキシマブでは除去されないことが影響している可能性があります。
- 他に，ヒット1，2に関わるBAFFやAPRILをターゲットとした治験が進行中です。
- ヒット4に関しては，補体制御を行う薬剤（アバコパンなど）の治験が行われています。

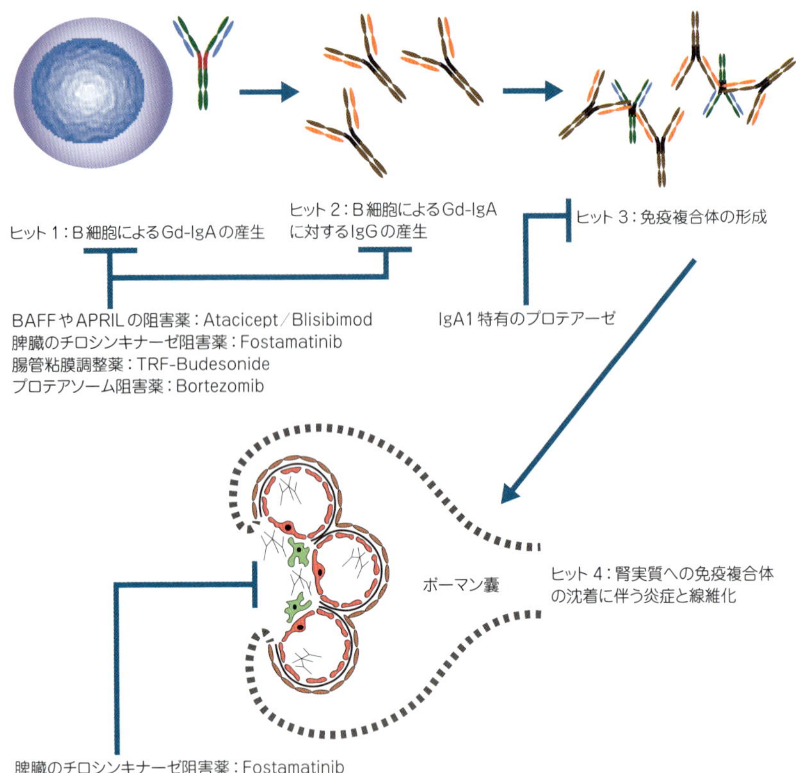

図3　IgA腎症のターゲット別の治療指針

MEMO

【RAS阻害薬，免疫抑制薬以外で可能な治療介入は何か？】

▶慢性腎臓病の管理に加え，下記の保存療法を徹底します。STOP-IgAN試験では，1/3の患者が保存療法を徹底することで年間eGFR低下を1.6mL/分/1.73 m^2まで抑えることに成功しました。

- 血圧：130/80mmHg以下（尿蛋白≧1g/日：125/75mmHg以下），KDIGO2021ガイドラインでは120mmHg未満を推奨している。
- 減塩：3～6g未満
- 脂質異常症の管理
- 禁煙：実施[24)]

- 体重減少：BMI 25未満，運動制限しない[25]
- NSAIDsや腎毒性物質を避ける

▶また，他の薬剤もわずかながら使用されることがあります。

- 抗血小板薬：ジピリダモール>ジラゼプ，チクロピジン，アスピリン[26]
- n-3系脂肪酸（魚油）：エイコサペンタエン酸，ドコサヘキサエン酸[27]

▶SGLT2阻害薬：DAPA-CKD試験のサブ解析[28]として，IgA腎症患者270人の複合腎エンドポイントを評価した試験では，SGLT2阻害薬の投与の有効性を示しました〔ダパグリフロジン群：プラセボ群＝4%：15%（HR 0.29；95%CI 0.12，0.73）〕。今後は慢性腎臓病としてだけでなく，IgA腎症治療薬の選択肢としてのSGLT2阻害薬の使用となる可能性があります。

8 ステロイド減量のスピードは？

- ステロイド減量のスピードについては，選択したプロトコールに準じる形となります。

9 減量は何を指標にすればよいか？

- 減量はプロトコール通りに行います。
- IgA腎症の進行を予測する因子としては，臨床的には蛋白尿，血圧，腎機能障害の程度が挙げられます[29]。
- 特に，経過中の蛋白尿や血圧は，初診時の尿蛋白量，血圧，腎機能の障害の程度および組織学的障害度よりも腎生存率とより強く関連することが指摘されています。
- 経過中に目標とする値は，尿蛋白1g/日未満，血圧130/80mmHg未満です。
- 経過中の血尿に関しては予後不良因子とする報告があるものの，確立されていません。

ピットフォール

➡血尿に関しては，他の糸球体疾患（たとえば菲薄基底膜病など）や非糸球体性血尿も合併している可能性があるため，尿蛋白が低下しても血尿は継続する場合があります。

10 ステロイドは中止できるか？ 投与期間は？

- 基本的には選択したプロトコールに従います。
- 腎機能の低下例や再発例では，ステロイドの有効性が限られており，ステロイドの利点と欠点を考慮して早期に終了する場合もあります。

11 モデル症例

症例：1年前から継続する蛋白尿，血尿で受診（44歳男性）

①来院時点でeGFR 58mL/分/1.73m²，尿蛋白定量1.2g/gCrであり，腎生検を行ったところ，病理でメサンギウムを中心にIgA＞C3の沈着を認め，メサンギウム増殖性腎炎と診断した。MEST score（M1，E0，S0，T0，C0）であり，H-Grade Ⅱ かつC-Grade Ⅲ で，透析導入リスクが高リスク群にあると判断した。基礎疾患に関しては病歴，各種身体所見と検査所見から二次性の要素は否定されているため，最終的にIgA腎症と診断した。

②RAS阻害薬であるエナラプリル2.5mg/日で，目標血圧は130/80mmHg以下とし治療を開始。また，非薬物療法として減塩，禁煙，減量を指示した。

③3カ月経過観察を行い，エナラプリル10mg/日（最大用量）まで増量したが，尿蛋白定量1.2g/gCrが継続しており，eGFR 59mL/分/1.73m²であったため，ステロイド療法の適応と判断した。併せてCKDでもあるため，ダパグリフロジン10mg/日も併用とした。

④ステロイド開始前のチェックを行い，Pozziプロトコールに準じて寛解導入療法をPSL 1g/日 3日間連続で行い，その後，PSL 30mg/隔日（0.5mg/kg/隔日）投与で開始。

⑤4週目の時点で尿検査では尿定性で尿潜血1＋，沈渣ではRBC 1～4/HPFであった。また，尿蛋白定量は0.5g/gCrとなった。8週目の時点では尿蛋白定量0.3g/gCrであった。ステロイドは内服を継続し，3・5カ月目のパルスを行った。また扁桃摘出も検討し，患者本人と話し合った。

⑥6カ月にわたり2回以上（計3回）の検査で基準を満たしたため，日本の調査研究班IgA腎症分科会における効果判定により，治療開始後計7カ月目に完全寛解を確認した。

⑦効果良好であったことから，PSLは6カ月目で10mg/日ずつ1週間ごとに漸減し，27週目で中止とした。

⑧ステロイド中止後も3カ月ごとにフォローアップを行う方針である。

文献

1) Berger J, et al:J Urol Nephrol (Paris). 1968;74(9):694-5.
2) 千田雅代，他:IgA腎症の全国疫学調査成績．厚生省特定疾患難病の疫学調査研究班 平成7年度研究事業集．1995.
3) Selvaskandan H, et al:Clin Exp Nephrol. 2019;23(5):577-88.
4) Suzuki H, et al:J Am Soc Nephrol. 2011;22(10):1795-803.
5) Nakayama K, et al:J Clin Lab Anal. 2008;22(2):114-8.
6) Berthoux F, et al:J Am Soc Nephrol. 2011;22(4):752-61.
7) Praga M, et al:J Am Soc Nephrol. 2003;14(6):1578-83.
8) Woo KT, et al:Cell Mol Immunol. 2007;4(3):227-32.
9) 成田一衛，監:エビデンスに基づくネフローゼ症候群診療ガイドライン2020．厚生労働科学研究費補助金難治性疾患等政策研究事業（難治性疾患政策研究事業）難治性腎障害に関する調査研究班，編．東京医学社，2020.
10) Kobayashi Y, et al:Q J Med. 1986;61(234):935-43.
11) Pozzi C, et al:Lancet. 1999;353(9156):883-7.
12) Manno C, et al:Nephrol Dial Transplant. 2009;24(12):3694-701.
13) Hotta O, et al:Am J Kidney Dis. 2001;38(4):736-43.
14) Rauen T, et al:N Engl J Med. 2015;373(23):2225-36.
15) Lv J, et al:JAMA. 2017;318(5):432-42.
16) Mann JF, et al:Lancet. 2008;372(9638):547-53.
17) Kawamura T, et al:Nephrol Dial Transplant. 2014;29(8):1546-53.
18) Moriyama T, et al:Kidney360. 2020;1(11):1270-83.
19) Hirano K, et al:JAMA Netw Open. 2019;2(5):e194772.
20) Kaneko T, et al:Int Urol Nephrol. 2015;47(11):1823-30.
21) Ballardie FW, et a:J Am Soc Nephrol. 2002;13(1):142-8.

22) Hou J-H, et al:Am J Kidney Dis. 2017;69(6):788-95.
23) Lafayette RA, et al:J Am Soc Nephrol. 2017;28(4):1306-13.
24) Yamamoto R, et al:Am J Kidney Dis. 2010;56(2):313-24.
25) Tanaka M, et al:Nephron Clin Pract. 2009;112(2):c71-8.
26) Taji Y, et al:Clin Exp Nephrol. 2006;10(4):268-73.
27) Miller ER 3rd, et al:Am J Clin Nutr. 2009;89(6):1937-45.
28) Wheeler DC, et al:Kidney Int. 2021;100(1):214-24.
29) Goto M, et al:Nephrol Dial Transplant. 2009;24(10):3068-74.

（北村浩一）

D 腎臓

18. 急性間質性腎炎

ステロイド治療の心構え

- ▶尿細管・間質性疾患の中に急性間質性腎炎が含まれており，急性間質性腎炎の原因は主に，薬剤性，自己免疫性，感染性からなります。
- ▶急性間質性腎炎の症状は，腎機能障害を除けば多様であり，最終診断は腎生検でのみなされます。
- ▶被疑薬を中止しても腎機能障害の改善が認められない薬剤性急性間質性腎炎では，早期のステロイド投与が効果を示すことがあります。
- ▶自己免疫疾患による間質性腎炎の場合は，原疾患への治療に併せて免疫抑制薬が使用されます。

1 疾患の概要

- 急性間質性腎炎とは尿細管間質性病変の中に含まれる疾患で，病理学的な概念です（**表1**）。
- 腎生検のみで診断され，病理学的には糸球体や血管以外の尿細管や間質での炎症所見を特徴とする疾患群です。急性では間質の浮腫とともに種々の炎症細胞や尿細管炎を認め，慢性では間質の線維化とともに単球やリンパ球が中心として腎臓間質に存在します。
- 歴史的には，1968年にBaldwinらが7例の薬剤性間質性腎炎例を報告したことに始まります。現在，急性間質性腎炎は背景疾患のカテゴリー別に薬剤性，自己免疫性，感染性，特発性の4つにわけられます（**表2**）[1]。
- 急性腎障害の原因中の12.9%に認められると報告され[2]，多彩な臨床症状を呈し，見逃されやすい疾患であることには注意が必要です。

表1　尿細管間質性疾患のWHO分類

大分類	小分類
感染性間質性腎炎	•急性感染性尿細管間質性腎炎 •全身疾患に伴う尿細管間質性腎炎 •慢性感染性尿細管間質性腎炎 •特定の腎感染症
薬剤性間質性腎炎	•急性薬剤性尿細管間質性腎炎 •薬剤由来の過敏性尿細管間質性腎炎 •薬剤性慢性尿細管間質性腎炎
自己免疫疾患性間質性腎炎	•尿細管由来の抗原に対する尿細管間質性腎炎 •外因性ないし内因性の免疫複合体由来 •細胞性免疫由来 •即時型アレルギー由来（IgE由来）
閉塞性尿路感染症	
逆流性腎症	
乳頭壊死を伴う尿細管間質炎	
重金属由来の尿細管間質性病変	
急性尿細管障害/壊死	
代謝性要因に伴う尿細管間質性障害	
遺伝性尿細管間質性障害	
悪性腫瘍に伴う尿細管間質性障害	
糸球体疾患や血管系疾患に伴う尿細管間質性障害	
稀な疾患	バルカン腎症など

表2　各カテゴリーと原因

グループ	カテゴリーと原因
薬剤性（～70%）	抗菌薬：ペニシリン，セファロスポリン，キノロン，リファンピシン，バンコマイシン，その他
	利尿薬：サイアザイド，フロセミド
	非ステロイド性抗炎症薬：NSAIDs
	抗痙攣薬：フェニトイン，フェノバルビタール
	その他：PPI，アロプリノール，免疫チェックポイント阻害薬
自己免疫性（～20%）	サルコイドーシス，シェーグレン症候群，SLE，IgG4関連疾患，ANCA関連血管炎，MCTD，スイート病
感染性	細菌：β溶連菌，レジオネラ，カンピロバクター，大腸菌，ブルセラ，マイコプラズマ，梅毒，リケッチア，結核
	ウイルス：EBV，CMV，HIV，ポリオーマウイルス，ハンタウイルス
特発性	TINU症候群，抗TBM病

PPI：プロトンポンプ阻害薬，SLE：全身性エリテマトーデス，ANCA：抗好中球細胞質抗体，MCTD：混合性結合組織病，EBV：エプスタイン・バール・ウイルス，CMV：サイトメガロウイルス，HIV：ヒト免疫不全ウイルス，TINU：間質性腎炎ぶどう膜炎症候群，TBM：尿細管基底膜

（文献1をもとに作成）

① 急性間質性腎炎の病態生理

- 薬剤性，自己免疫性を背景とする急性間質性腎炎は，免疫機構が介在しています。薬物は患者の尿細管間質に結合し，ハプテンとして作用します。この結合体を抗原と誤って認識されることで，樹状細胞を一連とした宿主の獲得免疫機構が働きます。
- 薬剤性の中でも抗菌薬関連の場合は，$CD4^{+}$T細胞によりTh1，Th2のサイトカイン（IFN-γ，IL-4，IL-13など）が分泌されることが特徴です。特に，Th1細胞がM1型マクロファージの活性化を促します。
- プロトンポンプ阻害薬の場合は，さらにTh17細胞が主要な役割を果たします。一部の患者の血清中では，IgE値の上昇や組織中に肥満細胞が認められる場合もあることから，I型過敏性反応の関与が示唆されます。
- 加えて，薬物曝露から発疹，好酸球の発現までの潜伏期間の長さや，薬物に対する皮膚テスト陽性の存在から，$CD8^{+}$のT細胞を介したIV型過敏性反応も示唆されます。
- これらの炎症反応が起こった後に，線維芽細胞も集積し，尿細管間質の線維化が起こり，不可逆的な腎機能障害に至ると考えられます。
- 感染性の機序は，ある種の微生物抗原は間質に沈着し（植え込み抗原），それが尿細管基底膜に通常存在する抗原を模倣して，この抗原に向けられた免疫反応を誘発する可能性があると考えられていますが，明確にはわかっていません。
- 一部の症例では，病理所見で肉芽腫や慢性炎症細胞浸潤があり，背景にサルコイドーシスや結核が認められることがあります。また，**表1**のように様々な機序により尿細管間質性病変を呈します。

② 臨床所見

- 薬剤性急性間質性腎炎の症状は，腎機能障害を除けば多彩です（**表3**）。古典的三徴（発疹，発熱，尿中好酸球増多）が有名ですが，それぞれ15～22％，27～36％，23～35％程度しか認められず，すべての徴候がそろうのは10％程度しかありません[3]。

表3 臨床症状

症状	頻度（％）
急性腎障害	100
透析を必要とする急性腎障害	40
関節痛	45
発熱	36
皮疹	22
好酸球増多	35
顕微鏡的血尿	67
肉眼的血尿	5
白血球尿	82
非ネフローゼ範囲の尿蛋白	93
ネフローゼ範囲の尿蛋白	2.5
ネフローゼ症候群	0.8

- 尿所見は，非ネフローゼレベルの尿蛋白（尿P/C＜3g/gCr），白血球尿，わずかな尿潜血など，糸球体疾患の尿所見に比べ軽度であることが多いです。全身症状を欠き，かつ尿所見も乏しいですが，腎機能障害が認められる場合に鑑別のひとつとして考えます。

2 どういうときにステロイドを使うか？

- 急性間質性腎炎の治療の基本は背景疾患の治療であり，薬剤性の急性間質性腎炎を疑う場合には，まず被疑薬の中止が原則です（**表2**）[1]。
- 基本的には，被疑薬を中止して数日間で腎機能が改善する症例が多いですが，中止して3～5日経過したにもかかわらず腎機能障害が進展する場合，早期（診断後7日以内）にステロイドの投与を検討します[1]。
- また，自己免疫疾患を有する急性間質性腎炎の場合には，背景疾患の治療のために疾患に応じた（ステロイドを含む）免疫抑制薬を使用する場合があります。

3 ステロイドの根拠は？

- 病態生理学的には間質の炎症が主病態であるため，抗炎症作用を有するステロイドを使用し炎症を抑えることが期待されています。腎臓の炎症による不可逆的な線維化は，発症から7日目頃から始まる[4]とされており，早期に投与することで炎症細胞を制御し，間質の線維化を防ぐことが腎予後の改善につながります。
- 観察研究ごとに結果のばらつきはありますが，いくつかの研究では早期のステロイド治療が有効であるとの報告があり，また現在，有効性を検証するRCTが進行中です[5]。
- Clarksonらの報告では，67人の腎生検で診断された薬剤性の急性間質性腎炎に対して，ステロイドを使用した群と使用しなかった群では，1，6，12カ月後の腎機能には差がなく，多くの患者が慢性腎臓病に移行したことが示されました[6]。
- 一方でGonzálezらの報告[7]では，腎生検で診断がついた61人の薬剤性間質性腎炎患者に対し，52人はステロイド治療，9人は対照群として平均19カ月の観察期間としたところ，観察期間最後のCr数値（治療群2.1mg/dLと対象群3.7mg/dL），また，透析の必要性（治療群3.8％と対象群44％）に関して，いず

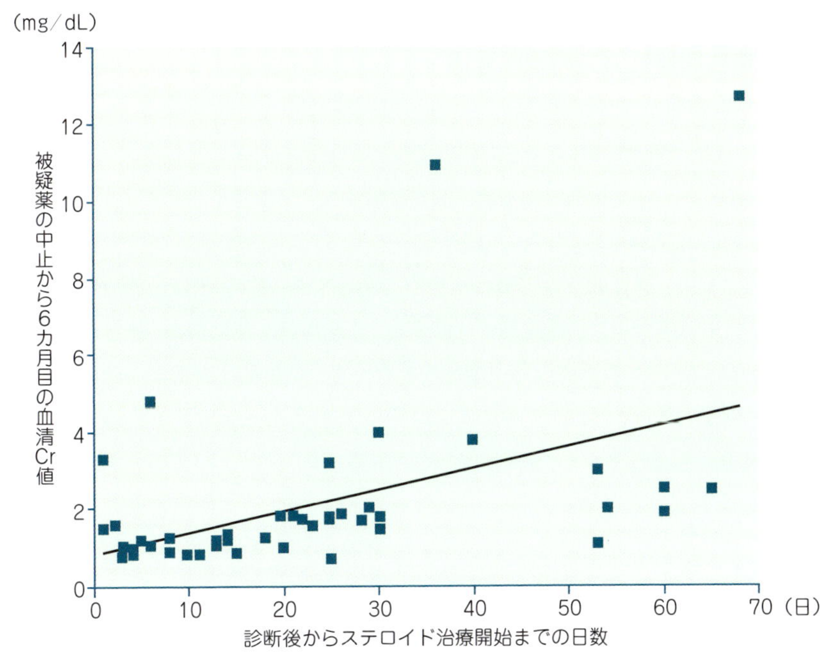

図1　ステロイドの開始時期と治療後の血清Cr値の関係

(文献7より改変)

れも治療群において有意な改善を認めました。さらに本研究において，被疑薬の中止からステロイド開始までの期間が長いほど（つまりステロイド開始が遅れるほど），血清Crは高いままであることが示されました（**図1**）[7]。

- 腎機能が本来の値まで改善した症例では，被疑薬の中止から13日目までにステロイドが投与されており，改善しなかった症例ではステロイド投与が34日目程度であったことから，薬剤性間質性腎炎を疑った際は，早い段階（1～2週間以内）でステロイドを投与することが推奨されています[7]。

4 ステロイドの初期用量は？

- 初期用量は，プレドニゾロン1mg/kg/日 連日 3～12週間の期間で使用します[8]。
- Pragaらの報告では，早期に間質の炎症を鎮静化させるために，セミパルス療法（メチルプレドニゾロン250mg 3日間，その後1mg/kg/日の内服ステロイド）も選択肢のひとつとして報告されています[1]。

5 治療への反応性は？

薬剤性急性間質性腎炎の治療経過

- 治療への反応は，自覚症状，Cr，尿量の推移をみます。
- 治療反応良好例の場合は，2週間程度で反応が認められることが多いです[9]。一例として，キノロン製剤による急性間質性腎炎では，改善を認めた中央値が3週間と報告されています[10]。
- 注意点として，急性間質性腎炎の治療中であっても，他のAKIの病態（循環血漿量減少，糸球体腎炎，急性尿細管性壊死など）を併発した場合は，たとえ一時的にステロイドによる治療反応を認めたとしても，結果的に腎機能の改善が乏しいことがあります。
- 背景疾患にもよりますが，腎機能が本来のベースラインに戻る患者の割合は約50%と言われています。

6 寛解導入療法はステロイド単剤でよいか？

- 基本的にステロイド単剤で治療されることが多いです。
- 腎機能の改善が乏しい場合やステロイドの副作用で継続が困難となった場合は，ミコフェノール酸モフェチル（MMF：1,000〜2,000mg/日）を使用することで腎機能が改善したとする報告があります[11]。

7 寛解維持療法としてsteroid sparing agentは何かあるか？

- 薬剤性の急性間質性腎炎に対し，寛解維持のためにステロイドに続けて免疫抑制薬を追加することはありません。
- 自己免疫性の場合は，背景の自己免疫疾患に対する治療レジメンに併せて免疫抑制薬を使用します。

8 ステロイド減量のスピードは？

- 薬剤性の急性間質性腎炎に対しては，最短で3週間，最長で12週間の投与がなされることがあります。明確な減量方法の基準はありませんが，治療抵抗性の要因として，①治療開始の遅れ，②腎生検結果における重度の間質の萎縮や線維化の存在，③既に腎の線維化が進行していることで腎サイズが小さいこと，の

表4 ステロイドの減量スケジュールの一例

プレドニゾロン投与レジメン		
日	週	用量（mg/日）
1～14	1～2	60
15～28	3～4	40
29～35	5	30
36～42	6	20
43～49	7	10
50～56	8	5

（文献5より改変）

3点が報告[12)]されており，これらの要因を加味して治療期間を決めていきます。

- 明確な基準はありませんが，8週間でステロイド終了とする場合の減量スケジュール例を**表4**[5)]に示します。

9 減量は何を指標にすればよいか？

- 基本的には，腎機能と尿量の改善を確認しながらステロイドを減量します。
- 尿中のIL-9やTNF-αの低下を確認することで，ステロイドの効果判定に使用できる可能性を示した報告[13)]はありますが，実用化はされていません。

10 ステロイドは中止できるか？ 投与期間は？

- 薬剤性急性間質性腎炎へのステロイドの投与期間は早期かつ短期が原則です。薬剤の治療効果，再発リスク，副作用のリスク・ベネフィットを常に考慮し，患者ごとに調整しますが，最終的には中止できます。
- ステロイドの投与期間の目安として，最短で3週間，最長で12週間程度です。
- ステロイドの初期投与量の期間や総投与量・期間は腎予後には寄与せず，①腎生検での間質の線維化が全体の＞50％であること，②診断から治療開始までの期間が長いこと，が腎予後の増悪因子との報告があり，病理検査結果も加味して総合的に治療期間を決めます。
- 早期に治療開始したにもかかわらず，ステロイドの効果が認められなかった患者に対しては，他の免疫抑制薬（MMF，カルシニューリン阻害薬，シクロホスファミドなど）を使用することも稀ながらあります 。
- 自己免疫性の急性間質性腎炎の場合は，疾患背景ごとに免疫抑制薬の投与・併用期間が選択されます。

11 モデル症例

症例：身長170cm，体重60kg。原因不明の腎機能障害で紹介となり入院（56歳男性）

①病歴上，直近でプロトンポンプ阻害薬が開始されていたため間質性腎炎を疑い，薬剤を中止した上で3日間経過観察をした。しかしながら，Crの上昇が継続したため，腎生検を第3病日に実施した。

②ステロイド開始前のチェック（☞1章2）を行い，第4病日よりPSL 60mg/日（1mg/kg/日）で治療を開始した。

③開始して1週間後よりCrの改善を認めた。ステロイド開始後，入院第15病日からPSL 40mg/日に減量した。

④腎生検の結果より，間質への炎症細胞浸潤，また非乾酪性の肉芽腫が散在して認められ，間質性腎炎の診断に合致した。間質の線維化は20%程度であり，治療への反応は良いだろうと考えた。

⑤尿量も維持され，Crも腎障害が認められる前の値までに改善を認めたため，PSL 40mg/日は2週間使用したところで減量する方針とし，それ以降は1週ごとに10mg/日の減量を行う方針として退院となった。

⑥最終的に外来でステロイドの減量を行うも腎障害の再燃はなく，投与開始8週目で5mg/日に減量し，合計8週間で投与終了とした。

文 献

1) Praga M, et al:Kidney Int. 2010;77(11):956-61.
2) Goicoechea M, et al:Nephrol Dial Transplant. 2013;28(1):112-5.
3) Baker R, et al:Nephrol Dial Transplant. 2004;19(1):8-11.
4) Neilson EG:Nat Clin Pract Nephrol. 2006;2(2):101-8.

5) Mose FH, et al:BMC Nephrol. 2021;22(1):161.
6) Clarkson MR, et al:Nephrol Dial Transplant. 2004;19(11):2778-83.
7) González E, et al: Kidney Int. 2008;73(8):940-6.
8) Muriithi AK, et al:Kidney Int. 2015;87(2):458-64.
9) Praga M, et al:Nephrol Dial Transplant. 2015;30(9):1472-9.
10) Farid S, et al:Mayo Clin Proc. 2018;93(1):25-31.
11) Preddie DC, et al:Clin J Am Soc Nephrol. 2006;1(4):718-22.
12) Muriithi AK, et al:Am J Kidney Dis. 2014;64(4):558-66.
13) Moledina DG, et al:JCI Insight. 2019;4(10):e127456.

(北村浩一)

E 神経

19. 視神経脊髄炎

ステロイド治療の心構え

- 急性期にはステロイドパルス療法を施行して再発症状を速やかに鎮静し，慢性期にはステロイド内服治療で再発予防を期待します。
- 急性期のステロイドパルス療法が無効の場合は血液浄化療法を，慢性期のステロイド内服治療が無効あるいは効果不十分な場合は免疫抑制薬や昨今承認されたモノクローナル抗体などの疾患修飾薬（DMD）などへの変更あるいは併用を検討します。
- 急性期のステロイドパルス療法については短期的な副作用，慢性期のステロイド内服治療については長期的な副作用のリスクを念頭に置き，その軽減に留意します。

1 疾患の概要

- 視神経脊髄炎（あるいは視神経脊髄炎関連疾患，視神経脊髄炎スペクトラム障害）(neuromyelitis optica spectrum disorder；NMOSD）とは，視神経や脊髄を標的として反復性の炎症性脱髄性病変を呈する自己免疫性の中枢神経疾患です。
- 1894年にDevic病として特徴づけられたものが最初の記載ですが，同じ時期に大脳をはじめとする様々な部位において中枢神経症状の再発・寛解を繰り返す炎症性脱髄性疾患として疾患概念が確立された多発性硬化症（multiple sclerosis；MS）があります。
- このMSの中に，視神経や脊髄に長大病変を呈し，日本では2001年からMS治療薬として初めて導入されたインターフェロンβ製剤による治療効果が乏しい（むしろ悪化することも少なくない）症例の報告が相次ぎました[1]。2004年に抗AQP4抗体が病原性の自己抗体として同定されたことで，MSとは違う疾患として確立しました[2]。膠原病など他の自己免疫疾患に近い特徴を有してい

表1 2015年改訂版の診断基準

A. 抗AQP4抗体が陽性のNMOSD
1) 臨床的中核症状*の1つ以上 2) 抗AQP4抗体が陽性（cell based assayが望ましい） 3) 他疾患を除外
B. 抗AQP4抗体が陰性もしくは不明のNMOSD
1) 1回以上の臨床的再発を呈する2つ以上の臨床的中核症状と以下の3項目 a. 中心となる臨床症状*は視神経炎や長大病変を伴う急性脊髄炎や最後野症候群のいずれか b. 臨床的症状の空間的多発性 c. NMOSDとしての追加MRI画像所見** 2) 抗AQP4抗体が陰性か不明 3) 他疾患を除外

2015年改訂版では，病名がNMOSD（NMO Spectrum Disorder）に統一された

*：臨床的中核症状
1）視神経炎
2）急性脊髄炎
3）最後野症候群：吃逆や嘔吐
4）急性脳幹症候群
5）無症候性のナルコレプシーや間脳症候群
6）NMOSDとして典型的な大脳病変を伴う大脳症状

**：NMOSDとしての追加MRI画像所見
1）急性視神経炎：正常所見または非特異的所見あるいは視神経病変
2）急性脊髄炎：3椎体以上の脊髄病変
3）最後野症候群：延髄背側あるいは最後野
4）急性脳幹症候群：上衣周囲脳幹病変

（文献4をもとに作成）

て，現在認可されているMSの疾患修飾薬（disease modifying drug；DMD）が使用しにくいことがわかっています。その後，抗AQP4抗体が陰性の症例の中に抗MOG抗体の関与が指摘されて新たに抗MOG抗体関連疾患（MOGAD）として分類されるなどの経緯があり[3]，診断基準の改訂がなされています（**表1**）[4]。

2 どういうときにステロイドを使うか？

- NMOSDはMSと同様に再発を繰り返す疾患であり，再発時の治療と再発予防の治療にわけて考えます。

① 再発・急性増悪時の治療

- 炎症の鎮静化を図るべくステロイドパルス療法を施行します[5]。ステロイドパルス療法を繰り返しても効果が不十分な場合や呼吸障害をきたしているなど重症例の場合，あるいは副作用でステロイドパルス療法が使用できない場合には血液浄化療法，あるいは免疫グロブリン療法（ただし視神経炎の場合で献血

ベニロンのみが保険適用）を施行します[6~8]。

②再発予防のための慢性期の治療

- 多くの疾患修飾薬（DMD）が認可されているMSに対し，NMOSDではしばらくDMDが存在せずステロイド製剤の内服や免疫抑制薬，免疫グロブリン製剤などを使用してきました。2019～2020年に奏効率が非常に高い3種類のDMDが承認されたものの，症例によっては，やはりステロイド製剤内服や免疫抑制薬などが必要な場合があります。

3 ステロイドの根拠は？

- 再発時の急性期治療では，NMOSDもMSと同じく炎症による組織障害を軽減するため，即効性の抗炎症作用を発揮するステロイドパルス療法が重要となります。
- 再発予防の慢性期治療において，MSとNMOSDでは使用する根拠が異なります。NMOSDがまだMSの一部として考えられていた頃，MSに対する最初のDMDであるインターフェロンβ製剤が導入されてから，それまで関節リウマチなど他の自己免疫疾患に準じて使用されていたステロイド製剤を中止したために再発率が上がるステロイド依存性の症例があり，現在ではこの多くがNMOSDと考えられています。
- MSでは，特に再発寛解型においてはT細胞を中心とした病態が考えられており，典型例では必ずしもステロイド療法を必要としません。それに対し，NMOSDではB細胞による抗AQP4抗体や抗MOG抗体などの自己抗体産生と抗原提示やサイトカイン産生を介した炎症反応やそれによる自己抗体の組織への移行，自己抗体に結合する補体による組織障害という多岐にわたる病態が考えられているため，免疫反応を非特異的かつ広範囲に抑制することができるステロイド療法が有効とされています。

4 ステロイドの初期用量は？

- 再発・増悪を呈する急性期治療においては，MSと同様にメチルプレドニゾロンによるステロイドパルス療法を行います。標準的には1,000mg/日を1クール3日間点滴しますが，症例によっては1～5日間に増減したり，1週間ごとに2～4クールまで追加施行したり，2,000mg/日に増量したり（メガパルス），逆に500mg/日にとどめたり（ハーフパルス）することもあります。

- 急性期治療の後に後療法という形で再発予防を目的としてステロイドを使用することはMSではあまり多くありませんが，非典型的なMSやNMOSDではむしろステロイドが必要な場合が多く[9]，プレドニゾロン換算で0.5〜1.0mg/kg/日（大抵は20〜30mg/日）で開始します。

5 治療への反応性は？

- 急性期の再発に対するステロイドパルス療法の効果は比較的良いものの，完全寛解に至らない症例も少なくなく，MSに比してその傾向が強いとされています[10]。特に重症の視神経炎や脊髄炎で発症した場合はステロイドパルス療法を数クール繰り返しても重篤な症状が残ることが少なくありません。
- 慢性期の再発予防を目的としたステロイド内服療法については，後療法という形でステロイドパルス療法後に引き続いて施行されることが多いですが，再発予防効果は症例によってまちまちであり，初期導入量や漸減のスピードにも左右されるものの，ある程度の維持量が必要なようです。

6 寛解導入療法はステロイド単剤でよいか？

- 多くの場合は寛解導入においてステロイドパルス療法が有効ですが，ことにNMOSDの場合は効果不十分なことが少なくなく，ステロイドパルス療法を複数クール行うよりも，できるだけ早期に血液浄化療法を導入したほうがよいとされています[11]。
- 血液浄化療法は自己抗体・免疫複合体・補体・サイトカイン・ケモカイン・エクソソームなどの病因物質が含まれる血漿成分の一部，あるいはすべてを除去することで治療効果を発揮します。
- その選択性の違いによって，吸着カラムへの親和性を利用して化学的に除去する免疫吸着療法（immunoadsorption plasmapheresis；IAPP），血漿成分分離膜の目の細かさを利用して物理的に除去する二重濾過血漿交換療法（double filtration plasmapheresis；DFPP），非選択的にすべてを除去する単純血漿交換療法（plasma exchange；PE） などの方法があります。1回につき1,200〜1,500mL（IAPPの場合） ないし1,500〜3,000mL（DFPPやPEの場合） の処理量で一連の再発に対し月7回を限度として3カ月までの施行が保険で認可されています。

MEMO

▶一般的にはどの方法も効果は同等とされています。しかし，IAPPは血液製剤を使用しなくてよいという利点があるものの，自己抗体のサブクラスがIgG2，IgG4の場合では除去効率が低下します。血液製剤を補充する必要があるという欠点はありますが，DFPPやPEのほうが少なくとも急性増悪期には有効である症例が多い印象があります。一方で，慢性期ではむしろIAPPのほうがよい症例もあります。

ここがPOINT！

◉なお，血液浄化療法の施行後にはステロイドパルス療法の効果が回復することが少なくありません。血液浄化療法の前後にステロイドパルス療法を挟む併用療法が有効とされていますし[12)]，血液浄化療法後のリバウンド防止で少量のステロイド内服の後療法を行うことも勧められます[13)]。

7 寛解維持療法としてsteroid sparing agentは何かあるか？

- ステロイドの代用または減量を目的として，他の自己免疫疾患に準じる形で免疫抑制薬を使用します。いずれも保険外治療ですが，作用機序の違いとそれぞれ特有の副作用や共通の副作用に留意します。中でも再発率の低下や障害進行度の悪化抑制などの効果と副作用のバランスの点でアザチオプリン（AZP）が標準的に使用され，平均2～3mg/kg/日（50～100mg/日がほとんど）の使用量で実際に有効性が認められています[14, 15)]。
- AZPで効果が不十分な場合はタクロリムス（TAC）・シクロスポリン（CyA），ミコフェノール酸モフェチル（MMF）[16)]，メトトレキサート（MTX），さらには抗癌剤系のシクロホスファミド（CPA），ミトキサントロン（MITX）[17)]などにランクアップします。総じてこの順に効果が高い反面，骨髄抑制・感染症・悪性腫瘍などの一般的な副作用も強いです。比較的バランスがよいのはMMF，MTX，MITXですが，文献的にはMMFや後述するリツキシマブ（RTX）に切り替えられるようです[18, 19)]。

- その他，逆に効果は弱いもののミゾリビン（MZR），免疫調整薬のブシラミン（BUC）やイグラチモド（IGU）などでも有効な場合があります。ただし免疫抑制薬はいずれも効果発現が比較的遅いため，少なくとも初期の期間はステロイドを併用することが望ましいとされています（**表2，3**）[20, 21]。

表2　NMOSDの再発予防薬の主な選択肢

薬剤	投与量	投与経路	投与法	モニタリング	治療薬変更の目安
①アザチオプリン：AZP*（＋プレドニゾロン：PSL）	2〜3mg/kg/日（＋30mg/日）	経口	分1〜2（PSLは6〜9カ月後に漸減）	MCVの増加（>5）か，肝機能と好中球減少の有無	MCVが増加しなければ増量かPSL継続，③か②に変更
②ミコフェノール酸モフェチル：MMF*（＋プレドニゾロン：PSL）	1,000〜3,000mg/日（＋30mg/日）	経口	分2（PSLは6カ月後に漸減）	リンパ球数の目標1,000〜1,500/μL 肝機能	3,000mg/日でリンパ球数が目標以下なら再発の有無を観察，③に変更
③リツキシマブ：RTX*	成人：1,000mg 小児：375mg/m^2	静注	成人は14日あけて2回 小児は週1回×4回 （その後は$CD19^+$B細胞数をみながら）	$CD19^+$B細胞数が総リンパ球数の1%以上になったら再投与	初回投与3週間以内の再発は治療無効ではないが，$CD19^+$B細胞数が総リンパ球数の1%以上での再発は治療無効，①か②に変更
④プレドニゾロン：PSL*	15〜30mg/日	経口	分1〜2（1年後に漸減）	血糖，血圧，骨密度，ビタミンDやカルシウム補充，抗潰瘍薬を考慮	1.5年以上の単剤投与は再発も考慮し，①か②か③に変更
⑤メトトレキサート：MTX	15〜25mg/週	経口	分2 5日間はあける	肝機能，葉酸補充 NSAIDs内服を避ける	①か②か③に変更
⑥ミトキサントロン：MITX	12mg/m^2	静注	月1回×4カ月，その後毎月6mg/m^2 生涯投与量120mg/m^2以下に	心機能（駆出率<50%で中止）	第一選択薬が無効の場合に注意して投与 ①か②か③に変更

*：第一選択薬として推奨される薬剤　　（文献20をもとに作成）

表3　NMOSDの寛解期治療薬

薬剤	標準薬剤量	推奨グレード	エビデンスレベル
経口プレドニゾロン（PSL）	5～20mg/日	1C	Ⅲ
アザチオプリン（AZP）	50～100mg/日	1C	Ⅲ
タクロリムス（TAC）	2～4mg/日	2C	Ⅳ
シクロスポリン（CyA）	3mg/kg/日	2C	Ⅳ
ミコフェノール酸モフェチル（MMF）	2,000mg/日	1C	Ⅲ
ミトキサントロン（MITX）	12mg/m²/月を6カ月，その後6～12mg/m²/3カ月（上限100mg/m²/月）	2C	Ⅲ
リツキシマブ（RTX）	375mg/m²/週を4回	1C	Ⅲ
トシリズマブ（TCZ）	8mg/kg/月を6カ月	なし	Ⅳ
エクリズマブ（ECU）	600mg/週を4週，その後900mg/2週	1A	Ib
免疫グロブリン製剤（IVIG）	400mg/kg/日を月1回	2C	Ⅳ
血液浄化療法	定期的施行	なし	Ⅳ

（文献21をもとに作成）

- また，これも保険外治療にはなりますが，長期使用に伴う感染症や悪性腫瘍のリスクを懸念して免疫抑制薬を回避し，免疫調整作用を期待して大量免疫グロブリン療法（IVIG 400mg/kg/日，5日間）を施行することもあります[22]。
- 中にはステロイド不応性の症例に対し，定期的に血液浄化療法を施行して維持することもあります[23]。
- 昨今では免疫抑制薬のような非特異的な抑制作用でなく，B細胞による自己抗体産生と抗原提示やサイトカイン産生，自己抗体に結合する補体による組織障害という病態の解明に基づいた選択的分子標的薬として，抗CD20抗体であるリツキシマブ[24]，抗IL-6受容体抗体であるトシリズマブ[25]とその改変体であるサトラリズマブ[26]，抗C5抗体であるエクリズマブ[27]，抗CD19抗体であるイネビリズマブ[28]などが治験対象となり[29]，サトラリズマブ，エクリズマブとイネビリズマブがその顕著な再発抑制効果をもって2019～2020年に承認され[30]，次いでリツキシマブも2021年に承認されています（**表4**）。

表4　NMOSDの疾患修飾薬

薬剤	商品名	投与経路	標準薬剤量	添付文書より	注意点
エクリズマブ（ECU）	ソリリス®	点滴	1,200mg/2週間ごと	1回900mgから投与を開始する。初回投与後，週1回の間隔で初回投与を含め合計4回点滴静注し，その1週間後（初回投与から4週間後）から1回1,200mgを2週に1回の間隔で点滴静注する。	髄膜炎菌感染症のリスクがあり，原則本剤投与前に髄膜炎菌ワクチンを接種する必要がある。
サトラリズマブ（STZ）	エンスプリング®	皮下注	120mg/4週間ごと	1回120mgを初回，2週後，4週後に皮下注射し，以降は4週間隔で皮下注射する。	急性期反応の抑制により感染症の発見が遅れ重篤化するおそれがあり，適宜検査が必要。
イネビリズマブ（INE）	ユプリズナ®	点滴	300mg/6カ月ごと	1回300mgを初回，2週後に点滴静注し，その後，初回投与から6カ月後に，以降6カ月に1回の間隔で点滴静注する。	B型肝炎ウイルス感染の有無を確認する。感染症の発症や悪化の可能性がある。
リツキシマブ（RTX）	リツキサン®	点滴	1,000mg×2回（隔週）/6カ月ごと	1回量375mg/m²を1週間間隔で4回点滴静注する。その後，初回投与から6カ月ごとに1回量1,000mg/body（固定用量）を2週間隔で2回点滴静注する。	B型肝炎ウイルス感染の有無を確認する。感染症の発症や悪化の可能性がある。

8　ステロイド減量のスピードは？

- 症例にもよりますが，大体1カ月で前投与量の10%の減量を目標とします。具体的には以下を目安に減量し，最終的には0.1～0.2mg/kg/日（5～10mg程度）をめざします。

【ステロイド減量スピードの目安】

30mg/日以上→毎月5mg/日ずつ
15～30mg/日→毎月2.5mg/日ずつ
10～15mg/日→毎月1mg/日ずつ
10mg/日未満→毎月0.5mg/日ずつ

- ただし，10mg/日以下の群では10mg/日以上の群に比べ再発率が高い（オッズ比8.75倍）[10]ため，20mg/日からの減量は慎重にする必要があります。もっとも，ステロイドの副作用軽減のために免疫抑制薬の併用次第でそのスピードを調節することも可能です。

9 減量は何を指標にすればよいか？

- 現状では他の疾患のように疾患活動性を反映するマーカーなどが存在しないため，MRI画像や症状による臨床的再発の有無を指標にします。前述の方法で再発が起こる場合は再度増量するか，免疫抑制薬を併用していればこれを増量するか変更します。
- 副作用の発現状況に留意して漸減します。

10 ステロイドは中止できるか？ 投与期間は？

- 総じて10〜15mg/日で維持できる場合が多いのですが，しばらくそれ以上減量できない場合も少なくありません。ただし，2年以上の経過で安定している場合は10mg/日以下でも維持可能であり，中止可能な症例もあります。副作用を回避するために免疫抑制薬や疾患修飾薬を併用した場合はその可能性が高まります。

11 モデル症例

症例：視神経炎で発症した抗AQP4抗体陽性NMO（34歳女性）

①左視力低下で発症し，2カ月後から数日で下方から拡大する左視野障害・視力低下で再発し，ステロイドパルス療法3クール後にプレドニン®（PSL）30mg/日を開始するも改善しなかった。

②発症後3カ月で免疫吸着療法（IAPP）を7回施行し，色覚が改善した。

③アザチオプリン50mg/日を開始し，1〜2カ月ごとにPSLを25mg/日から17.5mg/日までは2.5mg/日ずつで，17.5mg/日から16mg/日までは1.5mg/日で，16mg/日から14mg/日までは1mg/日で，14mg/日以降は0.5mg/日で漸減し，2年がかりで1.5mg/日まで減量した。

④視力はほぼ元の状態に回復した。

文献

1) Uzawa A, et al:Eur J Neurol. 2010;17(5):672-6.
2) Lennon VA, et al:Lancet. 2004;364(9451):2106-12.
3) Sato DK, et al:Neurology. 2014;82(6):474-81.
4) Wingerchuk DM, et al:Neurology. 2015;85(2):177-89.
5) Nakamura M, et al:Graefes Arch Clin Exp Ophthalmol. 2010;248(12):1777-85.
6) Watanabe S, et al:Mult Scler. 2007;13(1):128-32.
7) Bonnan M, et al:Mult Scler. 2009;15(4):487-92.
8) Kobayashi M, et al:J Clin Apher. 2015;30(1):43-5.
9) Watanabe S, et al:Mult Scler. 2007;13(8):968-74.
10) Yamasaki R, et al:Mult Scler. 2016;22(10):1337-48.
11) Bonnan M, et al:J Neurol Neurosurg Psychiatry. 2018;89(4):346-51.
12) Abboud H, et al:Mult Scler. 2016;22(2):185-92.
13) Okamoto T, et al:Ther Adv Neurol Disord. 2008;1(1):5-12.
14) Bichuetti DB, et al:Arch Neurol. 2010;67(9):1131-6.
15) Mandler RN, et al:Neurology. 1998;51(4):1219-20.
16) Jacob A, et al:Arch Neurol. 2009;66(9):1128-33.
17) Kim SH, et al:Arch Neurol. 2011;68(4):473-9.
18) Xu Y, et al:J Neurol Sci. 2016;370:224-8.
19) Mealy MA, et al:JAMA Neurol. 2014;71(3):324-30.
20) Kimbrough DJ, et al:Mult Scler Relat Disord. 2012;1(4):180-7.
21) Sato D, et al:Arq Neuropsiquiatr. 2012;70(1):59-66.
22) Bakker J, et al:Can J Neurol Sci. 2004;31(2):265-7.
23) Khatri BO, et al:J Clin Apher. 2012;27(4):183-92.
24) Pellkofer HL, et al:Neurology. 2011;76(15):1310-5.
25) Araki M, et al:Neurology. 2014;82(15):1302-6.
26) Yamamura T, et al:N Engl J Med. 2019;381(22):2114-24.
27) Pittock SJ, et al:N Engl J Med. 2019;381(7):614-25.
28) Cree BAC, et al;Lancet. 2019;394(10206):1352-63.
29) Pittock SJ, et al:Nat Rev Neurol. 2021;17(12):759-73.
30) George J, et al:2019:'The Year of NMO'— Three different drugs report lower relapse rates in neuromyelitis optica spectrum disorder.
[https://www.medpagetoday.com/meetingcoverage/aan/79774] (2022年12月閲覧)

（林　幼偉）

F 血液

20. 特発性血小板減少性紫斑病（ITP）

ステロイド治療の心構え

▶血小板数3万/μL未満の場合や出血症状を伴う場合にステロイド治療の適応となります。

▶大量DEX療法の登場もあり，長期のステロイド投与は避ける方向になってきています。

▶ステロイド依存例や不応例，再発例には，積極的に摘脾やTPO受容体作動薬，リツキシマブの投与を検討します。

1 疾患の概要

- 特発性血小板減少性紫斑病（idiopathic thrombocytopenic purpura；ITP）は，血小板に対する自己抗体が産生され，血小板の破壊亢進と骨髄での巨核球成熟障害から血小板減少をきたす自己免疫疾患です。
- 背景疾患の有無により，一次性と二次性に分類されます。頻度が高い背景疾患として，感染症や膠原病，悪性リンパ腫などが知られています。
- 一部に自然軽快する例がある一方，多くは慢性化します。時に出血性合併症が問題となり，脳出血や消化管出血などの重大な出血から致命的な経過をたどることがあります。血小板数3万/μL以上の患者では一般人口と比較して生命予後に大きな差がないことが観察研究から明らかになっています[1]。

2 どういうときにステロイドを使うか？

- ITPの治療目標は出血性合併症の予防であり，血小板数の正常化ではありません。
- 上記の観察研究の結果から，血小板数が3万/μL未満の場合や出血症状を伴う場合がステロイド治療の適応とされています。これらの条件を満たさない場合には無治療経過観察が推奨されます。

- 本邦のガイドラインでは，血小板数が2～3万/μLで出血リスクが低い場合には慎重な経過観察も選択肢とされています[2)]。

3 ステロイドの根拠は？

- ステロイドとプラセボを比べた無作為化比較対照試験はありません。
- ステロイドは古くから経験的に使用され，各種ガイドラインでも第一選択薬として推奨されています。

4 ステロイドの初期用量は？

- 初期用量として，ガイドラインではPSL 0.5～2mg/kg/日の連日経口投与が推奨されています[2～4)]。本邦では通常，1mg/kg/日で開始することが多いです。
- 近年，デキサメタゾン（DEX）の大量間欠投与（DEX 40mg/日×4日間を1～3サイクル繰り返す）でPSL連日投与と同等以上の成績が報告されており[5)]，PSLに代わって使用されることが増えてきています（米国血液学会のガイドラインではPSL連日投与と並んで一次治療として推奨されています[3)]）。

5 治療への反応性は？

- 治療開始後数日～2週間程度（多くは1週間以内）で血小板数の増加がみられます。
- 奏効率は8割程度と報告されており，約半数は血小板数10万/μLに到達します。

6 寛解導入療法はステロイド単剤でよいか？

- 以下の場合を除き，寛解導入療法はステロイド単剤で行うことが推奨されています。

重度の出血を合併しており，1日も早い血小板数の回復が望まれる場合

- 大量免疫グロブリン静注療法（intravenous immunoglobulin；IVIG）を併用。

***H. pylori*感染症を合併している場合**

- 除菌のみで約半数の症例が軽快することから，除菌療法を行います。効果が現れるまでステロイド治療との併用で行うこともあります。

MEMO

▶複数の観察研究により，*H. pylori*感染とITPの関連が指摘されており，これらの症例では除菌治療により約5割で血小板数の増加が得られると報告されています[6]。

▶本邦のガイドラインでは，ITP患者はまず*H. pylori*感染の有無を確認し，陽性であれば除菌を行うよう推奨しています[2]。

ここがPOINT！

【緊急時の治療】

◉血小板数1万/μL以下で出血症状を伴う場合や主要臓器出血をきたしている場合には，入院で下記に示すような対応が必要となります。

〈血小板輸血〉

◉ITP患者では自己抗体の存在により，輸血を行っても血小板数の十分な増加は期待できません。しかし，輸血直後には一定の効果が得られるため，止血や致死的出血の予防には用いられます。

〈IVIG〉

◉大量の免疫グロブリンを静注投与し，網内系のマクロファージを飽和させることで，自己抗体が付着した血小板が破壊されるのを競合的に阻害します。

◉0.4g/kg/日×5日間の投与により，治療開始後3日程度で血小板数の回復が得られます。効果は2〜4週間で消失するため，ステロイド治療と併用で行うのが一般的です。

◉予定手術に向けて一時的な血小板数増加を狙う場合には，創傷治癒を阻害するステロイドは敬遠され，単独で用いられることも多いです。

〈抗線溶薬〉

◉出血の予防や止血効果を狙ってトラネキサム酸などの抗線溶薬がしばしば用いられますが，ITP患者における質の高いエビデンスはありません。

7 寛解維持療法としてsteroid sparing agentは何かあるか？(図1)[7]

- ステロイド治療への反応が良く，順調に減量・中止できる場合には他剤の併用は行いません。

① 二次治療：摘脾，トロンボポエチン(TPO)受容体作動薬，リツキシマブ

- ステロイド不応例や病勢再燃のためにステロイドの減量が困難な症例では，二次治療として摘脾(☞**MEMO「摘脾」**)やTPO受容体作動薬，リツキシマブを検討します。二次治療を追加する前に，背景疾患の検索を十分に行います(背景疾患がある場合には，そちらの治療を優先します)。
- TPO受容体作動薬には内服薬のエルトロンボパグと皮下注射製剤のロミプロスチムがあります。両者の効果に明らかな差はなく，有効率は6〜9割と報告されています。4〜5割の症例ではステロイドを中止できます[8, 9]。両者はTPO受容体への作用部位が異なるため，一方が無効の場合でも他方は有効な場合があります。
- リツキシマブは体内で抗体産生に関与するB細胞の表面抗原であるCD20に対する抗体製剤であり，自己抗体の産生を減少させることからITPでも有効性が報告されています。約6割で血小板数の増加が得られ，約3割の症例が長期に寛解を維持できます[10]。
- これらの二次治療同士を直接比較した研究はなく，ガイドラインでは患者背景や希望を考慮して選択することとされています[2〜4]。

② 三次治療：免疫抑制薬，蛋白同化ステロイド，ビンカアルカロイド

- 二次治療も無効の場合には，三次治療として蛋白同化ステロイドであるダナゾールや免疫抑制薬のシクロスポリン，アザチオプリン，シクロホスファミド，抗癌剤として用いられるビンカアルカロイドなどに有効性の報告があり，steroid sparing agentとして用いられることがあります(**表1**)[7]。いずれも本邦ではITPに対する保険適用はなく，大規模研究で有効性が示されているものではありません。

MEMO

【摘脾】

▶脾臓は自己抗体が付着した血小板が破壊される場であり，摘脾はITPに対す

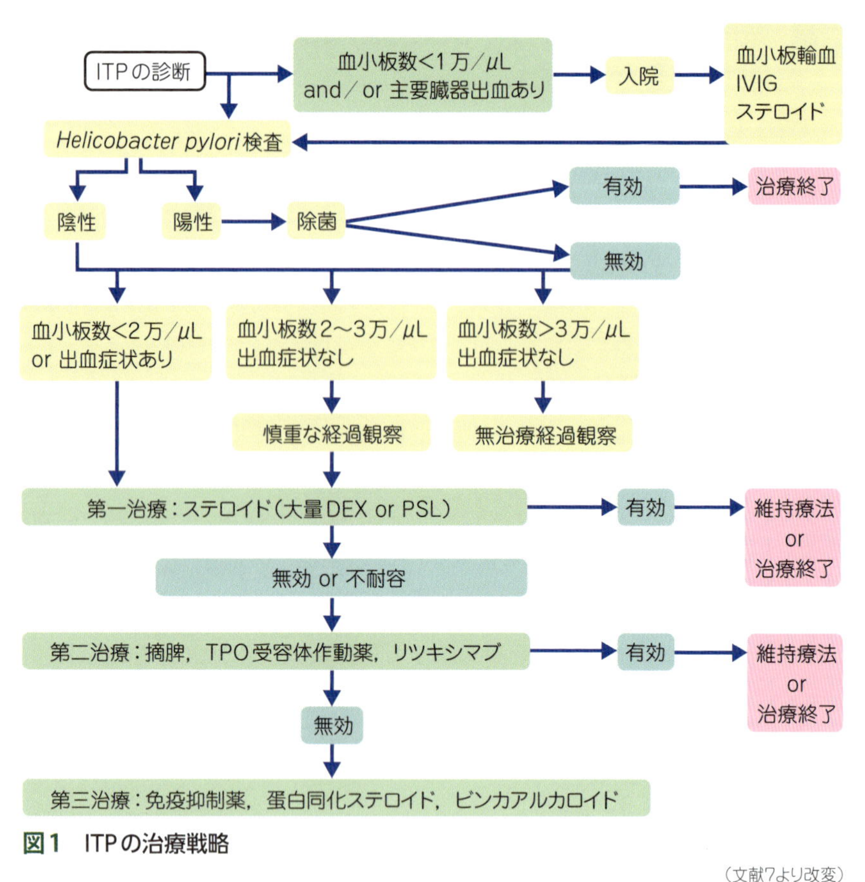

図1 ITPの治療戦略

(文献7より改変)

表1 ITPで用いられるsteroid sparing agent

治療	用量	有効率	効果発現	問題点
TPO受容体作動薬	エルトロンボパグ 12.5~50mg/日	>80%	~15日	効果は投与中のみ
	ロミプロスチム 1~10μL/kg/週	>80%	1~4週	
リツキシマブ	375mg/m²/週×4回	60%	1~8週	長期効果が得られるのは15~30%
アザチオプリン	50~100mg/日	60%	4~8週	大規模研究なし
シクロホスファミド	50~100mg/日	60%	4~8週	大規模研究なし
シクロスポリンA	2.5~3mg/kg/日	50~80%	3~4週	大規模研究なし
ダナゾール	200mg/日	40~67%	3~6カ月	大規模研究なし

(文献7より改変)

る唯一の根治療法として，古くから行われてきました。有効率は約80％と報告されていますが，うち20％は再発し，長期に寛解を維持できるのは60％程度と言われています。

▶ ITPは時に自然寛解するため，診断から6～12カ月間は摘脾を行わずに経過をみる必要があります。

▶ 術前は，大出血の予防のためにIVIGと血小板輸血を併用するなどして血小板数5万/μLを維持するようにします（**表2**）[11～14]。摘脾後は莢膜保有菌（肺炎球菌，インフルエンザ桿菌b型，髄膜炎菌）などによる感染症のリスクが上昇するため，ワクチン接種をはじめとした対策が求められます。

表2　観血的処置時や出血合併時の血小板輸血の目安

	厚生労働省「血液製剤の使用指針」	日本輸血・細胞治療学会ガイドライン	米国AABB*1ガイドライン	英国BCSH*2ガイドライン
圧迫止血可能な局所処置（骨髄穿刺など）	不要	不要*3	推奨なし	不要
抜歯	不要（1万/μLとしてもよい）	不要（1万/μLとしてもよい）*3	推奨なし	推奨なし
経内視鏡的生検	推奨なし	推奨なし	推奨なし	推奨なし
中心静脈カテーテル挿入	2万/μL	2万/μL	2万/μL	2万/μL
腰椎穿刺	5万/μL	5万/μL	5万/μL	4万/μL
経皮的肝生検	推奨なし	推奨なし	推奨なし	5万/μL
硬膜外麻酔	推奨なし	推奨なし	推奨なし	8万/μL
待機的手術	5万/μL	5万/μL	5万/μL	5万/μL
人工心肺を用いた心血管手術	5～10万/μL	推奨なし	明確な閾値の記載なし（出血傾向を伴う血小板減少 or 血小板機能異常）	推奨なし
脳脊髄手術	10万/μL	推奨なし	推奨なし（慣例的に8～10万/μL）*3	10万/μL
活動性出血	5万/μL	5万/μL	推奨なし	5万/μL
（外傷性）頭蓋内出血	10万/μL	10万/μL	推奨なし	10万/μL

*1：Association for the Advancement of Blood & Biotherapies
*2：British Committee for Standards in Haematology
*3：正式な推奨ではなく参考意見

（文献11～14をもとに作成）

ピットフォール

➡エルトロンボパグは食物（乳製品）や併用薬（制酸薬やFe, Ca, Mgなどの多価陽イオン）によって吸収が不安定となることがあり，使用にあたって確認が必要です。

➡TPO受容体作動薬の副作用として血栓症が報告されているため，治療中に血小板数が20万/μLを超えた場合には減量の必要があります。また，低頻度ながら肝障害や骨髄線維化の報告があり，注意が必要です。

8 ステロイド減量のスピードは？

- 大量DEX療法を選択した場合には漸減は必要ありません。
- PSLの連日投与を選択した場合には，初期用量を2〜4週間継続し，その後は血小板数増加の有無にかかわらず8〜12週間で10mg/日以下まで減量します。
- 本邦のガイドラインでは，血小板数10万/μL以上を達成した症例ではステロイドの中止をめざし，そうでない症例では血小板数3万/μLを維持できる最小用量のPSLでの維持をめざす（長期に再燃がみられなければ終了を検討）ことが推奨されています[2]。海外のガイドラインではより早期にPSLを終了し，再燃時に再投与ないし二次治療を検討することとされています[3, 4]。

9 減量は何を指標にすればよいか？

- 出血症状と血小板数を治療効果の指標とします。

10 ステロイドは中止できるか？ 投与期間は？

- 大量DEX療法では長期の観察で半数は追加治療が必要なかったと報告されています[15]。
- PSLの連日投与に関しても，長期の維持療法の有効性よりも合併症リスクが上回ると考えられており，初期治療に引き続いて早期の漸減・中止が推奨されています（特に米国血液学会のガイドラインでは，6週間を超えるステロイド投与を行わないよう強く推奨しています）。

11 モデル症例

症例:ITP(22歳女性)

①性器不正出血を伴っていたため，血小板輸血を併用しながら大量DEX療法(40mg内服×4日間)を開始した。

②治療開始後3日目には血小板数の増加傾向が得られ，4日目には5万/μLを超えたため，5日目に退院とした。DEXは予定通り4日間で終了し，1コースのみの施行とした。

③診断後半年の時点で，無治療で血小板数4～5万/μLを維持している。

文献

1) Portielje JE, et al:Blood. 2001;97(9):2549-54.
2) 柏木浩和, 他:臨血. 2019;60(8):877-96.
3) Neunert C, et al:Blood Adv. 2019;3(23):3829-66.
4) Provan D, et al:Blood. 2010;115(2):168-86.
5) Mithoowani S, et al:Lancet Haematol. 2016;3(10):e489-e496.
6) Stasi R, et al:Blood. 2009;113(6):1231-40.
7) 藤村欣吾:臨血. 2014;55(1):83-92.
8) Saleh MN, et al:Blood. 2013;121(3):537-45.
9) Kuter DJ, et al:Br J Haematol. 2013;161(3):411-23.
10) Patel VL, et al:Blood. 2012;119(25):5989-95.
11) 厚生労働省:血液製剤の使用指針. 2019.
[https://www.mhlw.go.jp/content/11127000/000493546.pdf](2022年12月閲覧)
12) 高見昭良, 他:日輸血細胞治療会誌. 2019; 65(3):544-61.
13) Kaufman RM, et al:Ann Intern Med. 2015;162(3):205-13.
14) Estcourt LJ, et al:Br J Haematol. 2017;176(3):365-94.
15) Cheng Y, et al:N Engl J Med. 2003;349(9):831-6.

(安部涼平)

F 血液

21. 自己免疫性溶血性貧血(AIHA)

ステロイド治療の心構え

▶溶血が骨髄の造血機能で代償できず，貧血が進行していく場合にステロイド治療を行います。

▶ステロイドの速すぎる減量は再燃のリスクとなるため，疾患活動性をみながら徐々に減量します。

▶溶血を抑えられる最少量のステロイドでコントロールを図りますが，単剤でコントロール不良な場合や維持量が多量となる場合には，リツキシマブの併用や摘脾を検討します。

▶長期にわたり疾患活動性をコントロールできる場合には，ステロイドの中止をめざします。

1 疾患の概要

- 自己免疫性溶血性貧血(autoimmune hemolytic anemia；AIHA)は，体内で赤血球に対する自己抗体が産生され，赤血球が破壊されること(溶血)によって貧血をきたす自己免疫疾患です。
- 自己抗体の活性が37℃で最高となる温式と，4℃で最高となる冷式に分類されます。冷式はさらに寒冷凝集素症と発作性寒冷血色素尿症にわけられます。
- 温式AIHAでは，赤血球膜に対するIgG抗体が産生され，抗体が付着した赤血球は脾臓を中心とする網内系の貪食細胞によって破壊されます(血管外溶血)。
- 寒冷凝集素症ではIgM抗体が産生され，網内系での血管外溶血に加えて，補体による直接傷害から赤血球の破壊をきたします(血管内溶血)。発作性寒冷血色素尿症ではDonath-Landsteiner抗体という二相性のIgG抗体が産生され，補体介在性の溶血を引き起こします。

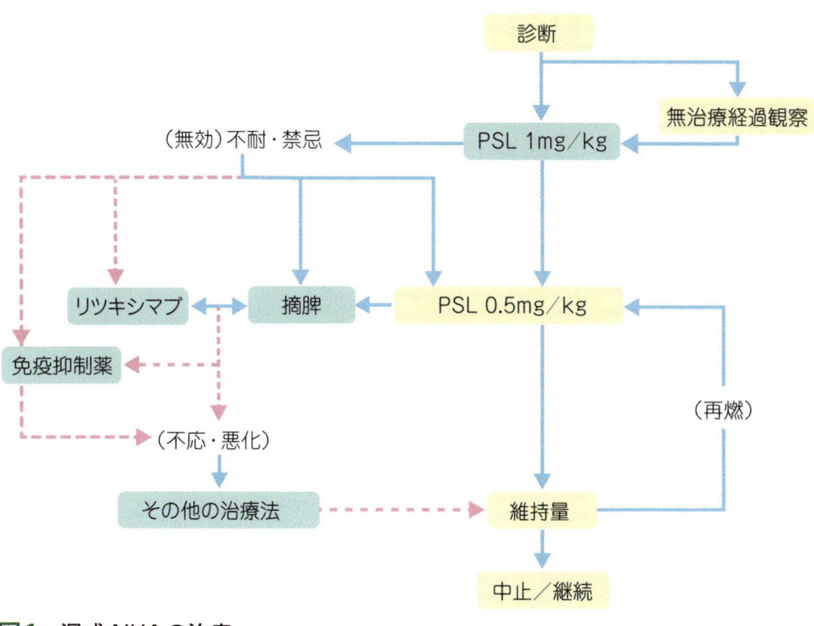

図1　温式AIHAの治療

（文献1より改変）

- 背景疾患の有無により，特発性と続発性に分類されます。温式AIHAの背景疾患として，全身性エリテマトーデスなどの膠原病や悪性リンパ腫が，寒冷凝集素症の背景疾患としてマイコプラズマ肺炎や悪性リンパ腫が，発作性寒冷血色素尿症の背景疾患として小児期のウイルス感染症や梅毒が知られています。
- 本項では，AIHAの9割以上を占める温式AIHAの治療（**図1**）[1]を中心に解説します。温式AIHAは時に急性の溶血エピソードで発症することがあり，適切な治療が行われないと致死的な経過をたどります。一般論として，AIHAに対する輸血の適応は慎重に検討する必要がありますが，臓器不全をきたすような重症の急性発作では初期治療としての赤血球輸血をためらわないことが重要です。

2　どういうときにステロイドを使うか？

- 溶血による赤血球寿命の短縮が骨髄の造血機能で代償しきれず，貧血による身体機能・臓器機能の低下がみられる場合にステロイド治療の適応となります。
- 軽度の溶血がみられても，貧血が代償されている場合にはステロイド治療の適応とはなりません。

- 溶血が持続している間は葉酸の消費が亢進するため，ステロイドの要否にかかわらず葉酸補充が推奨されています[2)]。

3 ステロイドの根拠は？

- ステロイドとプラセボを比べた無作為化比較対照試験はありません。
- ステロイドは50年以上前から経験的に使用され，各種ガイドラインでも第一選択薬として推奨されています[1, 2)]。

4 ステロイドの初期用量は？

- 初期用量として，PSL 1mg/kg/日 経口投与が推奨されています[1〜4)]。
- 急速な経過をたどる症例では，より速やかな効果発現を狙ってmPSL 1g×3日間などのパルス療法が行われることがありますが，有効性に関する質の高いエビデンスはありません。
- ITPで有効性が示されている大量DEX療法がAIHAにおいても有効であったとする少数例での報告がありますが[5)]，長期的な成績は明らかになっていません。

5 治療への反応性は？

- 治療開始後2〜3週間で貧血の改善がみられます。
- 奏効率は8割程度と報告されており，約2/3が寛解に到達します。
- 初期量を3〜4週間継続しても効果がみられない場合には，ステロイド不応と判断して二次治療を検討します。

6 寛解導入療法はステロイド単剤でよいか？

- 寛解導入療法はステロイド単剤で行うことが推奨されています[1〜4)]。
- ステロイドに抗体製剤であるリツキシマブを併用して寛解導入療法を行った場合の有効性を検証した無作為化比較対照試験があり，ステロイド単剤と比較して寛解率が高く，ステロイドの減量も早期に可能であったと報告されています[6)]（ただし，2022年11月の執筆時点でAIHAに対するリツキシマブの使用は保険適用外です）。

7 寛解維持療法としてsteroid sparing agentは何かあるか？

- ステロイド治療への反応が良く，減量も順調に行える場合，他剤の併用は行いません。
- 病勢再燃のためにステロイドの減量が困難な症例では二次治療の併用を検討します。二次治療を追加する前には，背景疾患の検索を十分に行います（続発性AIHAの場合には背景疾患の治療が有効なことが多いです）。
- 二次治療の有効性について，質の高いエビデンスはありません。各国のガイドラインでは摘脾とリツキシマブ（保険適用外）が二次治療として推奨されています[1, 2]。
- リツキシマブは成熟B細胞の表面抗原であるCD20に対する抗体製剤です。自己抗体の産生において主要な役割を果たすB細胞を選択的に攻撃し，減少させることで溶血のコントロールを図ります。
- 複数の後ろ向き研究や小規模な前向き研究では有効率8割，完全寛解率4～6割と報告され，これらの症例ではステロイドの減量や中止が可能です。長期的には約半数が再燃をきたすものの，再治療に対する反応も良好です[2]。
- 二次治療が無効の場合にはシクロスポリンAやアザチオプリン，シクロホスファミドなどの免疫抑制薬，ダナゾールなどの蛋白同化ステロイドが併用されることがありますが，いずれも質の高いエビデンスはなく，AIHAに対する保険適用はありません（**表1**）[4]。

表1　温式AIHAで用いられるsteroid sparing agent

薬剤	用量	有効率	効果発現	問題点
リツキシマブ	375mg/m²/週×4回 100mg/週×2～4回	70～90%	2週間	20～50%は再発
アザチオプリン	2～4mg/kg	50～70%	NA	大規模研究なし
シクロホスファミド	少量：1～2mg/kg 大量：1g 4週ごと×4回	50～70% 100%	NA 3週間	大規模研究なし
シクロスポリン	5mg/kg	60%	NA	大規模研究なし
ダナゾール	600～800mg	60～80%	NA	大規模研究なし
ミコフェノール酸モフェチル	1～2g	25～70%	5カ月	大規模研究なし

NA：not available　　（文献4より改変）

MEMO

【摘脾】

▶脾臓は自己抗体が付着した赤血球が破壊される場で，摘脾はAIHAの二次治療として古くから行われてきました。有効率は60～90%と報告されていますが，長期的には約1/3が再発します。

▶摘脾後は莢膜保有菌などによる重症感染症が増加するため，予防接種が推奨されています(☞**2章20**)。

▶リツキシマブとの比較試験はないため，二次治療でどちらを優先するかは主治医の判断と患者の希望によります。

MEMO

【冷式AIHAの治療】

▶自己抗体は寒冷環境下で活性が高まるため，保温が重要です。室温や着衣，寝具などに注意して身体が冷却されるのを避けます。

▶輸血や輸液の温度管理にも注意が必要です(赤血球液は通常，投与前まで冷蔵保存されているため，加温後に投与します)。

▶寒冷凝集素症ではステロイドの有効率は低く，薬物療法が必要な場合にはリツキシマブ(保険適用外)が第一選択となります(激しい溶血に対してはステロイドを短期間使用することがあります)。フルダラビンという抗癌剤を併用することで有効率が上がるため[7]，難治例では専門家と相談の上で併用を考慮します。

▶2022年6月に，補体C1に対するモノクローナル抗体製剤であるスチムリマブが承認されました。

▶補体介在性の溶血に対しては摘脾の効果が見込めないため，寒冷凝集素症には行われません。

▶発作性寒冷血色素尿症は現在ではほとんどが小児の急性ウイルス感染後に発症する急性型で，多くは自然軽快するため，保温と輸血を主体とした支持療法のみで経過観察することが多いです。慢性化した場合にはステロイドの投与を行います。

8 ステロイド減量のスピードは？

- 初期用量を4〜6週間継続し，その後の4週間で0.5mg/kgまで減量します。
- その後は溶血の程度をみながら2週間に5mgのペースで減量し，10〜15mg/日の初期維持量をめざします。この間に約5%に再燃がみられるため，この場合にはいったん0.5mg/kgまで増量します。
- その後はさらに減量のペースをゆるめて，5mg/日以下での維持をめざします。
- 直接Coombs試験が数カ月間にわたり陰性を維持している場合や，年余にわたって再燃がみられない場合にはPSL終了を検討します。
- 減量が速すぎる（2カ月以内に10mg/日未満まで減量，半年以内にPSL終了など）と再燃のリスクが上昇したという報告があり[8]，注意が必要です。

ここがPOINT！

◉長期にわたって病勢が安定していても，上気道感染などを契機に突然再燃することがあります。

◉その場合にはPSLを0.5mg/kgまで再増量し，溶血が鎮静化したところで再度維持量まで漸減していきます。

9 減量は何を指標にすればよいか？

- 貧血の指標であるヘモグロビン値，代償性の造血亢進を反映する網赤血球のほか，溶血のマーカーとしての間接ビリルビン，LDHは病勢と相関があります。これらを指標にして溶血の活動性や貧血の程度を評価し，減量の目安とします。
- 自己抗体を半定量的に評価できる直接Coombs試験も治療効果の指標として有用です。

10 ステロイドは中止できるか？ 投与期間は？

- 約2割の症例ではステロイドの中止が可能です。
- 残りの8割のうち，半数ではPSL 15mg/日以下の維持量で管理が可能ですが，残りの半数では二次治療，三次治療の併用が必要となります。

11 モデル症例

症例：温式AIHA（66歳男性）

①PSL 60mg/日（1mg/kg）内服による寛解導入療法を開始。葉酸の補充療法を併用した。

②治療開始後3週間の時点でヘモグロビン値は> 12g/dLまで回復したため，PSLは60mg/日を4週間継続した後，1週ごとに10mgずつ30mg/日まで減量した。

③溶血所見が消失していることを確認の上で，2週間ごとに5mgずつ減量し，治療を開始してから15週の時点で10mg/日とした。

④その後は1カ月ごとの診察とし，溶血所見の再燃がないことを確認しながら4週ごとに1mgずつ減量し，治療開始から35週時点で5mg/日とした。

⑤直接Coombs試験の陰性化を確認し，これが維持されていることを確認しながら慎重に1mgずつ減量を行い，治療開始から2年後にPSLを終了した。

文 献

1） 張替秀郎，他：自己免疫性溶血性貧血診療の参照ガイド（令和1年改訂版）．[http://zoketsushogaihan.umin.jp/file/2020/09.pdf]（2022年12月閲覧）
2） Hill QA, et al：Br J Haematol. 2017；176（3）：395-411.
3） Crowther M, et al：Blood. 2011；118（15）：4036-40.
4） Go RS, et al：Blood. 2017；129（22）：2971-9.
5） Meyer O, et al：Br J Haematol. 1997；98（4）：860-2.
6） Barcellini W, et al：Blood. 2012；119（16）：3691-7.
7） Berentsen S, et al：Blood. 2010；116（17）：3180-4.
8） Dussadee K, et al：J Med Assoc Thai. 2010；93 Suppl 1：S165-70.

（安部涼平）

G 集中治療

22. ショック

ステロイド治療の心構え

▶敗血症性ショックをはじめとするノルアドレナリン不応性の血管拡張性ショックでは，重症病態に伴う相対的副腎不全（CIRCI）による影響を考え，ヒドロコルチゾンの併用を考慮します。

▶その目的はショックからの早期離脱であり，1週間を超える長期使用はせず，ショックを離脱したら漸減・中止を行います。

1 疾患の概要

- 敗血症を代表とする血液分布異常性ショックでは，血管収縮薬としてノルアドレナリンを使用し血圧の維持を試みます。しかし，ノルアドレナリンを投与しても思うように血圧が上昇しない，ノルアドレナリン抵抗性のショックをしばしば経験します。
- このショックの多くは，末梢血管の収縮不全，つまり血管平滑筋の収縮不全および血管収縮薬の反応性低下を特徴とするもので，これを血管拡張性ショックと呼びます[1)]。血管拡張性ショックにおいて，重要なのがステロイドです。
- ストレス下では視床下部－下垂体－副腎系（HPA系）が活性化され，副腎皮質からのコルチゾールの分泌が増加する生体反応が起こり，コルチゾールはカテコラミンやアンジオテンシンⅡなどの活性を刺激して血管平滑筋に作用し，血圧を上昇させる作用を持ちます[2)]。しかし，敗血症性ショックなどの重症患者においては，このHPA系の作用が障害されると考えられています（☞p.260 MEMO）。
- この状態を重症病態関連副腎不全（critical illness-related corticosteroid insufficiency；CIRCI）と呼びます[3)]。具体的にはCRHやACTHの分泌低下によるコルチゾールの分泌低下，またはコルチゾールの受容体への作用減弱（ステロイド抵抗性の増加）が機序として考えられています[3)]。これにより“ホルモンの補充”としてのステロイドの投与が考慮されることになります。

MEMO

▶実際に血管収縮薬を投与しても血行動態が安定しない敗血症性ショックの患者の中で，ACTH刺激試験（※相対的な副腎不全の有無を検査するもので，ACTH投与後に血中コルチゾール濃度が9μg/dL以上上昇しないものを相対的副腎不全と定義）を行うと，副腎機能が低下している患者は70%強という結果もあります[4)]。

2 どういうときにステロイドを使うか？

- 敗血症性ショック全例にステロイドを使う必要はありません。敗血症の国際ガイドラインであるSurviving Sepsis Campaign Guideline 2021（SSCG2021）[5)]では，血管収縮薬の投与が持続的に必要な場合に，ステロイドを投与することが提案されています。**表1**に各ガイドライン[5, 6)]における推奨をまとめました。SSCG2021より，後述するAPROCCHSS研究[7)]の導入基準を参考に，ノルアドレナリン≧0.25μg/kg/分の投与が4時間以上経過してから開始すること，と具体的な提案がなされています。
- 敗血症性ショック患者に対する過去の臨床研究で，ACTH負荷試験に対して反応しても無反応でも，ステロイドの効果の違いがなかったという結果があったため[8)]，ステロイドを使用するか判断する際にACTH負荷試験を行うことは推奨されていません[5)]。

表1　敗血症ガイドラインにおけるステロイド使用の位置づけ

Surviving Sepsis Campaign Guideline 2021 [5)]	敗血症性ショックの成人で血管収縮薬の投与が持続的に必要な場合はステロイドを使用する（弱い推奨，中等度のエビデンスの質） ※ヒドロコルチゾン200mg/日を6時間ごとに50mgずつ静脈内投与 or 持続的に注入 ※ノルアドレナリン≧0.25μg/kg/分の投与を開始後4時間以上経過してから開始することを提案
日本版敗血症診療ガイドライン2020 [6)]	初期輸液と循環作動薬に反応しない成人の敗血症性ショック患者に対して，ショックからの離脱を目的として低用量ステロイド（ヒドロコルチゾン）を投与することを弱く推奨する（GRADE 2D：エビデンスの確実性「非常に低」）

（文献5，6をもとに作成）

3 ステロイドの根拠は？

- 敗血症性ショックにおけるステロイドの根拠については，2018年に発表された2つの大規模無作為化比較試験，ADRENAL研究[9]とAPROCCHSS研究[7]を知っておく必要があります。
- ADRENAL研究[9]は，挿管・人工呼吸管理を要する敗血症性ショック患者を対象に，ヒドロコルチゾン200mg/日を持続投与するかプラセボを投与するかで，死亡率の改善を比較検討しました。結果として，死亡率の改善は示せませんでしたが，ショック離脱までの期間および人工呼吸期間はステロイド群で短くなりました。
- APROCCHSS研究[7]は，ノルアドレナリン（NAD）0.25γ以上を要する敗血症性ショック患者を対象に，ヒドロコルチゾン50mgを6時間おきに静脈内投与かつフルドロコルチゾン50μgを経管投与するかプラセボを投与するかで，死亡率の改善を比較検討しました。結果として，ステロイド投与は90日死亡率を改善し，ショック離脱までの期間および人工呼吸期間も短縮しました。
- **表2**に2つの研究[7,9]の比較を示します。これらをまとめると，敗血症性ショック患者にステロイドを使用するとショック離脱までの期間と人工呼吸期間を短縮し，NAD 0.25γを要する重症患者では死亡率を改善するかもしれない，ということになります。

表2　ADRENAL研究とAPROCCHSS研究の比較

ADRENAL研究		APROCCHSS研究
3,658名	患者数	1,241名
ヒドロコルチゾン 200mg/日，持続投与	試験薬剤	ヒドロコルチゾン 50mg，6時間おき フルドロコルチゾン 50μg/日，経管投与
APACHEⅡ 24点	重症度	SAPSⅡ 56点 SOFA 11～12点
NAD 0.35γ	平均昇圧薬投与量	NAD 1γ
肺炎（35%） 腹部（25%） 血流感染（17%）	感染源	肺炎（60%） 尿路感染（17%） 腹部（11%）
ステロイド群27.9% プラセボ群28.6%	90日死亡率	ステロイド群43.0% プラセボ群49.1%

（文献7,9をもとに作成）

- 合併症としては，高血糖，高ナトリウム血症が報告されており[10]，血糖値および電解質をモニタリングする必要があります。筋力低下（ICU acquired weakness；ICUAW）との関連も報告されています[10]。敗血症性ショック患者での短期間の使用と，慢性使用による副作用である，消化管出血，精神症状，易感染との因果関係は示されていません[10]。

4 ステロイドの投与量・投与方法は？

- ステロイドは鉱質コルチコイド作用を期待してヒドロコルチゾンが選択されます。
- 投与量は，これまでの研究から200～300mg/日とされていますが，当院では上記研究をもとに200mg/日で投与しています。
- 投与方法は，ADRENAL研究[9]では持続的に，APROCCHSS研究[7]では間欠的に投与していますが，どちらのほうが優れているかは不明です。当院では間欠的に投与しています（100mg 12時間おきで投与していますが，50mg 6時間おきでもよいと思います）。持続で投与する場合は，最初に50～100mgのボーラス投与をしましょう[11]。血糖コントロールという点では，持続投与のほうがよいかもしれません[12]。
- APROCCHSS研究[7]ではヒドロコルチゾンに加えて鉱質コルチコイドであるフルドロコルチゾンを併用しており，併用による効果があるかもしれませんが，この手法を検討しているのはAPROCCHSS研究のグループのみです。日本版敗血症診療ガイドライン2021では「フルドロコルチゾンの併用投与を弱く推奨する（GRADE 2C：エビデンスの確実性「低」）」と記載されていますが，SSCG2021では言及されていません。ガイドライン上の推奨はあるもののフルドロコルチゾンの保険適用は塩喪失型先天性副腎皮質過形成症およびアジソン病に限定されており，世界的にも併用するのは少数派であると思われます[11]。

5 ステロイドは中止できるか？　投与期間は？

- ガイドライン上，明確な投与期間，中止方法は提示されていません。
- 上記2研究では最大7日間の投与としていて，漸減せずに中止としています。ショック離脱を目的としていますので，ショックを離脱したら（昇圧薬が中止できたら）中止するのが妥当かと思われます。
- 漸減したほうがよいかどうかはわかりませんが，漸減せずに中止する場合はショックが再燃しないか注意する必要はあります（ちなみに当院では，昇圧薬が中止できてから200→100→50mg/日と漸減していますが，明確なエビデンスはありません）。

6 モデル症例

症例：市中肺炎による敗血症性ショック（70歳女性）

①2日前からの発熱，咳，膿性痰，来院当日からの意識変容があり救急搬送。来院時，不穏状態で，意識レベルはE4V3M5，脈拍120回/分，血圧70/50mmHg，呼吸数30回/分，SpO_2 90％（10Lリザーバー）の状態。左胸部でcoarse crackleを聴取し，胸部X線上，左肺野に著明な浸潤影を認め，市中肺炎の診断となり，セフトリアキソンとアジスロマイシンを投与開始とした。

②低血圧に対しては1,500mLの細胞外液を投与するも改善せず，ノルアドレナリン（NAD）を0.05γより開始，挿管・人工呼吸管理を開始の上，ICU入室となった。

③ICU入室後，NADを増量しても血圧は安定せず，NADの投与量は0.3γとなった。NAD抵抗性の難治性ショックと判断し，バソプレシン 0.03U/分を開始するとともに（☞p.264 MEMO），ヒドロコルチゾン 50mgのボーラス投与を行った。ヒドロコルチゾンは50mgを6時間おきに投与することとした。

④バソプレシンとヒドロコルチゾンの開始後，血圧は徐々に安定し，NADを減量できた。

⑤第2病日，NADとバソプレシンを中止しても血圧が安定していることを確認し，ヒドロコルチゾンを1日おきに200→100→50mg/日と減量し，第4病日で中止したが，ショックの再燃は認めなかった。

⑥ヒドロコルチゾンの投与中は高血糖を認めたが，適宜インスリンを使用し，140〜180mg/dLの範囲内でコントロールした。

⑦第4病日で抜管，第5病日でICUを退出した。

MEMO

▶ステロイドと並んでNAD抵抗性の難治性ショックに用いられる薬剤がバソプレシンです。バソプレシンは下垂体後葉から分泌されるホルモンで，ショック時には末梢血管を収縮させて血圧を上昇させる作用がありますが，ショックが遷延すると相対的にバソプレシン濃度が低下する状態となります。

▶この病態から，NAD抵抗性のショックに対して，ステロイド同様“ホルモンの補充”としてのバソプレシン投与が考慮されます。また，バソプレシンとステロイドを併用したほうが両者の血中濃度を高め，効果が増強するのでは，と言われています（バソプレシンは下垂体前葉にあるV3受容体を介して，CRH刺激によるACTH分泌を促進させる効果を持つと考えられています）[13]。

▶当院では，NAD 0.25γを超える敗血症性ショックに対して両者を併用しています。

文献

1) Landry DW, et al:N Engl J Med. 2001;345(8):588-95.
2) Patel GP, et al:Am J Respir Crit Care Med. 2012;185(2):133-9.
3) Annane D, et al:Intensive Care Med. 2017;43(12):1781-92.
4) Annane D, et al:JAMA. 2002;288(7):862-71.
5) Evans L, et al:Crit Care Med. 2021;49(11):1974-82.
6) 江木盛時，他：日集中医誌. 2021;28(Suppl):S1-S411.
7) Annane D, et al:N Engl J Med. 2018;378(9):809-18.
8) Sprung CL, et al:N Engl J Med. 2008;358(2):111-24.
9) Venkatesh B, et al:N Engl J Med. 2018;378(9):797-808.
10) Rochwerg B, et al:Crit Care Med. 2018;46(9):1411-20.
11) Lamontagne F, et al:BMJ. 2018;362:k3284.
12) Weber-Carstens S, et al:Intensive Care Med. 2007;33(4):730-3.
13) Russell JA, et al:Crit Care Med. 2009;37(3):811-8.

（片岡　惇）

H 耳鼻咽喉科

23. 好酸球性副鼻腔炎

ステロイド治療の心構え

▶経口ステロイド治療は効果的ではありますが，根治治療目的ではありません。そのため，増悪時の一時的な使用にとどめます。

▶内視鏡下鼻副鼻腔手術（endoscopic sinus surgery；ESS）後も再燃し，経口ステロイド頻回投与の必要がある場合は，生物学的製剤を導入して経口ステロイドの減量・中止を試みます。

1 疾患の概要

- 好酸球性副鼻腔炎（eosinophilic chronic rhinosinusitis；ECRS）は，多発する鼻茸と鼻茸内への好酸球浸潤を特徴とする難治性の慢性副鼻腔炎です。
- NSAIDs過敏喘息を合併することが多いなど，従来型の慢性副鼻腔炎と異なる特徴があります（**表1**）[1)]。

表1　好酸球性副鼻腔炎と従来型慢性副鼻腔炎の比較

	好酸球性副鼻腔炎	慢性副鼻腔炎（従来型）
年齢	成人	すべての年齢
主症状	嗅覚障害	鼻閉，後鼻漏，頭痛
鼻汁の性状	粘性，ムチン	膿性
鼻茸の部位	両側中鼻道・嗅裂，多発	片側または両側中鼻道
病変部位	篩骨洞	上顎洞
浸潤細胞	好酸球	好中球
合併症	喘息，アスピリン不耐症，薬剤アレルギー	びまん性細気管支炎，気管支拡張症
経口ステロイド	有効	抵抗性
マクロライド	抵抗性	有効

（文献1より改変）

- 好酸球性多発血管炎性肉芽腫症（eosinophilic granulomatosis with polyangiitis；EGPA）は，ECRSを高率に合併します（☞**2章9**）。
- 欧米では，従来は鼻茸の有無で鼻茸を伴う慢性副鼻腔炎（chronic rhinosinusitis with nasal polyp；CRSwNP）と鼻茸を伴わない慢性副鼻腔炎（chronic rhinosinusitis without nasal polyp；CRSsNP）に分類されていました。ECRSはCRSwNPに近い病態概念ではありますが，本邦では難治・再発性の要素を組み込んだ診断基準（JESRECスコア）を用いて診断を行っています（**表2**）[2]。
- 近年では，鼻茸の有無を除いた新病態分類が提唱され，ECRSは原発性両側性type 2の病態のひとつと考えられています（**図1**）[3, 4]。
- 2型自然リンパ球（ILC2），2型ヘルパーT細胞（Th2）から産生される2型サイトカイン（IL-4，IL-5，IL-13）が病態の中心であり，type 2炎症と称されます（**図2**）[3]。
- 黄色ブドウ球菌の増殖などによる常在細菌叢の多様性の変容に起因する上皮細胞障害や，アレルギー応答が病態形成の機序として想定されています。
- IL-4/IL-13の受容体を特異的にブロックする分子標的薬であるデュピルマブが，2020年3月よりECRSを含む鼻茸を伴う慢性副鼻腔炎に対して適応となり，難治例にも大きな成果を上げつつあります。

表2　JESRECスコア

項目	点数
病側：両側	3点
鼻茸あり	2点
CTにて篩骨洞優位の陰影あり	2点
末梢血好酸球（%）2＜ ≦5	4点
5＜ ≦10	8点
10＞	10点

JESRECスコア合計：11点以上を示し，鼻茸組織中好酸球数（400倍視野）が3視野平均で70個以上存在した場合をdefinite（確定診断）とする。　（文献2より引用）

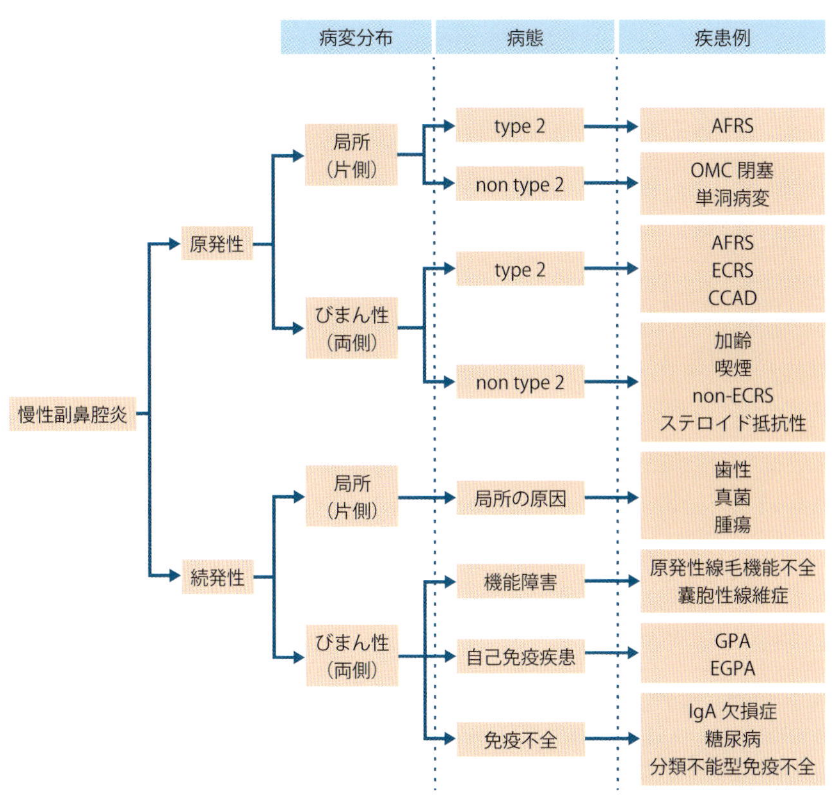

図1 慢性副鼻腔炎の新分類

AFRS：allergic fungal rhinosinusitis（アレルギー性真菌性副鼻腔炎）
OMC：ostiomeatal complex（中鼻道自然口ルート）
ECRS：eosinophilic chronic rhinosinusitis（好酸球性副鼻腔炎）
CCAD：central compartment atopic disease
GPA：granulomatosis with polyangiitis（多発血管炎性肉芽腫症）
EGPA：eosinophilic granulomatosis with polyangiitis（好酸球性多発血管炎性肉芽腫症）

（文献3，4をもとに作成）

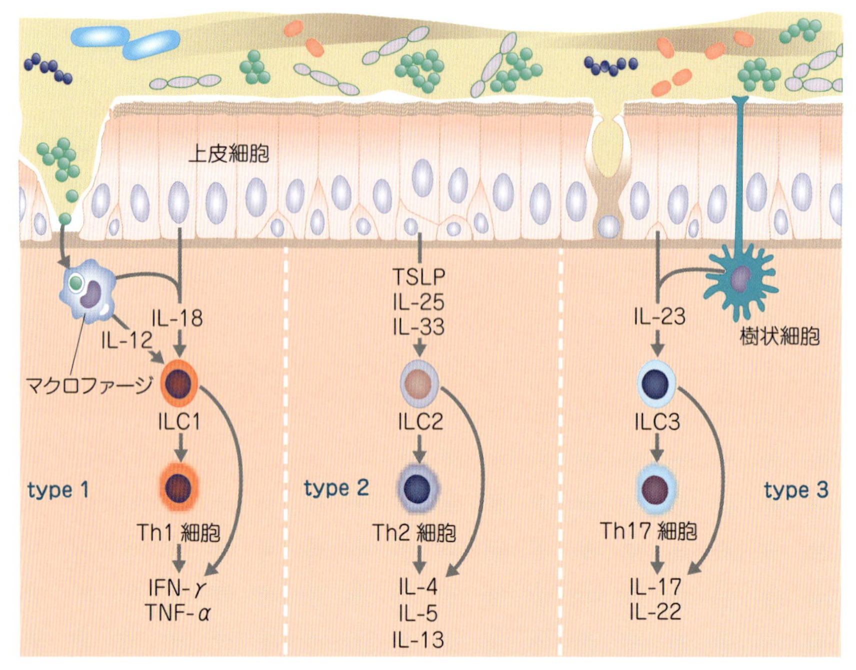

図2　免疫応答の分類

生理学的意義：type 1は細胞内寄生菌，type 2は寄生虫，type 3は細胞外細菌や真菌に対する免疫応答。
TSLP：thymic stromal lymphopoietin

（文献3をもとに作成）

2　どういうときにステロイドを使うか？

- まずは全例で鼻噴霧用ステロイドの使用が推奨されます。また，気管支喘息で使用している吸入用ステロイドを鼻から出す経鼻呼出法も有用とされています[5)]。
- 鼻噴霧用ステロイドの効果が乏しい場合には，滴下式ステロイドへの変更・追加を検討します。これらの局所ステロイドで十分なコントロールが得られない症例では，年に1～2コースを限度として，数週間以内の経口ステロイド投与は有力な治療法であると考えられています[3)]。

MEMO

▶局所の鼻噴霧用ステロイドは使用OK！　経口ステロイドは数週間以内の短期使用を1クールとし，年に1〜2回の使用にとどめます。

3 ステロイドの根拠は？

- 鼻噴霧用ステロイド投与による鼻茸の縮小効果や，ESS後のポリープ再発抑制効果が示されています。
- 短期間の経口ステロイド投与（**表3**）は，最大で3カ月間の鼻茸スコアの改善効果がもたらされますが，症状スコアの改善期間は，より短期であると考えられています。

ここがPOINT！

◉ステロイドは鼻茸を縮小させ，嗅覚障害を改善します。

4 経口ステロイドの初期用量は？

- プレドニゾロン（PSL）15〜20mg/日を目処に投与開始しますが，効果不十分であればPSL 30mg/日に増量することもあります。投与のタイミングは，生理的な副腎ホルモン分泌の時間と合わせて起床時1回です。
- セレスタミンは半減期が36〜54時間と長く，副腎機能抑制が強いことから，使用に関しては賛否両論あります。使用する場合は，連日投与による蓄積効果・薬剤相互作用および第1世代抗ヒスタミン薬の副作用に留意する必要があります（☞**p.31コラム「ステロイドの定説を暴く」**，☞**3章4**参照）。
- EPOS2020では，1クールあたり7〜21日間の経口ステロイドと鼻噴霧用ステロイドの併用が推奨されています。ステロイド用量は**表3**[3]のようにPSL 25〜60mg/日と幅があります。

MEMO

▶PSL投与は20mg/日以下で2週間以内の短期投与を目安に！　また，基本は起床時に投与します。

表3　経口ステロイド短期投与の効果

方法	対象	介入	評価項目	結果	文献
DBPCT	術後のCRSwNP	• PSL 30mg 分2 14日+モメタゾン点鼻 • プラセボ+モメタゾン点鼻	症状(SNOT-22を含む) 内視鏡スコア	症状とSNOT-22に有意差なし 6カ月後の内視鏡スコアはPSL群で低い傾向	Shen KH, et al:Am J Otolaryngol. 2019;40(1):22-9.
DBPCT	両側CRSwNP	• PSL 60mg 7日間，その後PSL 10mg隔日をday 17で中止 • プラセボ	症状 嗅覚 鼻茸スコア	PSL群で3項目の有意な改善	Ecevit MC, et al: Laryngoscope. 2015;125(9):2041-5.
DBPCT	CRSwNP	• PSL 50mg 14日間,その後モメタゾン点鼻 10週間 • プラセボ14日間，その後モメタゾン点鼻 10週間	症状 鼻茸スコア 鼻ピーク呼気フロー	PSL群で3項目の改善（2,7,12週）	Kirtsreesakul V, et al:Am J Rhinol Allergy. 2012;26(6):455-62.
DBPCT	CRSwNP	• PSL 25mg 14日間,その後フルチカゾン点鼻，計26週 • プラセボ14日間,その後フルチカゾン点鼻,計26週	症状（RQLQを含む） 鼻茸スコア 鼻ピーク吸気フロー	PSL群で症状，鼻ピーク吸気フローの改善（2週） 鼻茸スコアの改善（2,10週）	Vaidyanathan S, et al:Ann Intern Med. 2011;154(5):293-302.
DBPCT	CRSwNP	• mPSL 32mg 5日間，16mg 5日間，8mg 10日間，計20日 • プラセボ	症状 鼻茸スコア 鼻ピーク呼気フロー	mPSL群で症状の改善（4週），鼻茸スコアと鼻ピーク吸気フローの改善（55日間）	Van Zele T, et al:J Allergy Clin Immunol. 2010;125(5):1069-76.e4.
DBPCT	CRSwNP	• PSL 50mg 14日間 • プラセボ	症状(RSOM-31を含む) 鼻茸スコア	PSL群で症状の改善	Hissaria P, et al:J Allergy Clin Immunol. 2006;118(1):128-33.

DBPCT：double blind placebo controlled trial
CRSwNP：chronic rhinosinusitis with nasal polyps
SNOT-22：Sino-nasal outcome test
RQLQ：rhinoconjunctivitis quality of life questionnaire
RSOM-31：rhinosinusitis outcome measures-31

（文献3，p237より改変）

5 治療への反応性は？

- ステロイド投与後，速やかに嗅覚障害や鼻閉症状が改善します。
- ステロイド投与によっても症状の改善が乏しく，治療に難渋することがあります。その場合は，まずはECRS以外の病態や重複関与を改めて考慮します。

6 治療法はステロイド単剤でよいか？

- 生食による鼻洗浄（鼻うがい）は有効だと考えられており，推奨されています[3]。
- 抗ヒスタミン薬を併用することはありますが，有効性を示す十分な根拠はありません[3]。
- クラリスロマイシン500mg/日，8週間投与＋手術 vs 手術単独の無作為化比較試験では，クラリスロマイシン併用群で鼻症状スコアと内視鏡スコアに有意な改善があり，術後の鼻茸の再発が少なかったとする報告があります[6]。クラリスロマイシンは強力なCYP3A4阻害薬であるため，ステロイドを含め，併用薬には十分な注意が必要です（☞**3章4**参照）。
- 抗IL-4Rα抗体であるデュピルマブはIL-4とIL-13のシグナルを遮断することで，鼻茸サイズの縮小と自覚症状である鼻閉スコア・嗅覚障害の改善，および経口ステロイド投与やESS実施頻度を減らす効果が示されています[7]。
- メポリズマブ（抗IL-5抗体）750mg/回投与は，手術頻度の低下や症状改善の効果が示されていますが，気管支喘息やEGPAに対する承認用量（100mg/回，300mg/回）に比べ高用量であるため，ECRSへの保険適用がない現時点では日常診療に応用することは困難です[8, 9]。
- ESSは鼻副鼻腔形態の是正や，病変除去による副鼻腔の換気排泄が目的で行われます。
- 鼻副鼻腔形態是正により，術後の鼻洗浄や局所治療を有効化する目的もあります。
- ESSの初回手術で副鼻腔の開放が不完全な場合は，再燃頻度が高くなることがあります。
- 経口ステロイドとESSのいずれかを先行するか否かは意見がわかれますが，ステロイド投与の前に組織学的検査にて病態の把握がなされる必要があります。前後篩骨洞や嗅裂など，十分な組織を採取するためには手術によるアプローチが確実です。
- またESS前の経口ステロイド投与は，手術時の出血コントロールの面では有効と言われていますが，使用により本来の局所病態が変化してしまうことがあります。そのため病態を把握するための組織学的検査は，経口ステロイド投与前に行う必要があります。

MEMO

▶ECRSは，局所治療（鼻噴霧用ステロイド，鼻洗浄，吸入ステロイド経鼻呼出，滴下式ステロイド）と内服療法（経口ステロイド，マクロライド療法など），そして手術療法，分子標的薬を組み合わせて治療を行います。

7 寛解維持療法としてsteroid sparing agentは何かあるか？

- 経口ステロイド以外の方法（鼻噴霧用ステロイド，鼻洗浄，手術）を効果的に併用することで，経口ステロイドの依存度を減らします。
- 上記の治療でも経口ステロイドへの依存度が高まってしまう場合は，生物学的製剤の使用を考慮します（**表4**[3]，**図3**[10]）。

表4 EPOS2020による生物学的製剤の適応

基準	定義
type 2炎症の所見	組織好酸球≥10個/hpf（顕微鏡400倍1視野） または末梢血好酸球≥250/μL またはtotal IgE≥100IU/mL
全身性ステロイドが必要 または全身性ステロイドが禁忌	≥2コース/年 または3カ月を超える少量ステロイド
重度のQOL低下	SNOT-22≥40
重度の嗅覚障害	嗅覚テストで嗅覚消失
気管支喘息の合併	定期的な吸入ステロイドを必要とする

ESSによる治療後に両側鼻茸が再燃し，上記の5つの項目のうち3つの基準を満たす場合に適応となる
SNOT-22：Sino-nasal outcome test

（文献3より改変）

【患者選択について】

投与の要否の判断にあたっては，以下に示す①～③のすべてに該当する患者であることを確認する。

①慢性副鼻腔炎の確定診断がなされている

②鼻茸を伴う慢性副鼻腔炎に対して，過去2年以内に全身性ステロイドによる治療歴がある，または鼻茸を伴う慢性副鼻腔炎に対して，手術による治療歴がある，または全身性ステロイドの禁忌に該当する，もしくは忍容性が認められない

③既存の治療によっても以下のすべての症状が認められる

- 内視鏡検査による鼻茸スコアが各鼻腔とも2点以上かつ両側の合計が5点以上
- 鼻閉重症度スコアが2（中等症）以上（8週間以上持続していること）
- 嗅覚障害，鼻汁（前鼻漏/後鼻漏）等（8週間以上持続していること）

鼻茸スコア（鼻腔ごとに判定）		鼻閉重症度スコア	
スコア	症状	スコア	症状
0	ポリープなし	0	症状なし
1	小さなポリープを中鼻道に認めるが，中鼻甲介下縁の下には達していない。	1	軽症（症状があり，わずかに認識できるが容易に耐えられる）
2	中鼻甲介下縁の下に達しているポリープを認める。	2	中等症（明らかに症状があり煩わしいが，許容できる）
3	大きなポリープが下鼻甲介下縁に達している，またはポリープを中鼻甲介の内側に認める。	3	重症（症状が耐えがたく，日常生活の妨げとなる）
4	下鼻腔の完全な閉塞を引き起こしている大きなポリープを認める。	—	—

【投与の継続にあたって】

本剤の臨床試験における有効性評価時期（投与開始後24週時点）および試験成績をふまえ，投与24週時までの適切な時期に効果の確認を行い，効果が認められない場合には漫然と投与を続けないようにすること。

図3　本邦におけるデュピルマブの投与対象となる患者

（文献10より引用）

8 ステロイド減量のスピードは？

- 3週間以内であれば，減量過程を経ずに中止してもかまいません。
- 1カ月以上継続して投与されている場合には，急激に減量すると副腎不全を起こす可能性があるため，ACTHやコルチゾール値などの血液検査の結果を参考にしながら，1mgごとにゆるやかに減量を行います。または，隔日投与に切り替えて血中薬物濃度を徐々に減らして副腎機能回復を図ることも効果的です。
- PSL以外の他の長期間作用型経口ステロイドを使用している場合には，PSLへ変更してから減量します。

ピットフォール

➡3週間以内の使用であれば，一気に中止可能です。
➡1カ月以上の連続使用であれば，徐々に減量します。

9 減量は何を指標にすればよいか？

- 鼻内所見，患者の自覚症状を目安に減量します。
- 1カ月以上の連続使用をしている場合には，急に中止せず徐々に減量しますが，定まった方法はありません。
- 特に分子標的薬導入後は，末梢血の好酸球割合や好酸球数を指標にしながらPSLを1mgずつ，あるいは同量を隔日投与として減量を試みます。
- 既に経口ステロイドを長期内服している場合は，ステロイドを朝skipした状態で血液検査を行います（採血後に内服指示）。副腎皮質刺激ホルモン（ACTH）とコルチゾールが3回連続で基準値内であることが確認できれば，減量は確実に可能です。
- 減量時には副腎不全・離脱困難症・EGPA・好酸球性肺炎などが発症する可能性や，合併する他のアレルギー性疾患の症状が変化する可能性があります。好酸球数の推移，血管炎症状，肺症状などに注意して減量を行います。

10 ステロイドは中止できるか？ 投与期間は？

- 経口ステロイドは全例で中止をめざします。
- ESS施行後も使用が中止できない場合には，分子標的薬の導入を検討します。

11 モデル症例

症例：ESS施行歴，気管支喘息・NSAIDs過敏喘息既往あり（49歳女性）

①手術後も急性増悪時にはセレスタミンやPSLの短期間投与を1年程度されていた。その後，通院を自己中断されていたが，鼻閉・嗅覚障害の増悪にて来院。来院時，鼻内には鼻茸が充満しており，鼻茸スコアは両側3点で合計6点であった。

②リンデロン®点鼻薬の側臥位点鼻法[11, 12]に加えて，PSL 20mg/日での内服を3日間行い，その後，10mg/日を4日間→5mg/日を1週間使用。

③鼻茸の縮小と鼻閉・嗅覚障害の軽快が得られたため，PSLを中止。リンデロン®点鼻薬のみ継続とした。

④中止して数週間以内に，徐々に鼻閉と嗅覚障害が増悪したため，PSL 5mg/日を2週間使用。 症状軽快し，4mg/日へ減量したところ再燃したため，5mg/日を継続で使用せざるをえない状況が半年継続した。なお，リンデロン®点鼻薬は使用開始後3カ月でいったん中止した。

⑤分子標的薬が適応となったため，デュピルマブを導入。鼻閉・嗅覚障害の症状が速やかに改善し，鼻茸も縮小した。PSLに関しては，末梢血好酸球数や割合が低下しているのを確認しながら1mgずつ減量を行い，分子標的薬導入後，11カ月でPSLを離脱した。PSL減量中は，症状の一時的な増悪・喘息様症状の出現・好酸球の増加を認めた場合，減量を見送った。

文 献

1) Fujieda S, et al:Allergol Int. 2019;68(4):403-12.
2) 難病情報センター：好酸球性副鼻腔炎（指定難病306）.
[https://www.nanbyou.or.jp/entry/4538]（2022年12月閲覧）
3) Fokkens WJ, et al:Rhinology. 2020;58(Suppl S29):1-464.
4) Grayson JW, et al:JAMA Otolaryngol Head Neck Surg. 2020;146(9):831-8.
5) Kobayashi Y, et al:Int J Clin Pharmacol Ther. 2014;52(10):914-9.

6) Perić A, et al:West Indian Med J. 2014;63(7):721-7.
7) Bachert C, et al:Lancet. 2019;394(10209):1638-50.
8) Bachert C, et al:J Allergy Clin Immunol. 2017;140(4):1024-31.e14.
9) Gevaert P, et al:J Allergy Clin Immunol. 2011;128(5):989-95.e1-8.
10) 厚生労働省:最適使用推進ガイドライン デュピルマブ(遺伝子組換え). 2020.
[https://www.pmda.go.jp/files/000237676.pdf] (2022年12月閲覧)
11) 宮崎純二, 他:耳鼻臨床. 2004;97(8):697-705.
12) Mori E, et al:Eur Arch Otorhinolaryngol. 2016;273(4):939-43.

（森　恵莉, 中島大輝, 岩波慶一）

I 皮膚科

24. アトピー性皮膚炎

ステロイド治療の心構え

- ▶アトピー性皮膚炎の治療にステロイド内服は基本的に使いません。
- ▶ステロイド外用による治療が基本。皮疹の重症度，外用部位により強さを決めます。
- ▶十分な強さのステロイドを，十分な量，短期間（1週間前後）外用し寛解へ持ち込みます。
- ▶寛解後も保湿剤は継続し，タクロリムス軟膏，デルゴシチニブ軟膏，ステロイド外用薬によるプロアクティブ療法で再燃を防ぎます。
- ▶ステロイド外用薬でコントロール不良な中等症から重症例は，デュピルマブ，JAK阻害薬などの全身療法を検討します。

1 疾患の概要

- アトピー性皮膚炎は，特徴的な部位に増悪と寛解を繰り返す瘙痒（かゆみ）のある湿疹を呈する慢性皮膚疾患です。
- 「瘙痒」のある湿疹であること，「特徴的な分布」であること，「慢性・反復性の経過」であり一過性ではないことが重要です。
- 特徴的な分布とは，左右対称であり，年齢により好発部位が異なるということです（**表1**）[1]。瘙痒がなかったり，左右非対称であったり，一過性であった場

表1 アトピー性皮膚炎の年齢による分布の特徴

乳児期	頭，顔に始まり，しばしば体幹，四肢に下降
幼小児期	頸部，四肢屈曲部の病変
思春期・成人期	上半身（顔，頸，胸，背）に皮疹が強い傾向

（文献1をもとに作成）

合は他の疾患を考える必要があり，皮膚科専門医の受診が勧められます。

- 多くの患者がアトピー素因を持ちますが，必須ではありません。アトピー素因とは，気管支喘息，アレルギー性鼻炎，結膜炎，アトピー性皮膚炎のうち，いずれかまたは複数の家族歴・既往歴があること，またはIgEを産生しやすい素因のことを指します。
- 病態形成には，①皮膚バリア機能の低下，②2型炎症，③瘙痒，が重要とされており，互いに深く関連していることが示されています。

①皮膚バリア機能の低下

- 皮膚バリア機能の低下は，水分保持能力に重要なセラミドの低下，バリア機能形成に重要なフィラグリンの低下，表皮細胞間の接着構造タイトジャンクションを構成するclaudin-1の発現低下などがみられます。フィラグリンの発現低下は，遺伝的な場合以外にも，2型サイトカイン（IL-4やIL-13）の影響による低下も報告されています[2]。
- 最近，皮膚細菌叢の異常がアトピー性皮膚炎患者で指摘されており，病態形成や増悪に関与している可能性が示唆されています[3, 4]。

②2型炎症

- アトピー性皮膚炎の病態の形成，維持にはIL-4やIL-13などを産生するTh2細胞，IL-5やIL-13などを産生する2型自然リンパ球が重要です。IL-4やIL-13の受容体はIL-4Rαですが，抗IL-4Rα抗体デュピルマブ（デュピクセント®）が2018年4月に日本でアトピー性皮膚炎に対して適応となっています。バリシチニブ（オルミエント®），ウパダシチニブ（リンヴォック®），アブロシチニブ（サイバインコ®）などのJAK阻害薬も2型サイトカインのシグナル伝達を阻害します。

③瘙痒

- アトピー性皮膚炎患者において，Th2細胞などから産生されるIL-31，IL-4や，表皮角化細胞から産生されるTSLPなどが神経に作用することでかゆみを誘発し，掻破行動を誘発します。
- アトピー性皮膚炎の皮膚では皮膚知覚神経が皮膚表面の角層直下まで伸長しており，感覚過敏を引き起こします。アトピー性皮膚炎のかゆみにおけるヒスタミンの関与は部分的なため，抗ヒスタミン薬内服の効果は限定的であり，補助的に使用されます。

④治療

- 治療は，悪化因子に対する対策や生活指導のほか，薬物治療が基本となります。
- 薬物治療は，皮膚バリア機能維持のための保湿剤外用，2型炎症を抑える抗炎症薬の外用（ステロイド，タクロリムス，デルゴシチニブ）が中心となります。
- 治療目標は，「アトピー性皮膚炎診療ガイドライン 2021」において「症状がないか，あっても軽微で，日常生活に支障がなく，薬物療法もあまり必要としない状態に到達し，それを維持することである。また，このレベルに到達しない場合でも，症状が軽微ないし軽度で，日常生活に支障をきたすような急な悪化が起こらない状態を維持することを目標とする」と記載されています[1)]。

2 どういうときにステロイドを使うか？

- ステロイド「内服」は，急性増悪時に短期間に限り使用することがありますが，基本的には使いません。ステロイド「外用」は，皮膚に炎症がみられるとき，つまり湿疹病変があるときに使用され，治療の基本となります。全身療法（シクロスポリン内服，JAK阻害薬内服，光線療法，デュピルマブ注射）の際にもステロイド外用薬は併用します。
- 湿疹は，紅斑，鱗屑（カサカサ）などを呈しますが，時に小水疱，湿潤，膿疱なども呈します。慢性期では，苔癬化を示します。
- 炎症が強かった場合，治癒後に炎症後色素沈着（褐色斑）を残しますが，その場合ステロイド外用は必要ありません。
- 慢性期の病変では，色素沈着と紅斑が混じり，いわゆる褐色調紅斑を呈することもありますが，紅斑が残る限りステロイド外用などの抗炎症薬による治療が必要です。

3 ステロイドの根拠は？

- ステロイド外用の効果については，年齢に関係なくプラセボより有意に効果的であることが示されています[5〜9)]。
- 長期外用による全身的な副作用は，適切に使用することで避けることができ，安全性は高いです。
- ステロイド外用による局所の副作用としては，非常に強いステロイドを長期に外用すると皮膚の菲薄化，毛細血管拡張を生じます。また，ステロイドざ瘡や，酒さ様皮膚炎なども起こすため，漫然と長期に使用することは勧められません。

4 ステロイドの初期用量は？

- 外用する部位，皮疹の重症度により，適切なステロイド外用薬は異なります。

①適切なステロイド外用薬の選択（表2）

- ステロイド外用薬の経皮吸収率は部位によって異なるため，同じ強さのステロイド外用薬でも期待できる効果が異なります。
- 顔面，頸部，陰嚢などは経皮吸収率が高く，弱めのステロイド外用薬でも十分効果が期待できます。むしろ強すぎるステロイド外用薬は局所の副作用のリスクが高くなります。逆に手掌や足底は経皮吸収率が低く，強めのステロイド外用薬が必要です。

表2　ステロイド外用薬のランク

ステロイド外用薬の強さ	代表的な商品名
strongest	デルモベート®
very strong	アンテベート®, フルメタ® マイザー®, パンデル®
strong	リンデロン®-V, フルコート®
medium	リドメックス®, キンダベート® アルメタ®, ロコイド®
weak	グリメサゾン®（主に陰部に使用される） プレドニン®眼軟膏（主に眼囲に使用される）

- 皮疹の重症度については，**表3**および**図1～図3**を参考にして下さい。
- 初期に十分な強さのあるステロイド外用薬を選択することが大切です。皮疹に対して弱いステロイド外用薬を漫然と使用しても治りません。むしろ，長期外用による副作用を誘発してしまいます。

表3　皮疹の重症度

重症	•苔癬化：皮丘が厚くなり皮膚の溝（皮溝）がはっきりとみえる状態で慢性湿疹のサイン •結節性痒疹：かゆみを伴う結節 •多数の掻破痕，高度の浸潤（皮膚が厚く触れること）を伴う，または痂皮（かさぶた）の付す紅斑，丘疹，小水疱 •紅斑は深く濃い，または火のような赤色
中等症	中等度の紅斑（はっきりとわかる暗赤色），鱗屑（カサカサ），少数の丘疹
軽症	軽度の紅斑（淡紅色，ピンク色），軽度の鱗屑

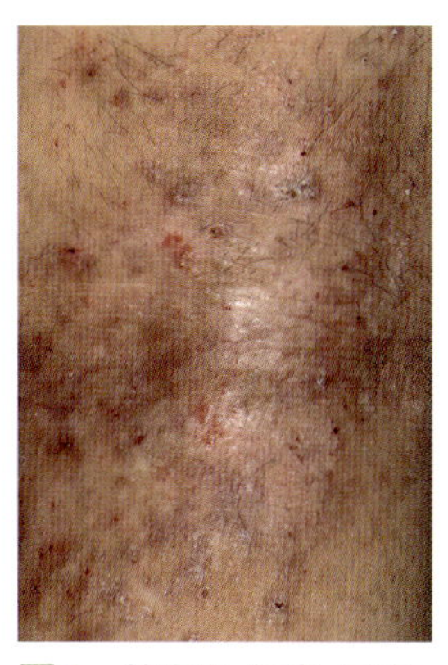

図1 苔癬化，紅斑，丘疹，掻破によるびらん，血痂（重症）

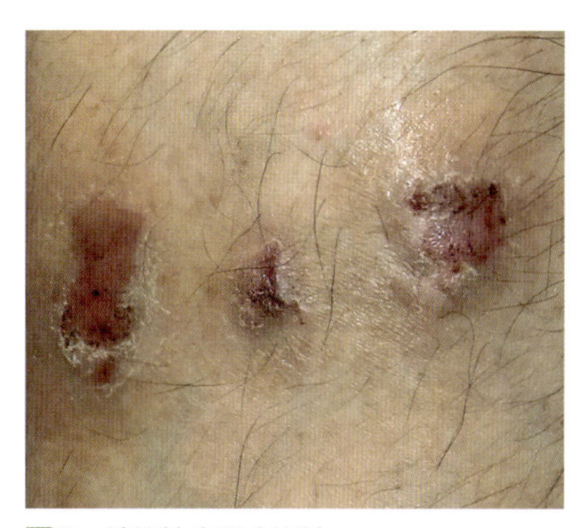

図2 結節性痒疹（重症）

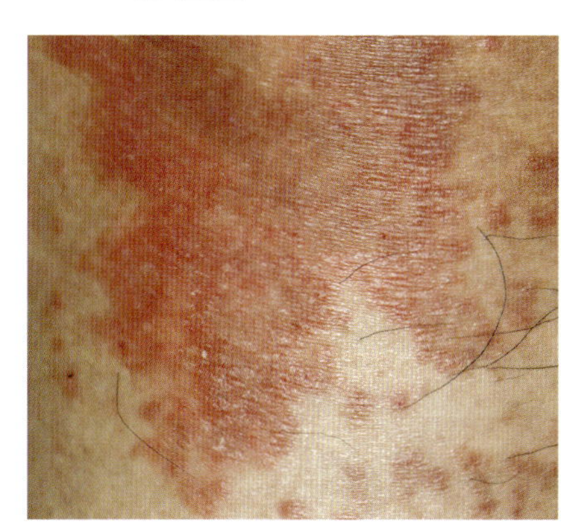

図3 紅斑（中等症～重症）

- 部位別の処方例を**表4～表7**に示します。重症例では皮膚科専門医の受診，処方が望まれます。

②外用量

- 塗布量も重要です。期待される効果が得られない場合は塗布量の不足も考える必要があります。
- 軟膏，クリームの塗布量の目安としてFTU（finger tip unit）というものがあります。人差し指の先端から第1関節まで絞り出すと約0.5gになり，手のひら2枚分の塗布量に相当します。
- ただし，1FTUで約0.5gとなるのは保湿剤などの25gチューブの場合であり，

表4　頭部の皮疹の処方例

重症	デルモベート®スカルプローション 1日2回
中等症	アンテベート®ローション 1日2回 リンデロン®-Vローション 1日2回 メサデルム®ローション 1日2回
軽症	リドメックスコーワローション 1日2回

表5　顔面・頸部の皮疹の処方例

重症	パンデル®軟膏 1日2回
中等症	リドメックス®軟膏 1日2回
軽症	キンダベート®軟膏 1日2回 ロコイド®軟膏またはロコイド®クリーム 1日2回 アルメタ®軟膏 1日2回

表6　体幹・四肢の皮疹の処方例

重症	デルモベート®軟膏 1日2回
中等症	アンテベート®軟膏 1日2回 フルメタ®軟膏 1日2回 マイザー®軟膏 1日2回
軽症	パンデル®軟膏 1日2回 リンデロン®-V軟膏 1日2回

表7　陰嚢の皮疹の処方例

重症	パンデル®軟膏 1日2回 リンデロン®-V軟膏 1日2回
中等症	リドメックス®軟膏 1日2回 グリメサゾン®軟膏 1日2回
軽症	グリメサゾン®軟膏 1日2回

ステロイド外用薬でよく用いられる5gチューブでは0.2g程度，10gチューブでは0.3g程度となるため注意が必要です。多くのステロイド外用薬は5gチューブで処方されるため，その場合は第2関節（PIP関節）を越えるくらいで，手のひら2枚分と説明するとよいかもしれません。ただし，例外として，デルゴシチニブ（コレクチム®）軟膏は5gチューブでも口径が大きいため，1FTUで約0.5g程度になります。

- FTUはあくまで目安なので，患者に説明する際には「薄く塗って下さい」とは指導せず，「少しべたつくくらいしっかり外用する」よう指導することが重要です。

③外用回数

- 急性増悪時は1日2回（朝と夕，入浴する際はその後に）を原則とし，軽快後は場合によってはアドヒアランス向上も期待し1日1回外用とします。強いステロイド外用薬については1日1回でも2回でも効果に差がなかったという報告もありますが[10, 11]，さらなるエビデンスの集積が待たれます。
- Mediumクラスのステロイド外用薬は1日2回のほうが有効であることがわかっているため，1日2回のままのほうがよいでしょう。
- ただし，口角炎や手の皮疹などは，日常の生活で外用薬がすぐにとれてしまい，1日2回では期待した効果が得られないことも多く，状況に応じて口角炎なら食後に水道水で洗って外用し直す，手なら手洗いのたびに外用し直すなどの指導も必要です。

④剤形

- 剤形については，刺激の少ない軟膏が基本ですが，アドヒアランス向上のために頭部にはローションを，手のひらにはクリームを，また，夏にはべたつきを考慮してクリームを選択するなど部位や患者の希望により変更します。
- びらん面には刺激性や吸収性，感作の問題からローション，クリームは避け，軟膏にする必要があります。
- 手足の亀裂にはドレニゾン®テープなどを小さく切って使用することもあります。

ピットフォール

【非ステロイド外用薬（NSAIDs外用薬）について】

➡非ステロイド外用薬（NSAIDs外用薬）は，抗炎症作用がきわめて弱く，接触皮膚炎（いわゆる，かぶれ）を起こすこともあり，アトピー性皮膚炎の治療には使用されません。

➡保湿剤と同等の効果しか期待できない上に，接触皮膚炎のリスクがあることからも，炎症がある皮膚ではステロイド外用薬やタクロリムス外用薬，デルゴシチニブ外用薬を選択すべきです。

ここがPOINT！

【保湿剤の外用順序】

◉保湿剤はバリア機能を高める効果が期待でき，再燃の予防に重要です。

◉ステロイド外用薬との併用時には，保湿剤を先に広範囲に外用し，ステロイド外用薬はその上から必要な箇所のみ外用するよう指示します。動物実験の結果からは，どちらを先に外用しても効果や副作用は変わらないことが示されていますが，先にステロイド外用薬を塗布すると保湿剤を広範囲に外用する際にステロイド外用薬が必要のない部位にまで広がってしまい，正常部位にまでステロイド外用薬の副作用が発現するおそれがあります。

MEMO

【ステロイド外用薬と他の薬剤の混合について】

▶薬剤の安定性の面から，混合せずにそれぞれの薬剤を個別に処方し重ね塗りしてもらうほうが効果・安定性の面からも望まれます。しかし，皮疹が広範囲の場合や高齢者などには，混合することでアドヒアランス向上が期待できます。

▶混合の際，安定性の面で混合可能なものと不可なものがあり，先発品と後発品でも混合の可否が違うものがあるので注意が必要です。

▶配合変化については「軟膏・クリーム配合変化ハンドブック 第2版」[12)]に詳しく書かれています。

〈例〉 ○アンテベート®軟膏＋ヒルドイド®ソフト軟膏

×デルモベート®軟膏＋ヒルドイド®ソフト軟膏

ピットフォール

【ステロイド外用薬の稀釈】

➡ステロイド軟膏は表示成分が基剤に対して溶解度以上に含まれており，多くは結晶として存在しています。ワセリンなどで混合し稀釈しても結晶が解けて飽和状態になります。そのため，溶解している濃度は変わらず，効果は減弱しないことが多いので，注意が必要です。

➡逆に皮疹の範囲が広くて，いちいち5gチューブから出して外用するのが面倒な場合，アドヒアランスを向上する目的で，混合指示（たとえばデルモベート®軟膏と白色ワセリンを1：1）をすることで容器に入れて処方されることになり，外用しやすくなります。

➡前述のアンテベート®軟膏＋ヒルドイド®ソフト軟膏も，同様にアンテベート®の有効成分の溶解濃度は変わらず効果は減弱しません。

5 治療への反応性は？

- 多くの場合，ステロイド外用薬開始後3～4日で改善傾向か，効果がみられないかが判断できます。最重症の場合は3日後あたりで再診するのが理想的です。
- 最重症の場合を除き，適切な強さのステロイド外用薬を1週間きちんと外用すれば皮疹はほぼ軽快します。

- 結節性痒疹など重症である場合は，長期の外用や他の治療（局所光線療法やシクロスポリン内服，デュピルマブ注射，JAK阻害薬内服）の併用が必要となります。

6 寛解導入療法はステロイド単剤でよいか？

- 寛解導入はステロイド外用薬単剤でもかまいませんが，保湿剤との併用が勧められます。保湿剤により低下している角質水分量が上昇し，皮膚の乾燥やかゆみの軽減が期待できます。
- 抗ヒスタミン薬の併用は必須ではありません。有効だったとする報告と有効ではなかったとする報告が両方あります。かゆみを軽減し，掻破行動をいくらか抑止する目的で補助的に併用するのはかまいません。その際には，非鎮静性抗ヒスタミン薬を選択します。

7 寛解維持療法としてsteroid sparing agentは何かあるか？

- 寛解時にも保湿剤を継続することが，皮膚バリア機能維持のためにも勧められます。
- 再燃を起こしやすい部位においては，タクロリムス（プロトピック®）軟膏が寛解維持療法としてよく使われます。エビデンスはまだありませんが，デルゴシチニブ（コレクチム®）軟膏も寛解維持療法として用いられます。
- ステロイド外用薬長期使用による局所の副作用である皮膚の菲薄化，毛細血管拡張などが，タクロリムス軟膏やデルゴシチニブ軟膏の長期外用ではみられません。
- 寛解維持の方法として，プロアクティブ療法があります。症状が出てくるたびにステロイド外用薬を使用するというリアクティブ療法に対し，再燃を防ぐために皮疹が良くなっても，特に再発を起こしやすい部位に，隔日や週2回など間隔を空けながらステロイド外用薬を継続したり，タクロリムス軟膏やデルゴシチニブ軟膏を毎日～週2回使用し，再燃を防ぐ方法がプロアクティブ療法です。
- タクロリムス外用薬，デルゴシチニブ軟膏は，寛解維持において毎日外用してもかまいません。再燃がなければ徐々に回数，間隔を延ばしていきます。

ここがPOINT！

【タクロリムス外用薬による刺激感】

◉タクロリムス軟膏は外用開始1週間は，ヒリヒリやほてりなどの刺激感があります（その後，慣れてきます）。

◉皮疹の状態が悪いときに外用すると経皮吸収率が高く，刺激感も強く出ます。皮疹をステロイド外用薬で落ちつかせてからタクロリムス外用薬へ変更するよう指導することが重要です。

◉また，初めから広範囲に塗らず，狭い範囲から外用を開始し徐々に広げていくようにするとよいでしょう。

ここがPOINT！

【タクロリムスとデルゴシチニブの使いわけ】

◉タクロリムスは刺激感があるのに対し，デルゴシチニブは刺激感はほとんどありません。

◉タクロリムスは分子量が大きく，皮膚バリア機能が保たれているところは経皮吸収が少なく，皮膚バリアが破綻している部位，つまり皮疹のあるところでは経皮吸収が多くなります。寛解維持において広範囲に外用しても経皮吸収されるところは少なく，経皮吸収による全身的副作用の懸念はほとんどありません。

◉デルゴシチニブは分子量が小さく，皮膚バリア機能が保たれているところにおいても経皮吸収されます。添付文書にも記載されているように体表面積の30％までを目安とします。

◉範囲が狭いときはデルゴシチニブから開始してかまいませんが，体幹や四肢の広範囲の皮膚にプロアクティブ療法を行う際はタクロリムス軟膏を選択したほうがよいでしょう。

MEMO

【デュピルマブによる寛解導入，寛解維持と外用療法】

▶重症アトピー性皮膚炎患者では，強いステロイド外用薬を長期に使用せざるをえず，皮膚の菲薄化や毛細血管拡張がみられることがあります。2018年に登場した抗IL-4Rα抗体であるデュピルマブ（デュピクセント®）は，外用療法の併用が必要ですが，ステロイド外用薬の使用量を大幅に減らすことができます。

▶寛解維持期にはプロトピック®外用や保湿剤の併用のみで良好な状態を維持できる患者もいます。

▶デュピルマブの導入には患者条件，施設条件などがあるので，最適使用推進ガイドラインを参照して下さい。

MEMO

【JAK阻害薬（バリシチニブ，ウパダシチニブ，アブロシチニブ）】

▶JAK1選択的阻害薬であるウパダシチニブ，アブロシチニブ，JAK1，2選択的阻害薬であるバリシチニブが外用療法で効果不十分な中等症から重症のアトピー性皮膚炎に対して保険適用となっています。

▶JAK阻害薬はスクリーニング検査と定期的な採血検査を必要とします。

▶有効性と安全性は各JAK阻害薬間で異なります。高い有効性のものもありますが，帯状疱疹の発症率など気をつけるポイントがいくつかあります。使用には施設条件がありますので，最適使用推進ガイドラインや日本皮膚科学会ホームページを参照して下さい。

8 ステロイド減量のスピードは？

- かゆみがとれても，皮疹が消える（紅斑が消退する）または色素沈着のみになるまでは，十分な強さのステロイドをしっかりと続けます。
- 皮疹の重症度，皮疹の部位に合ったステロイド外用薬を用いれば1週間前後で軽快することが多く，まだ皮疹が軽度に残っていればランクダウンかタクロリムスやデルゴシチニブ外用薬へ変更，治癒していれば保湿剤のみとします。
- 上述したように，再燃を繰り返しているところは，プロアクティブ療法へ移行します。

9 減量は何を指標にすればよいか？

- 基本的には皮疹をみて判断します。皮疹が完全に消退するか，色素沈着になればステロイド外用薬は中止して保湿剤のみ，あるいはプロアクティブ療法に切り替えます。
- 重症の際は血清TARC（thymus and activation-regulated chemokine）値を参考にすることもあります。

10 ステロイドは中止できるか？ 投与期間は？

- 急性増悪の際はしっかりとした強さのステロイド外用薬を，十分な外用回数と十分な塗布量で短期間（1～2週間）使用し，寛解に持ち込みさえすればステロイド外用薬は中止可能です。
- 寛解時は保湿剤やタクロリムス軟膏やデルゴシチニブ軟膏で再燃を防ぐことが重要です。しかしながら，アトピー性皮膚炎は慢性の疾患であり，アドヒアランスの低下がしばしばみられます。
- 外用療法で不十分な場合は全身療法を検討することも重要です。シクロスポリン内服などは短期間のみ使用し，急に中止することも可能です。急性増悪時などは外用療法に併用するのも有効です。
- ステロイド外用薬だけでコントロールできない場合は，デュピルマブ，JAK阻害薬なども検討することが必要です。

11 モデル症例

症例①：幼少時からアトピー性皮膚炎の診断あり，1週間前より皮疹が増悪（25歳男性）

①顔面，頭部，体幹，上肢など上半身を中心に，紅斑，鱗屑，丘疹，一部軽度苔癬化を認め，掻破痕もみられた。顔面，肘窩は増悪と寛解を繰り返している。下記を処方し，1週間後に再診とした。頭部以外は，ヒルドイド®ソフト軟膏を広範囲に外用し，その上から皮疹のあるところにのみステロイドを外用するよう指示した。

- アンテベート®ローション：20g 1日2回 頭
- リドメックスコーワ軟膏：5g 1日2回 顔

・マイザー®軟膏：30g 1日2回 体・腕
・ヒルドイド®ソフト軟膏：100g 1日2回 保湿剤 先に塗る

②1週間後，ほとんどの皮疹は軽快。ヒルドイド®ソフト軟膏は継続するよう指示。皮疹の残るところは，あと数日外用を継続するよう指示した。顔面と肘窩は繰り返しているとのこと。下記にてプロアクティブ療法を開始した。プロトピック®軟膏については刺激感が生じることを説明し外用方法を指導。
・プロトピック®軟膏0.1%：5g 1日2回 顔 毎日
・マイザー®軟膏：20g 1日1回 肘 週2回
・ヒルドイド®ソフト軟膏：100g 1日2回 保湿剤 先に塗る

③さらに2週間後，再燃なく経過。顔面のプロトピック®軟膏も1日1回から週2回へ変更。肘窩もプロトピック®軟膏へ変更し，徐々に間隔をあけていくことにした。次回は1カ月後に再診とし，急性増悪があれば，そのときに受診するよう指示した。

症例②：幼少時から重度のアトピー性皮膚炎があり，重度の苔癬化局面，丘疹，紅斑（30歳男性）

①四肢には結節性痒疹が散在しており，肘窩，膝窩を中心にほぼ全身に重度の苔癬化局面，丘疹，紅斑がみられる。掻破痕も多数みられる。デルモベート®軟膏を使うと一時的に効果がみられるが，やめるとすぐに再燃する。また，結節性痒疹はいくら外用しても治らない。かゆみのため睡眠障害あり。最近は，範囲が広すぎて外用する気が失せており，抑うつ傾向もみられる。デュピルマブを導入し，保湿剤，ステロイド外用薬は併用とした。

②2週間後，かゆみはかなり改善し，最近はよく眠れるようになったとのこと。皮疹も紅斑はかなり消退し，ステロイド外用量も減ってきた。保湿剤は継続とし，徐々にステロイド外用薬のランクを下げ，一部はプロトピック®軟膏へ変更。長期に広範囲にデルモベート®軟膏を外用していた場合は外用変更や中止前に血中コルチゾール濃度を測定し，副腎機能低下がないか確認する。

⬇

③デュピルマブ継続で，3カ月後には結節性痒疹も平坦化してきた。保湿剤とプロトピック®軟膏中心で寛解維持できているが，一時的な急性増悪にはしっかりとした強さのステロイド外用薬を短期に外用することでコントロール良好となる。

文 献

1) 佐伯秀久, 他 : 日皮会誌. 2021;131(13):2691-777.
2) Howell MD, et al:J Allergy Clin Immunol. 2007;120(1):150-5.
3) Chng KR, et al:Nat Microbiol. 2016;1(9):16106.
4) Shi B, et al:J Invest Dermatol. 2018;138(7):1668-71.
5) Sears HW, et al:Clin Ther. 1997;19(4):710-9.
6) Breneman D, et al:J Drugs Dermatol. 2005;4(3):330-6.
7) Thomas KS, et al:BMJ. 2002;324(7340):768.
8) Kimball AB, et al:J Am Acad Dermatol. 2008;59(3):448-54, 454, e1.
9) Matheson R, et al:J Drugs Dermatol. 2008;7(3):266-71.
10) Green C, et al:Br J Dermatol. 2005;152(1):130-41.
11) Green C, et al:Health Technol Assess. 2004;8(47):iii, iv, 1-120.
12) 江藤隆史, 他, 監 : 軟膏・クリーム配合変化ハンドブック. 第2版. じほう, 2015.

（鎌田昌洋）

J 眼科

25. アレルギー性結膜炎

ステロイド治療の心構え

- ▶結膜所見，角膜所見，自覚症状の重症度に応じてステロイドを使用します。
- ▶原則，抗アレルギー薬点眼で改善しない場合にステロイドの追加を行います。
- ▶点眼で用いることが一般的ですが，重症例では眼軟膏，瞼結膜下への局所注射，内服で用いることがあります。
- ▶ステロイドは眼圧上昇のリスクが常にあるため，所見，症状の改善が得られたら中止します。

1 疾患の概要

- アレルギー性結膜炎(allergic conjunctivitis；AC)は，アレルギー性結膜疾患(allergic conjunctivitis disease；ACD)の中で，結膜に増殖性変化を認めないものとして分類されています。
- ACDは「I型アレルギーが関与する結膜の炎症性疾患で，何らかの自覚症状を伴うもの」と定義されており，ACの他に，アトピー性皮膚炎の患者に起こるアトピー性角結膜炎(atopic keratoconjunctivitis；AKC)，結膜に増殖性変化を起こし角膜上皮障害を伴う春季カタル(vernal keratoconjunctivitis；VKC)，角膜上皮障害までは至らないものの結膜に特徴的な増殖性変化を起こしている巨大乳頭結膜炎(giant papillary conjunctivitis；GPC)があります。
- 結膜の炎症性変化と，瘙痒感，充血，眼脂，流涙，異物感，羞明といった自覚所見を改善することが治療の目的となります。

2 どういうときにステロイドを使うか？

- 全例にステロイドを使用する必要はありません。
- 第一選択は抗アレルギー薬(メディエーター遊離抑制薬，ヒスタミンH_1受容体拮抗薬）の点眼治療になります（**表1**）。抗アレルギー点眼薬だけでは効果不十分な場合，炎症の重症度に応じた力価のステロイド点眼薬（**表2**）を併用します。通常，フルオロメトロン（フルメトロン®），ベタメタゾン（リンデロン®）の順に使用します。

- VKCに対しては免疫抑制点眼薬（シクロスポリン，タクロリムス）（**表1**）が認可されており，抗アレルギー薬の次に2剤目として使用されることも多くあります。点眼だけでは効果不十分な場合，眼軟膏，ステロイド懸濁液（トリアムシノロンアセトニド，ベタメタゾン）を上眼瞼の瞼結膜下に注射したり，内服で用いることがあります。

表1　抗アレルギー点眼薬，免疫抑制点眼薬

一般名			製品名
抗アレルギー点眼薬	メディエーター遊離抑制薬	クロモグリク酸ナトリウム	インタール®点眼液UD インタール®点眼液
		アンレキサノクス	エリックス®点眼液
		ペミロラストカリウム	アレギサール®点眼液 ペミラストン®点眼液
		トラニラスト	リザベン®点眼液 トラメラス®点眼液
		イブジラスト	アイビナール®点眼液 ケタス®点眼液
		アシタザノラスト水和物	ゼペリン®点眼液0.1%
	ヒスタミンH_1受容体拮抗薬	ケトチフェンフマル酸塩	ザジテン®点眼液UD0.05% ザジテン®点眼液
		レボカバスチン塩酸塩	リボスチン®点眼液0.025%
		オロパタジン塩酸塩	パタノール®点眼液0.1%
		エピナスチン塩酸塩	アレジオン®点眼液0.05%
免疫抑制点眼薬		シクロスポリン	パピロック®ミニ点眼液0.1%
		タクロリムス水和物	タリムス®点眼液0.1%

表2　ステロイド点眼薬

一般名	製品名	濃度（%）			
		0.01	0.02	0.05	0.1
リン酸ベタメタゾンナトリウム	リンデロン®点眼液	○			○
リン酸デキサメタゾンナトリウム	オルガドロン®点眼液				○
メタスルホ安息香酸デキサメタゾンナトリウム	サンテゾーン®点眼液		○	○	○
フルオロメトロン	フルメトロン®点眼液		○	○	○

- ただし，ステロイドは眼圧上昇を起こすことが知られており，特に小児は眼圧上昇をきたしやすいため，使用する場合は注意が必要です[1]。

3 ステロイドの根拠は？

- 眼の表面は粘膜が直接外界に露出しているめずらしい組織です。特に結膜上皮は角膜上皮に比べ細胞間接着がゆるく，抗原の影響を受けやすいと言われています。
- ACD患者の涙液中では，ヒスタミン，キニン，ロイコトリエンなどが上昇しています[2]。
- 正常結膜固有層には$CD4^{+}$T細胞や$CD8^{+}$T細胞が常在しており，正常ではナイーブなものが多く，AKC，VKC，GPC患者では90％近くがメモリーT細胞と言われています。
- 結膜上皮層より侵入した抗原は，肥満細胞の脱顆粒を惹起し，IL-4，5，13などが産生され，好酸球を遊走させます。また，抗原提示細胞に補足された抗原はT細胞に抗原提示されます。
- VKCではTh2細胞，Th2タイプサイトカインが優位と考えられています[3, 4]が，AKCではTh1とTh2が競合しているとの報告もあります[5]。
- これらの好酸球遊走やサイトカイン産生，T細胞機能を抑制するためにステロイドが使用されます。

4 ステロイドの初期用量は？

- 0.1％フルオロメトロン点眼1日2～4回で開始します。
- 効果が弱い場合，0.1％リン酸ベタメタゾンナトリウム，0.1％リン酸デキサメタゾンナトリウム点眼に切り替えます。

5 治療への反応性は？

- 筆者は二極化する印象を持っています。
- ステロイドが奏効する中等症までの症例にはよく反応しますが，重症のACDでは線維化を起こしているため，治療が長期化することがしばしばあります。

6 寛解導入療法はステロイド単剤でよいか？

- 初診時にひどい結膜乳頭や角膜上皮障害がなければ，まずは抗アレルギー薬点眼から開始します。

7 寛解維持療法としてsteroid sparing agentは何かあるか？

- 抗アレルギー薬の点眼と内服，免疫抑制点眼薬があります。
- ACDの主要な原因である花粉に対し，抗アレルギー点眼薬は花粉飛散予測日の約2週間前，または症状が少しでも現れた時点で早めに投与を開始すると，花粉飛散ピーク時の症状が軽減されます[6, 7]。
- 抗アレルギー薬の内服はACDに対して保険適用はありませんが，鼻炎症状がある場合や瘙痒感が強いときに効果的です。
- VKCの治療として，2種類の免疫抑制点眼薬が保険適用となりました。0.1％シクロスポリン点眼液（防腐剤を含まないミニムス製剤，1日3回），0.1％タクロリムス点眼液（1日2回）です。
- シクロスポリン点眼液は高濃度ステロイド点眼液と比較して効果の発現は緩徐ですが，3割は3カ月以内にステロイド点眼薬の離脱が可能となりました。また，タクロリムス点眼薬はVKC，AKCに対しプラセボ対照の多施設二重盲検比較試験で投与1週間後には有意な症状の改善が得られ，ステロイド抵抗性の重症例に対しても治療効果が得られました[8, 9]。

8 ステロイドは中止できるか？　投与期間は？

- 明確な期間の定めはありませんが，細隙灯顕微鏡による診察で角結膜の所見と自覚症状の改善がみられたら漸減，離脱できます。

ここがPOINT！

【眼科専門医以外でも使用可能なステロイド点眼と，使用する際の注意点，使用期間】

◉ ACDの診断，治療効果判定は細隙灯顕微鏡による視診と眼圧のモニタリングが重要です。そのため抗アレルギー薬点眼で症状が改善しない場合，眼科専門医の診察を受けて下さい。やむをえずステロイド点眼を使用する場合は低力価のフルオロメトロンを使用し，小児は0.02％の低濃度から開始すると同時に，必ず眼科専門医への受診を勧めて下さい。

◉ステロイドによる眼圧上昇には個人差があり，1～2週間で眼圧上昇をきたした報告もあります。

◉特に小児や角膜上皮障害がある場合は眼圧上昇を起こしやすく，漫然と続けられたステロイド点眼（特にベタメタゾン）による続発緑内障で視力，視野障害をきたした場合，医療過誤にもなりうるため注意して下さい。

ここがPOINT！

【専門医に相談すべきタイミング】

◉抗アレルギー薬点眼で改善がみられなかった場合，眼科受診を勧めて下さい。

MEMO

【ベタメタゾンとフルオロメトロン】

▶ベタメタゾンはフルオロメトロンに比べると眼内移行がよく，眼内を含む炎症に対し効果が高い反面，眼圧上昇をきたしやすいと言われています。フルオロメトロンは角膜を介した眼内移行が低いことが知られていますが，眼表面の炎症（結膜炎含む）には有効であり，副作用も比較的少ないステロイドです。

MEMO

【アレルギー性結膜疾患とドライアイ】

▶日本では涙液の安定性の低下によりドライアイが引き起こされるとされていますが，欧米では炎症と涙液浸透圧の上昇がドライアイの引き金と考えられています。そのため，欧米のドライアイ治療では0.05％シクロスポリン点眼液（Restasis®），LFA-1阻害薬であるlifitegrastの点眼液（Xiidra®）が用いられています。

▶抗原への曝露によりアレルギー反応による炎症が引き起こされ，角結膜の障害をきたし涙液の安定性が低下してドライアイになる，と考えればACDとドライアイは表裏一体であるとも言えます。
- ▶ただ，これらの点眼液は日本では認可されていません。そこで，最近はレバミピド（ムコスタ®）点眼液をドライアイだけでなくACDにも用いるようになってきました（保険病名はドライアイ）。
- ▶レバミピド点眼により，結膜のゴブレット細胞を増加させる作用や，涙液中のIL-6，IL-8を抑制する報告，TNF-α刺激でも角膜上皮バリアとして重要なタイトジャンクションの裏打ち蛋白であるZO-1を低下させなかった報告もあり，炎症性サイトカインから眼表面を守る働きが報告されています[10, 11]。
- ▶白い粒子が入っているため，点眼直後の霧視，レバミピド特有の苦みが出ることがありますが，ステロイドと異なり眼圧上昇をきたさないため眼科専門医以外でも使用しやすく，抗アレルギー薬点眼と併せての使用がお勧めです。1日4回点眼で，効果が出るまでに2週間は継続することが望ましいとされています。

MEMO

【花粉症と大気汚染】

- ▶春先になると目のかゆみ，くしゃみ，鼻水，鼻詰まりといったアレルギー性結膜炎，アレルギー性鼻炎の症状の方が多くみられ，一般的に花粉症とされています。原因は本当に花粉だけでしょうか。
- ▶大気中には花粉だけでなく様々な物質が漂っています。特に3～5月には偏西風の影響により，中国大陸からPM2.5(particulate matter 2.5：直径2.5μm以下の微小粒子状物質）や黄砂が飛来することが知られています。
- ▶日本よりもゆるい規制の排気ガスやアルミニウムの粉末，バクテリアなどが風にのってこの時期に飛来します。それぞれが直接アレルギー反応を引き起こすわけではないとされますが刺激物質として症状を悪化させます。
- ▶アレルギー性結膜炎と同様に強い結膜充血をきたす病気に，川崎病があります。直接の因果関係の立証は難しいのですが偏西風の強まる時期に川崎病の発症が増えるという記事が「Nature」に掲載され一部で話題になりました[12]。
- ▶川崎病の治療については成書に譲りますが，症状の激しい花粉症は花粉だけが原因ではなく大気中の黄砂やPM2.5が増悪因子でもあるため，環境省が運営している大気汚染モニタリングサイト（そらまめくん　https://soramame.env.go.jp/）や花粉観測システム（はなこさん　http://kafun.taiki.go.jp/）なども参考にされることをお勧めします。

9 モデル症例

症例①：春季カタル（10歳男性）

①前医にて，瘙痒感が強いものの結膜乳頭の増生は強くないためオロパタジン塩酸塩点眼，フルオロメトロン0.1％点眼 1日4回で治療開始されていたが，改善せず紹介受診。

②結膜乳頭の増生著明であり，自覚症状も強いため，眼圧をモニタリングしながらフルオロメトロン0.1％点眼をリン酸ベタメタゾンナトリウム0.1％点眼 1日4回に変更した。

③その後，さらなる異物感の増強にて来院。眼瞼結膜の石垣状乳頭増殖と，それによる角膜のシールド潰瘍もみられ眼圧も上昇傾向にあったため，リン酸ベタメタゾン点眼を中止。タクロリムス水和物点眼を1日2回で開始し，抗アレルギー薬点眼を継続した。

④その後，しだいに眼瞼結膜の乳頭増殖は改善。それとともに角膜潰瘍も消失した。

⑤タクロリムス水和物点眼を中止し，瘙痒感のコントロールおよび再発予防のためオロパタジン塩酸塩点眼のみ継続で維持できている。

症例②：春季カタル，角膜潰瘍（12歳男性）

①春先より両眼のかゆみ出現，近医にて抗アレルギー薬点眼1日4回で治療されるも改善せず，痛みと視力低下が出現したため紹介受診。

②初診時，上眼瞼を翻転すると巨大乳頭，結膜充血，浮腫がみられ，角膜に潰瘍が形成されていた（**図1**，**図2**）。

③抗アレルギー薬点眼に加え，リン酸ベタメタゾンナトリウム点眼1日4回を併用。結膜所見は改善傾向にあったものの，しだいに眼圧上昇を認めたため，リン酸ベタメタゾンナトリウム点眼液を中止，タクロリムス点眼液1日2回に切り替えて治療。

④その後，結膜所見の改善に伴い角膜上皮障害も消失し（**図3**，**図4**），視力も改善した。現在は抗アレルギー薬点眼1日4回にて経過観察中である。

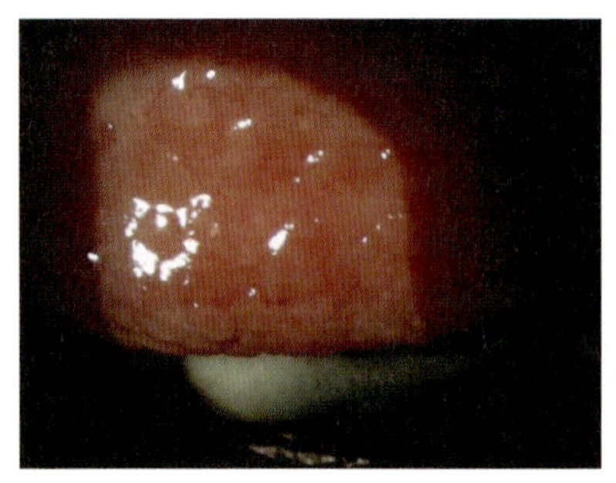

図1　春季カタルの上眼瞼結膜

全体的に発赤，浮腫を認め，結膜下に増殖により隆起している

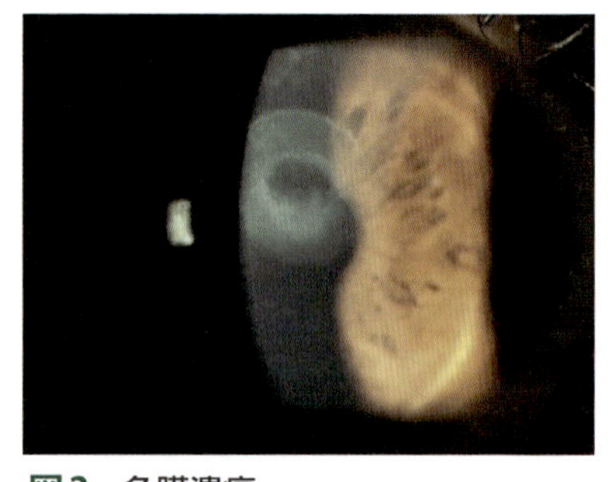

図2　角膜潰瘍

角膜中央部に隆起した結膜により角膜上皮，実質が削られ潰瘍を形成している

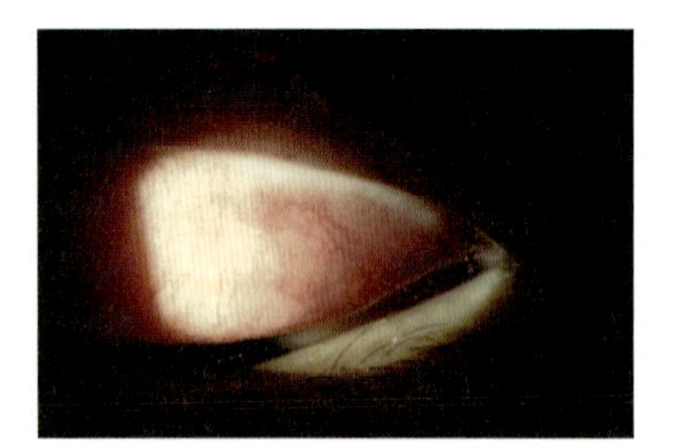

図3　治療後の上眼瞼結膜

わずかに発赤が残存しているが浮腫は消失し，結膜乳頭も目立たなくなっている

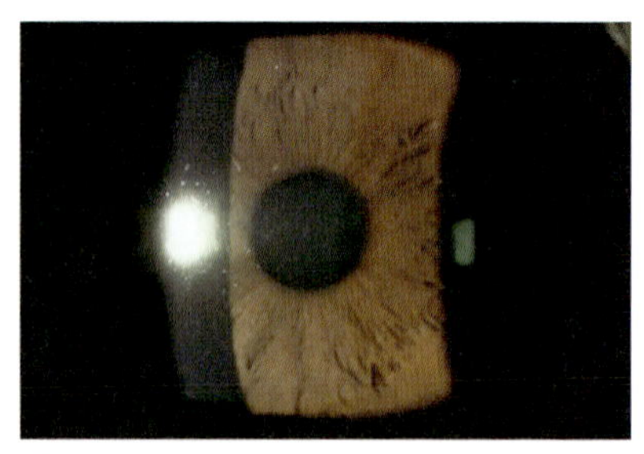

図4　治療後の角膜

中央部にあった潰瘍も幸いにして瘢痕化することなく消失した

文 献

1) 大路正人, 他：臨眼. 1992;46(5):749-52.
2) Fukagawa K, et al:Cornea. 1994;13(4):345-8.
3) Montan PG, et al:Allergy. 2002;57(5):436-41.
4) Metz DM, et al:Invest Ophthalmol Vis Sci. 1993;34:772.
5) Matsuura N, et al:Curr Eye Res. 2004;29(4-5):235-43.
6) Juniper EF, et al:J Allergy Clin Immunol. 1994;94(1):36-43.
7) 海老原伸行：あたらしい眼科. 2003;20(2):259-62.
8) 高村悦子, 他：日眼会誌. 2011;115(6):508-15.
9) Ohashi Y, et al:J Ocul Pharmacol Ther. 2010;26(2):165-74.
10) Tanaka H, et al:Br J Ophthalmol. 2013;97(7):912-6.
11) Kimura K, et al:Invest Ophthalmol Vis Sci. 2013;54(4):2572-760.
12) Frazer J:Nature. 2012;484(7392):21-3.

（大上智弘）

3章　クリニカルクエスチョン

1. ステロイド誘発性副腎不全はどのような人に出現するの？

ステロイド治療の要点

- ステロイド誘発性副腎不全のリスクは多岐にわたるため，ステロイドを使用しているすべての患者でその可能性を考慮しなければなりません。
- ある程度リスクがある場合，患者・家族・ケアスタッフにその症状やsick dayの対応を教育することが重要です。
- ステロイドを漫然と投与せず，常に最小限の使用を心がけましょう。

1 ステロイド誘発性副腎不全

- ステロイド誘発性副腎不全(glucocorticoid induced adrenal insufficiency；GI-AI)は，ステロイドの最も危険な副作用のひとつです。
- GI-AIには，検査や負荷試験で示される生化学的(biochemical) GI-AIと実際に症状が出現する臨床的(clinical) GI-AIが含まれますが，両者は一致しないことが知られています。生化学的GI-AIで臨床的GI-AIと診断されているのはごく一部であり，生化学的GI-AIは無症状か，症状が出現しても他の原因であると誤診されている可能性があります。
- ステロイドは使用頻度が高い薬剤でありながらGI-AIの対処法に十分なエビデンスが蓄積しておらず，GI-AIの対処法には施設・医師間でばらつきがあります。その理由として，過去の研究ではGI-AIの定義，患者集団，ステロイドの使用法，副腎機能の測定法の不均一性が大きいことが挙げられます。メタアナリシス[1]では，症状によらず負荷試験で証明される生化学的GI-AIの絶対リスクは投与経路によらず最大48.7%，リウマチ性疾患に関しては39.4%，吸入ステロイドでも6.8%と報告されており，臨床においてGI-AIは過小評価されている可能性を認識する必要があります。副腎クリーゼを含む症候性のGI-AIの誘因で最も多いのは感染症で，次いで怠薬や中止がトリガーになります[2)]。

2 GI-AIのリスク因子：全身投与の場合

①2〜4週以上の使用

- 通常，2週以内の使用であれば副腎機能はステロイド中止後すぐに回復しますが，喘息や慢性閉塞性肺疾患（chronic obstructive pulmonary disease；COPD），化学療法のように頻回に短期投与が行われている場合は，例外であることに注意が必要です。たとえばCOPDの急性増悪に対してPSL 40mg/日の5日間投与が，14日間投与に非劣性であることを示したREDUCE trialでは，ステロイド投与日をday 1としたときday 30，day 90，day 180でもそれぞれ9%，3%，2%で生化学的GI-AIが認められたと報告されています（両群間で有意差なし）[3)]。

②分割・眠前投与

- 分割・眠前投与は，概日的な副腎皮質刺激ホルモン（adrenocorticotropic hormone；ACTH）分泌に影響を与えるため，GI-AIのリスクを上昇させます[4)]。
- 一方，ステロイドの隔日投与はGI-AIのリスクを低下させることがわかっており，Cushing徴候など，そのほかの副作用も軽減させることができます[5)]。したがって，筆者らはリウマチ性多発筋痛症（polymyalgia rheumatica；PMR）や関節リウマチ，皮膚筋炎の筋症状，高齢者の軽度の顕微鏡的多発血管炎（microscopic polyangiitis；MPA）など，重症臓器病変がない場合には積極的に隔日投与を行っています[6)]。

3 GI-AIのリスク因子：吸入ステロイドの場合

- 吸入薬であっても肺からの吸収に加え，口腔や咽頭に付着した薬剤は嚥下により消化管から吸収され，GI-AIのリスクになることは知っておく必要があります。
- 6〜12カ月以上の高用量の使用，経口ステロイドの併用が特にリスクを上昇させます。フルチカゾンプロピオン酸エステルは半減期が14.4時間と長く，デキサメタゾンの18倍の糖質コルチコイド受容体への親和性を持つため注意が必要です[7)]。吸入ステロイドを使用中に副腎クリーゼを発症した患者の大部分が高用量のフルチカゾンプロピオン酸エステルを使用していたという報告があります[8)]。

4 GI-AIのリスク因子：その他

- 関節内注射は，実臨床では副腎不全が問題になることは少ないですが，高用量の反復投与などは視床下部－下垂体－副腎系（hypothalamic-pituitary-adrenal axis；HPA axis）に影響を及ぼしうると報告されており[9]，クリーゼの報告もあります[10]。
- 外用薬も全身投与と比較すると当然リスクは低くなりますが，長期間・高用量・薬効の強い外用ステロイドの使用や，バリア機能が破綻した皮膚への使用，粘膜・眼瞼・陰部を含む広範囲に使用する場合はリスクが上がります。
- ストロンゲストに分類されるクロベタゾールプロピオン酸エステル（デルモベート）クリームは週に50g（5gチューブ10本/週）を超えるとGI-AIのリスクになるとされていますが，7.5～30g（5gチューブ1.5～6本/週）でも年単位で使用するとGI-AIになる症例があるため注意が必要です[11]。
- デキサメタゾン，プレドニゾロンはCYP3A4で代謝されるため，一部の抗HIV薬，アゾール系抗真菌薬などのCYP3A4のstrong inhibitors，シクロスポリン・エリスロマイシン・アミオダロンなどのmoderate inhibitorsは，ステロイドの曝露量が上昇する可能性も指摘されています（☞**3章4**参照）。

5 まとめ

- 上記の通り，GI-AIのリスクは多岐にわたるため，いかなる場合でもステロイドを使用している患者は，当然，GI-AIの可能性を考慮すべきです。明確なリスク層別化の基準はありませんが，1つの例（成人の場合）を**表1**に紹介します[12]。
- ある程度リスクがあると判断した場合，患者・家族・ケアスタッフにGI-AIのリスクや症状，sick dayの対応などを十分に教育することが重要です。2020年4月1日からは，ヒドロコルチゾンコハク酸エステルナトリウム製剤の在宅自己注射が副腎クリーゼの救急処置として保険適用となったため，医療へのアクセスにハードルがある場合などに活用するのもよいでしょう。
- 最後に，近年のsteroid-sparing agentの発展は目覚ましく，以前は中止できなかったステロイドをさらに減量・中止することができるようになっているため[13]，漫然とステロイドを投与せず，常に最小限の使用を心がけることが重要です（☞**1章1**参照）。

表1　臨床的に副腎抑制（臨床的GI-AI）が起こる可能性

リスク	投与方法によらず	全身投与	吸入
very high	副腎クリーゼを呈するステロイド使用歴がある患者 Cushing徴候を呈するステロイド使用歴がある患者		
high	副腎不全の所見を呈する現在または最近のステロイド使用歴がある患者（副腎クリーゼやCushing徴候以外）	**PSL5mg/日以上を4週以上（成人）** 連日PSL 2～3mg/m^2/日（ヒドロコルチゾン 8～12mg/m^2）以上を4週以上（小児）	高用量（期間は問わない） フルチカゾンプロピオン酸エステルは特にリスクが高い 12カ月以上（用量は問わない）
	強いCYP3A4阻害薬を併用	長期間の眠前投与	経口薬など他のステロイドを併用
moderate	1年以内に長期ステロイドを中止し無症状の患者（特に，その後，短期間のGCが処方された患者）	連日PSL5mg/日以上を2～4週（成人） 連日PSL 2～3mg/m^2/日（ヒドロコルチゾン 8～12mg/m^2）以上を2～4週（小児） 連日PSL 5mg/日未満（成人） 連日PSL 2～3mg/m^2/日未満（小児） 2週間以内の連日投与を複数クール **長期の隔日投与**	低・中等量を6～12カ月
low	長期ステロイドを中止して1年以上経過し無症状の患者	2週間以内の連日投与1クール（用量は問わない） ステロイドパルス（用量は問わない）	低・中用量を6カ月未満

吸入ステロイドの用量は**表2**を参照

表2　よく使用される吸入ステロイドと用量

	17歳以上	5～11歳
低用量	FP＜300μg/日 BDP＜600μg/日 BUD＜600μg/日 CIC＜240μg/日 MF＜400μg/日	FP＜150μg/日 BDP＜300μg/日 BUD＜300μg/日 CIC＜160μg/日
中用量	FP 300～500μg/日 BDP 600～1,000μg/日 BUD 600～800μg/日 CIC 240～320μg/日 FF 100μg/日 MF 400μg/日	FP 150～200μg/日 BDP 300～400μg/日 BUD 300～400μg/日 CIC 160μg/日

▼次ページへ続く

表2　よく使用される吸入ステロイドと用量（続き）

	17歳以上	5～11歳
高用量	FP＞500μg/日 BDP＞1,000μg/日 BUD＞800μg/日 CIC＞320μg/日 FF＞100μg/日 MF＞400μg/日	FP＞200μg/日 BDP＞400μg/日 BUD＞400μg/日 CIC＞160μg/日

FP：フルチカゾンプロピオン酸エステル（ICS：フルタイド®，ICS/LABA：アドエア®，フルティフォーム®）
BDP：ベクロメタゾンプロピオン酸エステル（ICS：キュバール®）
BUD：ブデソニド（ICS：パルミコート®，ICS/LABA：シムビコート®，ICS/LABA/LAMA：ビレーズトリ®）
CIC：シクレソニド（ICS：オルベスコ®）
FF：フルチカゾンフランカルボン酸エステル（ICS：アニュイティ®，ICS/LABA：レルベア®，ICS/LABA/LAMA：テリルジー®）
MF：モメタゾンフランカルボン酸エステル（ICS：アズマネックス®，ICS/LABA：アテキュラ®，ICS/LABA/LAMA：エナジア®）

文献

1) Broersen LH, et al：J Clin Endocrinol Metab. 2015；100(6)：2171-80.
2) Smans LC, et al：Clin Endocrinol(Oxf). 2016；84(1)：17-22.
3) Schuetz P, et al：Eur J Endocrinol. 2015；173(1)：19-27.
4) Grant SD, et al：N Engl J Med. 1965；273(21)：1115-8.
5) MacGregor RR, et al：N Engl J Med. 1969；280(26)：1427-31.
6) Suda M, et al：Clin Rheumatol. 2018；37(8)：2027-34.
7) Paragliola RM, et al：Int J Mol Sci. 2017；18(10)：2201.
8) Dinsen S, et al：Eur J Intern Med. 2013；24(8)：714-20.
9) Habib G, et al：Clin Rheumatol. 2014；33(1)：99-103
10) Gondwe JS, et al：Rheumatology(Oxford). 2005；44(11)：1457-8.
11) Ohman EM et al：J R Soc Med. 1987；80(7)：422-4.
12) Prete A, et al：BMJ. 2021；374：n1380.
13) Nakai T, et al：Arthritis Rheumatol. 2021；73(suppl 10).

（岩田太志，岩波慶一）

2. ステロイドカバーの方法は?

ステロイド治療の要点

- ストレスを半定量化し，必要なステロイド量を補充します。
- ステロイド長期服用者に嘔気・嘔吐を認めた場合は，速やかにステロイドカバーを行います。
- ステロイド長期服用者では，ヒドロコルチゾン以外のステロイドでもカバーは可能です。

1 ステロイド(糖質コルチコイド)の生理学

- 糖質コルチコイドであるコルチゾールは，下垂体からのACTH刺激により副腎の束状層より分泌されます。
- コルチゾールの分泌は早朝(起床前後)にピークとなり，その後徐々に低下し，深夜にはピークの1/10近くまで低下します。午前1時頃から分泌は再度増加し，早朝にピークを迎えるというサイクルを繰り返しています[1]。
- 1日のコルチゾール分泌量は5.7～10mg/m^2/日と報告されています[2, 3]。日本人40～49歳の平均身長・体重(総務省統計局「日本の統計2018」)を例に計算すると，コルチゾール分泌量は男性で10～18mg/日〔プレドニゾロン(PSL)換算2.5～4.5mg/日〕，女性で8.8～16mg/日(PSL換算2.2～4.0mg/日)であると考えられます(**表1**)。

表1　日本人40～49歳の平均体表面積と1日のステロイド分泌量

	身長	体重	体表面積	コルチゾール	PSL換算
男性	171.4cm	70.9kg	1.83m^2	10～18mg	2.5～4.5mg
女性	157.9cm	55.5kg	1.555m^2	8.8～16mg	2.2～4.0mg

- 実際には，小柄な高齢者から大柄な成人まで多様な患者がいますので，様々な身長・体重から考えられる1日のコルチゾール分泌量およびPSL換算量を**表2**に示します。

表2　1日のコルチゾール分泌量とPSL換算量

コルチゾール分泌量（mg/日）					
	40kg	50kg	60kg	70kg	80kg
150cm	7.4～13	8.2～14.3	8.8～15.5	9.4～16.5	10.0～17.5
160cm	7.8～13.7	8.6～15.0	9.2～16.2	9.9～17.3	10.4～18.3
170cm	8.2～14.3	8.9～15.7	9.6～16.9	10.3～18.1	10.9～19.2
180cm	8.5～14.9	9.3～16.3	10.1～17.7	10.8～18.9	11.4～20.0
PSL換算量（mg/日）					
	40kg	50kg	60kg	70kg	80kg
150cm	1.9～3.3	2.0～3.6	2.2～3.9	2.4～4.1	2.5～4.4
160cm	2.0～3.4	2.1～3.8	2.3～4.1	2.5～4.3	2.6～4.6
170cm	2.0～3.6	2.2～3.9	2.4～4.2	2.6～4.5	2.7～4.8
180cm	2.1～3.7	2.3～4.1	2.5～4.4	2.7～4.7	2.9～5.0

2 ステロイド（糖質コルチコイド）カバーの考え方

- 視床下部－下垂体－副腎系（HPA系）が抑制される用量閾値はPSL 7.5mg/日，期間閾値は3週間が目安となるので，PSL 7.5mg/日以上を3週間以上投与した場合にはステロイドカバー（補充療法）を考慮します。しかし，HPAが抑制される閾値には個体差があるため（☞**1章2**），最大用量がPSL 7.5mg/日未満でもHPA系が抑制されている可能性があります。
- PSL 5mg/日を少なくとも6カ月以上服薬している関節リウマチ患者を対象とした研究では，39％の症例でrapid ACTHテストの反応が不十分であったとする報告があります。ステロイドの関節内注射や筋肉内注射が行われた症例まで含めると48％の症例でHPA系は抑制されていました[4)]。このことからPSL 5mg/日以上を服薬している場合はステロイドカバーを考慮したほうがよいと考えられます。
- 最大用量がPSL 5mg/日未満の場合，ステロイドカバーは不要であると考えられています[5)]。
- 経口ステロイド以外の投与経路でもHPA系が抑制される可能性があります。

表3　"Steroid Emergency Card"を所持すべき患者

内服ステロイド	吸入ステロイド
PSL 5mg/日以上	フルチカゾン500μg/日を超える量
デキサメタゾン0.5mg/日以上	ベクロメタゾン1,000μg/日を超える量
ヒドロコルチゾン15mg/日以上	点鼻ステロイド1,000μg/日を超える量

（文献6より改変）

英国国民保険サービス(NHS)では"Steroid Emergency Card"を所持すべき(ステロイドカバーが必要な)患者を示していますので，参考として**表3**[6]に記します。

- 1日のコルチゾール分泌量を10mg/m^2/日と仮定すると，最大用量がPSL 5mg/日未満であれば特殊な状況下でない限りステロイド離脱症状は出現しません。
- 発熱，重症疾患，手術，分娩などのストレス下ではステロイド需要が増大し，ステロイドホルモンの分泌量は最大6倍に増加します[7]。つまり大概のストレスにはヒドロコルチゾン100mgまたはPSL 30mg/日で十分カバーできます。
- ステロイドを補充する際は，ストレスを半定量化し，ステロイド量を調節することで過量投与を避けることができます。
- ステロイド補充量(寛解維持量に追加するステロイド量)の目安を次頁の**表4**[5]と**表5**[8]に示します(ショックについては☞**2章22**を参照)。
- **表4**[5]にはmPSLが例として記載されていますが，ソル・メドロール®の最小バイアルが40mgであることやCYPの影響を受けやすいこと(☞**3章4**)を考えると，水溶性プレドニン®に置き換えて**表4**[5]を利用するのが現実的でしょう(糖質コルチコイド力価が20%減になるので，たとえば「mPSL 20～30mg」なら水溶性プレドニン®30mgを投与することになります)。
- ステロイドによるHPA系抑制ではレニン−アンジオテンシン−アルドステロン系は抑制されていないので，フルドロコルチゾンは必要がないことがほとんどです[9]。
- 入院するほどではないストレス(発熱，インフルエンザ，抜歯，激しい運動など)では，生理学的に必要なステロイド量の1.5～3倍(最大PSL 15mg/日)が必要であると患者に説明しておくとよいでしょう。日常的にこの用量以上のステロイドを服薬している場合は増量する必要はありません。また，患者には嘔吐や下痢の際には点滴での補充が望ましいことも伝えておくと安心です。

表4　ストレスとステロイド補充量

医学的，手術ストレス	ステロイド補充量
軽度	ヒドロコルチゾン 25mgまたはmPSL 5mg 手術当日（1日）のみ静脈内投与
鼠径ヘルニア手術	
大腸内視鏡	
軽症熱性疾患	
軽症～中等度嘔気・嘔吐	
胃腸炎	
中等度	ヒドロコルチゾン 50～75mgまたはmPSL 10～15mg 手術当日に静脈内投与 1～2日で通常量まで急速減量
開腹胆嚢摘出術	
半結腸切除術	
重度熱性疾患	
肺炎	
重症胃腸炎	
重度	ヒドロコルチゾン 100～150mgまたはmPSL 20～30mg 手術当日に静脈内投与 1～2日で通常量まで急速減量
心臓胸部大手術	
膵頭十二指腸切除術	
肝切除	
膵炎	
重篤	ヒドロコルチゾン 50～100mg　6～8時間おきに静脈内投与 または0.18mg/kg/時 持続静注 上記に加え，フルドロコルチゾン 50μg/日 これらをショック離脱まで続ける その後，バイタルサイン，血清ナトリウムを確認しながら減量
敗血症性ショック	
その他ショック	

（文献5をもとに作成）

表5　周術期のステロイドカバー（英国の麻酔学会，内科学会，内分泌学会の合同ガイドライン）

PSL 5mg/日以上に相当するステロイドを4週以上投与されている場合		
手術，処置	術中ステロイド補充量	術後ステロイド補充量
大手術	•麻酔開始時にヒドロコルチゾン100mg静注，直後にヒドロコルチゾン200mg/24時間の持続静注開始 •代替手段としてデキサメタゾン6～8mgの静注（24時間効果が持続する）	•経口摂取が不可の間はヒドロコルチゾン 100mg/24時間の持続静注（代替手段として6時間ごとにヒドロコルチゾン50mgを筋注） •合併症がなく経口摂取が可能になれば通常量のステロイドを内服 •それ以外の場合，通常の2倍量を最大1週間内服

▼次ページへ続く

表5 周術期のステロイドカバー（英国の麻酔学会，内科学会，内分泌学会の合同ガイドライン）（続き）

<table>
<tr><th>手術，処置</th><th>術中ステロイド補充量</th><th>術後ステロイド補充量</th></tr>
<tr><td>体表手術
侵襲度が中等度の手術</td><td>・麻酔開始時にヒドロコルチゾン100mg静注，直後にヒドロコルチゾン200mg/24時間の持続静注開始
・代替手段としてデキサメタゾン6～8mgの静注（24時間効果が持続する）</td><td>・通常の2倍量を48時間内服，その後，合併症がなければ通常量</td></tr>
<tr><td>下剤や浣腸を要する消化管処置</td><td colspan="2">・通常量のステロイドを内服
・経口摂取が長時間できないのであれば等価のステロイドを静注
（HPA系の抑制があり副腎不全の懸念がある場合は，細胞外液を静注しながら，ヒドロコルチゾン100mg静注または筋注を処置開始時に投与。経口摂取が可能になったら24時間は通常の2倍量を内服）</td></tr>
<tr><td>陣痛
経腟分娩</td><td colspan="2">・ヒドロコルチゾン100mgを陣痛開始時に静注，直後にヒドロコルチゾン200mg/24時間の持続静注開始
・代替手段としてヒドロコルチゾン100mgを筋注，以後6時間ごとに50mgを筋注</td></tr>
<tr><td>帝王切開</td><td colspan="2">大手術を参照</td></tr>
</table>

（文献8より改変）

MEMO

▶原発性副腎不全に対するコルチゾール補充は10～12mg/m^2/日で行います[10]。コートリル®錠10mg 1.5～2錠（15～20mg/日）（PSL換算4～5mg/日）で十分量になります。塩分摂取が多い日本人ではコートリル®錠10mg 1～2錠（10～20mg/日）（PSL換算3～5mg/日）で十分という意見もあります[9]。かつては1日のコルチゾール分泌量を12～15mg/m^2/日と想定してコルチゾール20～30mg/日（PSL換算5～7.5mg/日）で補充していましたが，Cushing症候群が高率に出現していました〔Cushing症候群の用量閾値はPSL 5mg/日（☞**1章2**）〕。

▶免疫疾患に対してステロイドを投与し，その減量過程でステロイド離脱症候群が出現することがあります。これはPSL 3mg/日以下に減量した場合に出現しやすくなります。

MEMO

▶健常者では手術後の抜管でステロイドの分泌がピークになり，48時間以内に定常状態に戻ると考えられていますが[9]，ステロイドによるHPA系抑制が周術期に与える影響はよくわかっていません。

▶PSL 7.5mg/日以上を数カ月間投与され医原性の副腎不全が確認された患者に対する周術期ステロイドカバーの必要性を調べた小規模な二重盲検試験では，ステロイドカバーをしなくても（通常量のステロイド用量のみ）人工関節置換術や開腹手術などの手術で低血圧や頻脈などのステロイド離脱所見は生じなかったことが報告されています[11]。

▶現在のところ，医原性の副腎不全でも周術期にステロイドカバーをすることは推奨されていますが，ステロイドの用量不足で臨床上問題となる頻度は少ないのかもしれません。ストレスの程度を考慮せずにヒドロコルチゾン200～300mg/日をルーチン投与するプロトコールは過量投与でしょう[5]。

3 妊娠中のステロイドカバー

- コルチゾール，PSLは血中でtranscortin（コルチコステロイド結合グロブリン）という蛋白と結合しています。生理活性があるのはtranscortinと結合していない遊離ステロイドです。
- 妊娠中や経口避妊薬服薬中は肝臓からのtranscortin合成量が増加し，蛋白結合するステロイドが増加します。健常妊婦では，胎盤から産生されるCRHにより下垂体からのACTH産生が増加し，遊離ステロイド量は維持されます（ACTHはメラノサイトを刺激する作用があるので，妊娠中は皮膚に色素沈着を起こしやすくなります）。
- HPAが抑制されていると，transcortin合成量が増加してもACTH産生が増加しないため副腎不全症状が出現することがあります。特に，妊娠最後の3カ月（third trimester）は注意が必要です。
- 原発性副腎不全の場合，妊娠中はコルチゾール12～15mg/m^2/日と約20～25％増量して管理します[10]。ステロイド治療中に妊娠した場合のステロイド量に関して統一した見解はありませんが，PSL 5mg/日未満が寛解維持量であった場合，妊娠最後の3カ月はPSL 5mg/日程度に増量してもよいかもしれません。

- 分娩中は大きなストレスにさらされるため，**表4**[5]の「重度ストレス」または**表5**[8]を参考にステロイド補充を行います。分娩24～48時間後には通常量に減量します[12]。
- 日本内分泌学会のガイドラインでは，分娩開始時にヒドロコルチゾン 50mgを静注し，以後6時間ごとに50mgを分娩後48時間まで投与することが推奨されています。帝王切開ではヒドロコルチゾン100mgを静注し，以後6～8時間ごとに25～50mgを分娩後48時間まで投与することが推奨されています[9]。
- 分娩時にヒドロコルチゾン100mgを8時間ごとに投与するのは過剰投与になるという意見もあります[13]。

4 甲状腺機能亢進症に対するステロイドカバー

- コントロールされていない甲状腺機能亢進症では，コルチゾールの代謝が亢進するため，通常より2～3倍のステロイド（糖質コルチコイド）補充が必要になると考えられています[10]。
- 既存免疫疾患に対してPSL 10mg/日未満の寛解維持量で投与している場合は，甲状腺機能がコントロールされるまでPSL 10～15mg/日に増量しましょう。

5 ステロイドカバーで用いるステロイドの種類は？

- 原発性副腎不全の場合は，糖質コルチコイドと鉱質コルチコイドの分泌が低下するため，両者の作用を1：1で有するヒドロコルチゾンで補充するのが基本です。
- ステロイド療法による医原性副腎不全では，ACTHに支配される糖質コルチコイドの分泌のみが低下し，レニン－アンジオテンシン系に支配される鉱質コルチコイドの分泌は保たれます。したがって，ヒドロコルチゾン以外のステロイドで補充しても問題ありません。
- 医原性副腎不全に対してはPSL，mPSLまたはデキサメタゾンでの補充で十分です（ショックの場合を除く☞**2章22**）。

ここがPOINT！

◉医原性副腎不全ではレニン－アンジオテンシン系に支配される鉱質コルチコイドの分泌は保たれるため，原発性副腎不全と異なり，低血圧，低ナトリウム血症，高カリウム血症，高カルシウム血症，腎機能障害は出現しないことが多いです[12]。

◉医原性副腎不全で前景に出る症状は嘔気・嘔吐，食思不振，腹痛の消化器症状であり，ステロイド離脱症候群と気づかれずに消化器疾患として初期治療が行われることが少なくありません。

◉嘔気・嘔吐が出現すると，ステロイド内服ができない→ステロイド離脱症候群→嘔気・嘔吐が増悪する，という悪循環に陥るため，嘔気・嘔吐に対しては速やかにステロイドカバーを行う必要があります。

◉長期ステロイド服薬中に消化器症状が出現した場合は，①ステロイドを指示通りに内服できているか，②内服したものを嘔吐していないか，③最近ステロイドを減量していないか，④リファンピシンなどCYP3A4を誘導する薬剤が開始となっていないかを確認し，速やかに水溶性プレドニン®20mg（リファンピシン併用中の場合は40mg）程度を点滴静注します（内服ができないことが多いため，点滴静注を基本とします）。

ピットフォール

➡残念ながらアレルギー性疾患や皮膚疾患に対してセレスタミン®が漫然と処方されているケースを散見します（添付文書にも「漫然と使用するべきではない」と明記されています）。

➡セレスタミン®2錠（ベタメタゾン0.5mg）はHPA抑制を起こすのに十分な用量です。セレスタミン®1錠（ベタメタゾン0.25mg）でもHPA抑制が生じる可能性があります（☞**p.31 コラム「ステロイドの定説を暴く」**参照）。セレスタミン®服用歴のある患者が消化器症状を訴えた際にはステロイド離脱症候群を鑑別に挙げます。

文 献

1） Hahner S, et al:Expert Opin Pharmacother. 2005;6(14):2407-17.
2） Arlt W:J Clin Endocrinol Metab. 2009;94(4):1059-67.
3） Debono M, et al:Eur J Endocrinol. 2009;160(5):719-29.
4） Borresen SW, et al:Eur J Endocrinol. 2017;177(4):287-95.

5) Coursin DB, et al:JAMA. 2002;287(2):236-40.
6) Simpson H, et al:Clin Med (Lond). 2020;20(4):371-8.
7) Cooper MS, et al:N Engl J Med. 2003;348(8):727-34.
8) Woodcock T, et al:Anaesthesia. 2020;75(5):654-63.
9) Yanase T, et al:Endocr J. 2016;63(9):765-84.
10) Charmandari E, et al:Lancet. 2014;383(9935):2152-67.
11) Glowniak JV, et al:Surgery. 1997;121(2):123-9.
12) Arlt W, et al:Lancet. 2003;361(9372):1881-93.
13) Owa T, et al:J Obstet Gynaecol Res. 2017;43(7):1132-8.

（岩波慶一）

3. 妊婦・授乳婦への投与法は?

ステロイド治療の要点

- ▶妊娠中の継続的な中等量以上のステロイド投与は胎児発育不全や母体合併症のリスクとなります。
- ▶慢性疾患では妊娠前から適切にsteroid sparing agentを併用し，なるべく少ない量での寛解維持をめざします。
- ▶妊娠中の再燃は妊娠転帰の悪化につながるため，必要な維持量はきちんと継続します。

1 妊娠中の薬剤使用に関する基本的な考え方

- 出生時に認められる形態的，機能的な異常は一般に先天異常(congenital anomalies)と呼ばれ，全新生児での発生率は3〜5%であることが知られています。先天異常の原因の半数以上は染色体不均衡や単一遺伝子異常などの遺伝因子，約40%は原因を特定できない多因子性で，薬が原因となるのは約5%の環境因子のうちの一部にすぎません。
- 薬剤の使用により先天異常〔医学的にあるいは美容上治療が必要な，いわゆる"大奇形"(major anomaly)〕の発生率がベースラインリスクを有意に超えることが疫学研究により明確に示されている薬剤は「催奇形性がある薬」と表現され，妊娠中の使用を避ける必要があります。ただし良質な研究データがそろっていない場合が多く，現時点で得られる限られた情報から，薬を使用するリスクと治療効果のベネフィットを考慮することが求められます。
- 薬剤の影響は妊娠の時期(**図1**)にわけて考えます。
- 受精(妊娠2週0日)からの2週間は，「All or None(全か無か)」の時期と呼ばれます。この時期に受精卵，胚に何らかの影響があれば，多数の細胞に障害が起きると胚死亡，少数の細胞にのみ障害が起きると完全に修復されます。つま

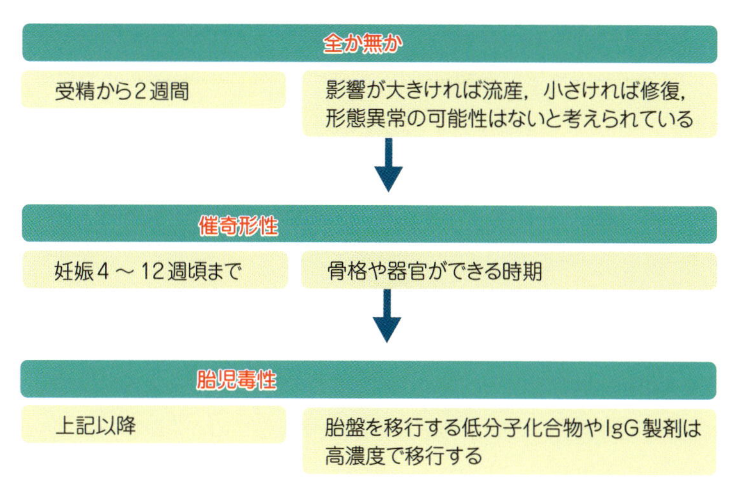

図1　妊娠時期と児への影響

り，妊娠が継続していれば形態異常が残ることはないと考えられます。

- 妊娠4～12週頃までは重要臓器や骨格が形成される器官形成期であり，催奇形性に注意が必要です。
- それ以降は，胎盤を介して移行した薬剤による胎児の発育や機能への影響などの胎児毒性に注意が必要です。妊娠後期の非ステロイド性抗炎症薬（NSAIDs）による胎児動脈管早期閉鎖やACE阻害薬による羊水減少が知られています。

ここがPOINT！

◉「催奇形性がある薬剤を使用すると100％異常が起こる」というのは誤解です。たとえば，関節リウマチで使用されるメトトレキサートは催奇形性がある薬剤として知られていますが，妊娠初期に使用された妊婦での発生率は対照群2.9％に対し6.6％と報告されています（流産率は対照群17.5％に対し188例では42.5％）[1]。妊娠に気づかずに内服してしまったという場合には，すぐに中絶を勧めるのではなく専門機関でのカウンセリングを行います。胎児精密エコーでのフォローを希望されるようであれば実施可能な施設と連携するなど，個別の対応をとります。

MEMO

【プレコンセプションケアについて知ろう】

▶妊娠前からの男女の健康が，健全な妊娠・出産と将来の子どもたちの健康をもたらす，　として米国疾病管理予防センター（CDC）や世界保健機関（WHO）などが“プレコンセプションケア”を提唱しています。受胎（conception）前（pre-）の健康管理として，飲酒や喫煙などの生活習慣改善やワクチン接種，定期健診による自己管理，メンタルヘルスケアなどが含まれます。日本でも徐々に広まりつつありますが，まだ認知度は低いのが現状です。

▶近年，初産年齢の高齢化や不妊治療の普及などを背景に，慢性疾患を持つ女性の妊娠が増えています。妊娠中も治療継続を要するため，プレコンセプションケアは非常に重要です。主治医は，薬剤や疾患が妊娠に与える影響と，妊娠・出産が疾患に与える影響について，患者と家族へ十分なカウンセリングを行い，早くから将来の妊娠を見据えた治療計画を立てることが求められます。

▶病勢の落ちつかない状態での妊娠となったり，可能であったはずの妊娠のタイミングを逸したり，妊娠希望を理由に必要な治療が中断されたりといったことがないよう日頃から患者とのコミュニケーションを大切にし，将来の妊娠に対する意思を共有しておきましょう。

2 ステロイドの妊娠への影響

①催奇形性

- 先天異常全体の発生率は上昇させません。
- 動物実験では，口唇口蓋裂の発生が増えるという報告があります。ヒトにおいては発生率が数倍上昇するという報告[2)]と上昇しないとする報告[3)]が混在しています。リスクを完全に否定できるほどの良質な大規模研究が新たに行われていないため，いまだ結論は出ていません。

②胎児毒性

- 妊娠中期以降，持続的なステロイドの胎内曝露は胎児発育不全の原因となります。
- 製剤の種類により胎児への移行性が異なるため，母体の治療には移行性の低いプレドニゾロンが使用されます。一方，胎児の治療には移行性の高いベタメタゾンやデキサメタゾンが使用されます。

③母体，妊娠転帰への影響

- 生殖可能年齢女性に多く発症する全身性エリテマトーデスの女性を対象とした研究で，ステロイドが妊娠高血圧症候群，妊娠糖尿病，感染症，早産期前期破水のリスクとなることが示されています[4)]。早産期前期破水については，SLE症例の胎盤を用いた研究で，絨毛膜羊膜炎以外の機序でステロイドが卵膜脆弱性に寄与している可能性が示唆される新たな知見も得られています[5)]。

ここがPOINT！

◉口唇口蓋裂のリスクについては用量と催奇形性との関連を指摘した報告はありません。妊娠合併症は投与量が多ければリスクが上昇しますが，何mg/日以下であれば大丈夫，という明確な線引きはできません。

◉同じ疾患でも患者によって寛解維持に必要なステロイド量は大きく差があるものです。これらのリスクを説明し理解してもらった上で，その患者にとって必要な維持量を継続し再燃させないことの重要性も理解してもらうことが大切です。

MEMO

【ステロイドの種類と胎児移行性】

▶妊娠中，母体の血中コルチゾール値は3倍ほどに上昇しますが，胎児のコルチゾール値は母体の1/10～1/5と低く抑えられます。これは合胞体栄養膜細胞に発現する11β-hydroxysteroid dehydrogenase 2（11β-HSD2）により不活化されるためです。ステロイド製剤も11β-HSD2により不活化されます。

▶プレドニゾロンでは臍帯血中濃度は母体血中濃度の約1/10となるのに対し，メチルプレドニゾロンでは臍帯血中濃度は母体血中濃度の約2/5と移行率が高いことが示されています[6, 7)]。

▶また，*in vitro*の実験でプレドニゾロンが51％不活化されたのに対し，デキサメタゾンは2%，ベタメタゾンは7％とほとんど不活化されなかったというデータがあります[8)]。

3 妊娠中のステロイド使用法

① 母体の疾患治療

- 免疫抑制治療の継続を要する慢性疾患患者では，妊娠中も継続可能な免疫抑制薬を用いて疾患が十分コントロールされた状態で妊娠計画に臨む必要があります。
- 母児への影響から，なるべく少ない量での維持が望ましいことは言うまでもありません。しかし，妊娠中の再燃は妊娠転帰の悪化につながるため，必要な量はしっかり使用するという考え方も必要です。
- 慢性疾患増悪時には，産婦人科と内科の密な連携のもと，必要な場合は遅滞なくステロイドパルス療法，高用量療法を含め治療強化を行います。

② 胎児の治療

- 切迫早産の際，児の肺成熟や頭蓋内出血予防を目的として，母体にベタメタゾン12mgを24時間ごとに計2回，筋肉内投与することが推奨されています[9]。
- 抗SS-A抗体陽性妊娠の約1％に先天性心ブロックが発症することが知られています。胎児にⅡ度以上房室ブロックが認められた際，子宮内治療としてベタメタゾン，デキサメタゾン投与を検討します[10]。確立されたプロトコールはないため，十分なカウンセリングのもと，専門的な対応が可能な施設で慎重に行います。

③ 外用・点鼻・点眼・吸入・注腸

- 内服，静脈投与以外の経路でステロイドを投与する場合は，一般的な臨床使用量であれば，全身循環への吸収量は少ないと考えられます。必要最小限に抑えることは言うまでもありませんが，妊娠中の使用は問題ありません。
- ステロイド局所外用，気管支喘息に対する吸入ステロイド（主にブデソニド）においては，児の先天奇形率上昇や妊娠転帰悪化に影響しないとする比較的大規模な報告があります。気管支喘息の治療中断・変更による母体の病状悪化は妊娠転帰の悪化につながる可能性があり，必要な治療の継続が優先されます。
- 注腸ブデソニド製剤については児の転帰に関する報告はありませんが，ブデソニドは速やかに代謝されるため全身への移行は少なく，必要な場合は治療継続が優先されます（☞2章13）。

4 授乳中のステロイド使用法

- 母乳の移行量の指標のひとつにRID（relative infant dose）があります。乳児の体重当たりの薬剤摂取量（母乳中薬剤濃度×母乳量）（mg/kg/日）が母体への体重当たりの薬物投与量（mg/kg/日）の何%に相当するかを示したもので，10%以下の薬剤は一般に安全とされています。

- プレドニゾロンのRIDは0.35〜5.3%と低く，高用量内服例を含めた多数の報告で乳児の有害事象は示されていません。授乳と治療の両立が可能ですが，継続的に高用量（目安として40mg/日以上）を服用する場合は，数時間あけてから授乳するという方法もあります。
- メチルプレドニゾロンのRIDは0.46〜3.15%と報告されています。多発性硬化症で1g/日静注のパルス療法において経時的に母乳中濃度を測定した複数の報告から，投与後2〜4時間あければ児の曝露量は大きく低下することが示されており[11]，パルス療法と授乳の両立は可能と考えられます。
- デキサメタゾン，ベタメタゾンの乳汁移行と児への影響に関するデータはありません。

5 妊娠期に使用可能な免疫抑制薬

- Steroid sparing agentとなりうる免疫抑制薬や関連薬の妊娠中使用について概説します。

① 妊娠計画時に中止すべき薬：メトトレキサート，ミコフェノール酸モフェチル，シクロホスファミド，ミゾリビン，JAK阻害薬

- メトトレキサートは流産率上昇，催奇形性が示されています。投与終了後1月経周期は妊娠を避けます[12]。「最終投与後，1回月経を見送ったら妊娠可能」と説明します。
- ミコフェノール酸モフェチル（MMF）は臓器移植患者でのデータから流産率や先天異常発生率の上昇が認められています。ループス腎炎などMMFが寛解維持の中心的薬剤として使用されている場合は，妊娠前に中止または他剤に変更し再燃がないことを確認してから妊娠するよう計画しましょう。
- シクロホスファミドは妊孕性への影響や妊娠初期の他剤併用曝露で先天異常の報告があります。中後期では他剤でコントロールがつかない重症病態においては投与の検討が可能です。
- JAK阻害薬は妊娠中使用に関するデータがほとんどないため安全性の評価ができず，現時点では避けるべきと考えられます。
- 妊娠に気づかずこれらの薬剤に曝露した場合は，すぐに人工中絶を勧めるので

はなく，専門機関でのカウンセリングのもと個別の対応が必要です。

②妊娠中も継続可能な薬：アザチオプリン，シクロスポリン，タクロリムス，ヒドロキシクロロキン，TNF-α阻害薬など

- アザチオプリン，シクロスポリン，タクロリムスは，2018年7月に添付文書が改訂となり，禁忌が解除されました。原疾患の治療上必要な症例では，妊娠中の継続が可能です。
- ヒドロキシクロロキン（HCQ）は，主要な前向き研究では先天異常発生リスクの上昇は示されていません。今のところ胎内で曝露した児の網膜毒性も示されていません[13]。妊娠中のHCQがSLEの妊娠予後改善[14]や抗SS-A抗体陽性女性での先天性房室ブロック（CHB）再発抑制に有効である可能性などの報告[15]があります。まだ結論は出ていませんが，CHB再発抑制については国内でも医師主導臨床試験が進行中であり（UMIN000028979），今後の結果が期待されます。
- 生物学的製剤については，TNF-α阻害薬（インフリキシマブ，エタネルセプト，アダリムマブ，ゴリムマブ，セルトリズマブペゴル）は関節リウマチや炎症性腸疾患での使用経験が蓄積されており安全に使用可能と考えられます。バイオシミラー製剤も基本的には同様に取り扱ってよいものと考えられます。胎内で曝露した新生児の生ワクチンについて，BCGは産後6カ月以降に行います。ロタウイルスワクチンは少数のレビューで接種した児に有害事象の増加はなく[16]，ACRからは生後6カ月以内の接種が条件付きで推奨されており[17]，今後の動向が注目されます（☞**3章5**）。

③個別にリスク・ベネフィットを考慮すべき薬：その他の抗体製剤

- トシリズマブは関節リウマチ以外に成人発症Still病や高安動脈炎など治療中断が困難な症例での使用経験が蓄積されてきており，治療上の必要性が高い場合継続が可能です。
- リツキシマブはこれまでの少数の妊娠中の使用報告では先天異常の報告はありませんが，出生児のB細胞減少が報告されており注意を要します。他に治療の選択肢がない場合に限り投与を検討します。
- 他の抗体製剤についても，妊娠中使用に関するデータが乏しく安全性の評価はできません。児や妊娠に対するリスクと治療上のベネフィットを勘案し個別に判断する必要があります。

MEMO

【ステロイド副作用予防薬の使用】

〈妊娠前後の骨粗鬆症予防〉

▶胎児のカルシウム需要は妊娠後期から増え，特に産後は母乳へのカルシウム供給は母体の骨吸収により賄われます。一般的に授乳に伴う骨量低下は断乳により回復し，将来の骨粗鬆症発症とは関連しないとされていますが，継続的なステロイド治療が必要な症例では十分な配慮が必要です。

▶ビスホスホネート製剤については，妊娠中の使用に関するデータが不足していること，長期間骨に蓄積し血中に放出されうることから，妊娠を希望する女性への使用は勧められていませんが，筆者らの施設ではステロイド継続例など骨粗鬆症リスクの高い症例に対しては，妊娠が判明するまでは継続しています。また授乳中の使用は，児の消化管からは吸収されにくいため問題ないと考えられます。

〈周産期のニューモシスチス肺炎予防〉

▶ST合剤の妊娠中の使用に関しては，トリメトプリムの妊娠初期使用で心奇形などの先天異常発生率が高かったとする報告があることから，現時点では可能であれば妊娠計画中は避けることが望ましいと考えられます。

MEMO

【妊娠，授乳中の薬剤使用に関する情報源】

▶「産婦人科診療ガイドライン—産科編2020」[9]では，妊娠・授乳中の薬剤使用に関して多くのCQで取り上げており，臨床現場のニーズに即したエビデンスに基づく推奨が記載されています。

▶書籍では「薬物治療コンサルテーション：妊娠と授乳」，Briggsらによる「Drugs in Pregnancy and Lactation」[18]，授乳に関しては「Hale's Medications & Mothers' Milk」[19]が参考になります。

▶北米奇形情報サービスによる「MotherToBaby (https://mothertobaby.org/)」，授乳に関しては米国国立医学図書館が運営する「Drugs and Lactation Database (Lactmed)」が無料で閲覧可能です。

▶国立成育医療研究センター 妊娠と薬情報センター（http://www.ncchd.

go.jp/kusuri/）では，妊娠中または妊娠を考えている女性からの相談を受け付けています。相談外来を行っている拠点病院は47都道府県すべてに設置されています。またホームページでは，授乳中の薬の服用に関する考え方や授乳中に使用可能な薬剤一覧表などの情報が閲覧できます。

文献

1） Weber-Schoendorfer C, et al：Arthritis Rheumatol. 2014；66(5)：1101-10.
2） Park-Wyllie L, et al：Teratology. 2000；62(6)：385-92.
3） Skuladottir H, et al：Birth Defects Res A Clin Mol Teratol. 2014；100(6)：499-506.
4） Ateka-Barrutia O, et al：Lupus. 2013；22(12)：1295-308.
5） Okazaki Y, et al：Placenta. 2022；128：73-82
6） Beitins IZ, et al：J Pediatr. 1972；81(5)：936-45.
7） Anderson GG, et al：Am J Obstet Gynecol. 1981；140(6)：699-701.
8） Blanford AT, et al：Am J Obstet Gynecol. 1977；127(3)：264-7.
9） 日本産科婦人科学会，他：産婦人科診療ガイドライン─産科編2020. 2020.
10） Eliasson H, et al：Circulation. 2011；124(18)：1919-26.
11） Zengin Karahan S, et al：Clin Neurol Neurosurg. 2020；197：106118.
12） 日本リウマチ学会MTX診療ガイドライン策定小委員会，編：関節リウマチ治療におけるメトトレキサート（MTX）診療ガイドライン. 2016年改訂版. 羊土社，2016.
13） Osadchy A, et al：J Rheumatol. 2011；38(12)：2504-8.
14） Duan J, et al：Lupus. 2021；30(7)：1163-74.
15） Izmirly P, et al：J Am Coll Cardiol. 2020；76(3)：292-302.
16） Goulden B, et al：Rheumatology (Oxford). 2022；61(10)：3902-6.
17） American College of Rheumatology（ACR）：Guideline for Vaccinations in Patients with Rheumatic and Musculoskeletal Diseases. Guideline Summary. [https://www.rheumatology.org/Portals/0/Files/Vaccinations-Guidance-Summary.pdf]（2022年12月閲覧）
18） Briggs GG, et al：Briggs Drugs in Pregnancy and Lactation. 12th ed. Wolters Kluwer, 2022.
19） Hale TW：Hale's Medications & Mothers' Milk 2021. 19th ed. Springer Publishing Company, 2021.

（髙井千夏）

4. ステロイド・免疫抑制薬に薬剤相互作用はあるか？

ステロイド治療の要点

▶ステロイドの種類によりCYP3A4誘導・阻害薬の影響度が異なります。

▶経口以外のステロイドも薬剤相互作用に留意する必要があります。

▶免疫抑制薬は生活習慣病薬との併用禁忌が多く，注意が必要です。

1 ステロイドの薬物代謝について

- ステロイドの代謝には，還元や酸化，CYP3A4による水酸化など多くの経路があります。生理学的にはコルチゾールは主に還元酵素により代謝され，CYP3A4による代謝はわずかです。
- 合成ステロイドはCYP3A4により代謝されやすいものと代謝されにくいものがあります。

ここがPOINT！

◉ステロイドをCYP3A4による代謝を受けやすい順に並べると，デキサメタゾン>メチルプレドニゾロン>プレドニゾロン>ヒドロコルチゾンになります[1~5)]。

2 CYP3A4を誘導する薬剤と併用するとき

- CYP3A4誘導作用のある薬剤を**表1**に示します[6~8)]。
- ステロイドを含む免疫抑制療法中に（イソニアジドが副作用などで使用できない）潜在性肺結核症（latent tuberculosis infection；LTBI），活動性結核，非結核性抗酸菌症の治療でリファンピシン（RFP）を併用することがあります。

- RFPの併用により薬物消失速度がデキサメタゾンで約5倍(472〜567%)，プレドニゾロンで約2倍(181〜188%)，ヒドロコルチゾンで約1.2倍(105〜122%)に亢進することが報告されています[1]。
- ステロイドでコントロールしていた原疾患がRFP使用により増悪した例も報告されており[9, 10]，RFPを併用している場合，プレドニゾロンの量を2倍に増量する必要があると言われています。また，薬剤による酵素誘導作用は，中止後も1〜2週間続くと報告されており[11, 12]，その間もプレドニゾロンの量を2倍に維持したほうが無難です。
- RFPの代替薬として，RFPよりもCYP3A4誘導作用が弱いリファブチンを併用することがあります。リファブチンを併用する際はステロイドの増量は必ずしも要しないとされていますが，効果減弱には注意が必要です。
- 抗てんかん薬であるカルバマゼピン，フェニトインも強力にCYP3A4を誘導します(**表1**)[6〜8]。これらの薬剤を併用する際にもプレドニゾロンのAUCは40〜50%程度低下することが知られており，リファンピシン併用時と同様に投与量を倍量にすべきと筆者は考えています[13〜15]。
- 後述のCYP3A4を介した相互作用の影響を予測する方法を使用すると，カルバマゼピンやフェニトインをデキサメタゾンと併用した場合，デキサメタゾンの濃度が50〜70%程度低下すると予測できます。実際にフェニトインとデキサメタゾンの併用により，デキサメタゾンのクリアランスが約3倍になることが報告されています[16]。

表1　CYP3A4を誘導する代表的薬剤

影響の強さ	成分名(商品名)	
strong	•リファンピシン(リファジン®) •フェニトイン(アレビアチン®) •カルバマゼピン(テグレトール®)	•フェノバルビタール(フェノバール®) •エンザルタミド(イクスタンジ®) •ミトタン(オペプリム®)
moderate〜weak	•リファブチン(ミコブティン®) •ボセンタン(トラクリア®) •エファビレンツ(ストックリン®) •エトラビリン(インテレンス®)	•モダフィニル(モディオダール®) •ルフィナミド(イノベロン®) •糖質コルチコイド •St. John's wort

strong：AUC(area under the curve)を80%以上低下
moderate〜weak：AUCを20〜80%低下

(文献6〜8，UpToDateをもとに作成)

ここがPOINT！

◉RFP併用時は，デキサメタゾン，プレドニゾロン，ヒドロコルチゾン（コルチゾール）の投与量をそれぞれ5倍，2倍，1.2倍に増量します[1]。

◉カルバマゼピンやフェニトインを併用するときは，プレドニゾロンを2倍に増量します。デキサメタゾンの場合は2～3倍に増量する必要があります。

◉薬剤によるCYP3A4誘導作用は，中止後も1～2週間続きます[11,12]。

3 CYP3A4を阻害する薬剤と併用するとき

- CYP3A4阻害作用のある薬剤を**表2**に示します[6～8]。
- ステロイドを含む免疫抑制療法中にカンジダ感染症をはじめとする真菌感染症に対してアゾール系抗真菌薬を併用することがあります。
- アゾール系の中でもCYP3A4阻害作用が強いと言われているイトラコナゾール（ITCZ）を併用すると，AUCがデキサメタゾンで3.3倍[3]，メチルプレドニゾロンで2.5～2.6倍[2, 4]に上昇しますが，プレドニゾロンではほとんど変化がない[2, 5]ことが報告されています。

表2　CYP3A4を阻害する代表的な薬剤など

影響の強さ	一般名（商品名）など	
strong	•イトラコナゾール（イトリゾール®） •ボリコナゾール（ブイフェンド®） •クラリスロマイシン（クラリス®）	•リトナビル（ノービア®） •ネルフィナビル（ビラセプト®） •グレープフルーツジュース
moderate	•アプレピタント（イメンド®） •シメチジン（タガメット®） •シプロフロキサシン（シプロキサン®） •クリゾチニブ（ザーコリ®） •シクロスポリン（ネオーラル®） •エリスロマイシン（エリスロシン®）	•フルコナゾール（ジフルカン®） •フルボキサミン（デプロメール®） •イマチニブ（グリベック®） •ベラパミル（ワソラン®） •ジルチアゼム（ヘルベッサー®） •トフィソパム（グランダキシン®）
weak	•シロスタゾール（プレタール®） •ラニチジン（ザンタック®） •タクロリムス（プログラフ®） •チカグレロル（ブリリンタ®）	

strong：AUCを5倍以上に増加
moderate：AUCを2～5倍に増加
weak：AUCを1.25～2倍に増加

（文献6～8，UpToDateをもとに作成）

- フルコナゾール（FLCZ）は使う頻度が比較的高い抗真菌薬です。FLCZ併用によるステロイドの血中濃度への影響について考察している報告はありませんが，デキサメタゾンやメチルプレドニゾロンと併用する際は注意が必要です。
- 経口ブデソニド（ゼンタコート®）は局所で抗炎症作用を示す一方で，主としてCYP3A4を介した肝初回通過効果が大きく，全身性の作用が少ないステロイドとして知られています。そのため，CYP3A4を阻害する薬剤との併用により肝初回通過効果の影響が小さくなり，全身性の副作用が増強する可能性があります。実際にケトコナゾールとの併用によりAUCが6.5倍になると報告されています[17]。また，ボリコナゾールとの併用により，血圧上昇，ムーンフェイス，中心性肥満といった症状が出現し，ボリコナゾール中止によりそれらが改善した症例が過去に報告されています[18]。しかしながら，経口ブデソニドはあくまで消化管に対する局所作用を期待する薬剤ですので，CYP阻害剤併用でAUCが上昇することを理由に減量することはできません。可能ならばCYP阻害作用のない薬剤を選択するか，それが難しければステロイドによる副作用症状が出現することを念頭にマネジメントしていく必要があります。

ここがPOINT！

◉プレドニゾロンはCYP3A4阻害薬の影響を受けにくく，CYP3A4阻害薬の併用による用量調節は必要ないと考えられます。

◉デキサメタゾンとメチルプレドニゾロンは，CYP3A4阻害薬によりAUCが増加します。

4 経口以外（吸入や点鼻など）のステロイドでも相互作用に注意すべきか？

- 吸入ブデソニド（パルミコート®）をイトラコナゾールの内服と併用することにより，ブデソニドのAUCが4.2倍になることが報告されています[19]。
- また，高用量の吸入ブデソニド（800～1,600μg/日）とイトラコナゾールを併用している患者のうち，44%に副腎不全が出現していたことが報告されています[20]。
- フルチカゾンもCYP3A4を主な代謝経路としています。フルチカゾンは吸入（フルタイド®），点鼻（フルナーゼ®）それぞれ，抗HIV薬のブースターとして使用されるリトナビル併用することで副腎不全を発症した症例が報告されています[21]。

- ベクロメタゾン吸入（キュバール®）は，リトナビル併用により活性代謝物のAUCが2倍程度になったという報告がありますが，副腎抑制は起こらず，臨床的に重要ではなかったと結論づけられています[22]。また，ベクロメタゾンの点鼻での副腎機能の抑制が指摘された症例も報告されています[23]。
- フルチカゾン吸入（フルタイド®）とモメタゾン点鼻（ナゾネックス®）を使用中にボリコナゾールを併用することにより，副腎不全を発症した症例が報告されています[24]。モメタゾンの代謝もCYP3A4が関与しており，その阻害薬には注意が必要です。
- ステロイドの注腸製剤（プレドネマ，レクタブルなど）に関して，CYP3A4を介した相互作用の報告は筆者が調べた限りありません。

ピットフォール

➡経口以外のステロイドにおいてもCYP3A4阻害薬との相互作用には注意が必要です。

5 免疫抑制薬に相互作用はあるか？

- シクロスポリン，タクロリムスはCYP3A4で代謝されるため，その誘導・阻害作用のある薬剤（**表1**，**表2**）[6〜8]を併用する際は注意が必要です。
- シクロスポリンはCYP3A4のほかにも，薬剤の排出に関わるP糖蛋白や肝臓での薬剤取り込みに関与するトランスポーター（OATP1B1など）の阻害作用もあり，併用により各スタチンの血中濃度が著明に上昇します[25]。併用禁忌となっているスタチンもあり注意が必要です（**表3**）。
- American Heart Association（AHA）のrecommendationでは，タクロリムス併用中も各スタチンの投与量などに注意するよう推奨されていますが，タクロリムスはアトルバスタチンの血中濃度に影響しないことが報告されています[26]。
- タクロリムスの副作用として高カリウム血症があり，カリウム保持性利尿薬であるスピロノラクトンとの併用により副作用が増強するため併用禁忌となっています。

表3　免疫抑制薬との併用禁忌および併用に注意が必要な薬剤

	併用禁忌薬	併用注意薬（代表的なもの）
アザチオプリン	•生ワクチン •フェブキソスタット（フェブリク®） •トピロキソスタット（トピロリック®，ウリアデック®）	•アロプリノール（ザイロリック®）
シクロスポリン	•生ワクチン •タクロリムス（プログラフ®） •ピタバスタチン（リバロ®） •ロスバスタチン（クレストール®） •ボセンタン（トラクリア®） •アリスキレン（ラジレス®） •アスナプレビル（スンベプラ®） •グラゾプレビル（グラジナ®） •ペマフィブラート（パルモディア®）	•CYP3A4に影響する薬剤（☞表1，表2） •HMG-CoA還元酵素阻害薬（シンバスタチン，プラバスタチンなど） •ダビガトラン（プラザキサ®） •エドキサバン（リクシアナ®）
タクロリムス	•生ワクチン •シクロスポリン（ネオーラル®，サンディミュン®） •ボセンタン（トラクリア®） •スピロノラクトン（アルダクトン®） •カンレノ酸カリウム（ソルダクトン®） •トリアムテレン（トリテレン®）	•CYP3A4に影響する薬剤（☞表1，表2） •エプレレノン（セララ®）

（各添付文書をもとに作成）

▪ アザチオプリンの活性代謝物である6-メルカプトプリン（6-MP）は，キサンチンオキシダーゼを阻害するフェブキソスタットやトピロキソスタットとの併用により血中濃度が上昇し，骨髄抑制などの副作用が強く出る可能性が指摘されており併用禁忌とされています。

ここがPOINT！

◉シクロスポリンに併用可能なストロングスタチンは，アトルバスタチンです。

ピットフォール

➡FLCZのCYP3A4阻害作用はイトラコナゾールやボリコナゾールよりも弱いとされていますが，CYP2C9やCYP2C19を強力に阻害することが知られており，シクロホスファミド，トファシチニブ，セレコキシブ，グリメピリド，ワルファリンなどとの併用にも注意が必要です。

➡感冒症状や呼吸器症状などの訴えに対してクラリスロマイシンが処方され，シクロスポリンやタクロリムスの血中濃度が上昇してしまうことがあります。クラリスロマイシンは強力なCYP3A4阻害薬であると認識しておくことが必要です（クラリスロマイシンの乱用も問題です）。

➡アザチオプリンと併用できる尿酸降下薬としてはアロプリノールが挙げられますが，こちらも併用注意薬に分類されており，併用時はアザチオプリンの投与量を1/3〜1/4にする必要があります。ただし，この2剤の併用でも骨髄抑制の副作用を発症したという報告があり[27]，慎重な経過観察を要します。

MEMO

【CYP3A4に介した相互作用の影響の予測について】

▶ CYP3A4を介する相互作用の影響について，CYP3A4の基質薬のクリアランスの寄与率（CR）と阻害薬の阻害率（IR）を用いて予測する方法が，過去に報告されています（**表4〜表6**）[13]。

▶具体的には，下記の計算式から阻害薬併用により基質薬のAUCが何倍になるのかを予測します。

AUC＋inhibitor/AUCcontrol＝1/(1-CR・IR)

▶ CR，IRが不明な場合は，実際の相互作用の報告からその値を求めることが可能です。

▶たとえば，トルバプタン（サムスカ®）はケトコナゾール併用により，AUCが5.4倍になることが報告されています[28]。

▶ケトコナゾールのIRは1.0であり（**表5**）[13]，上記の計算式からトルバプタンのCRは0.8と求められます。

▶これは誘導薬においても同じで，基質薬のCRと誘導薬によるクリアランスの増加を表すパラメータ（IC）を使用し，以下の計算式からその影響を求めます。

AUC＋inducer/AUCcontrol＝1/（1+CR・IC）

▶過去の相互作用の報告を参考に，上記計算式を使用して各種ステロイドのCRを求めたものを**表7**[1〜3, 15, 17, 22, 29] に示します。このCRは代謝におけるCYP3A4の寄与度を示すものであり，内服・外用問わず成分が同じであればCRも同じです。

表4　各薬剤のクリアランスにおけるCYP3A4の寄与率（CR）

薬剤	CR
シンバスタチン	1.0
トリアゾラム	0.93
ミダゾラム	0.92
シクロスポリン	0.80
ニフェジピン	0.78
アルプラゾラム	0.75
アトルバスタチン	0.68
ゾルピデム	0.40

（文献13をもとに作成）

表5　CYP3A4の阻害薬のIR

薬剤	IR
ケトコナゾール	1.0
ボリコナゾール	0.98
イトラコナゾール	0.95
クラリスロマイシン	0.88
ジルチアゼム	0.8
フルコナゾール	0.79
フルボキサミン	0.30
アジスロマイシン	0.11

（文献13をもとに作成）

表6　CYP3A4の誘導薬のIC

薬剤	IC
リファンピシン	7.7
フェニトイン	4.7
カルバマゼピン	3.0
エファビレンツ	1.4
セントジョーンズワート	1.2
ボセンタン	0.5
ピオグリタゾン	0.2

（文献13をもとに作成）

表7　筆者が前述の計算式から計算した各種ステロイドのCR

薬剤	CR	参考文献
デキサメタゾン	0.5～0.7	※1
メチルプレドニゾロン	0.6	※2
プレドニゾロン	0.1～0.2	※3
ヒドロコルチゾン	0.01～0.03	※4
ブデソニド	0.85	※5
ベクロメタゾン	0.5	※6

参考文献から得られたAUCの変化とIR･ICからCRを計算した。
フルチカゾンとモメタゾンのAUCの変化率は不明でありCRは求められなかったが，クリアランスにはCYP3A4が寄与するため他のステロイドと同様に相互作用に注意が必要である。
※1：川合とVarisの報告[1,3]を参考に計算
※2：Lebrun-Vignesらの報告[2]を参考に計算
※3：川合とBartoszekらの報告[1,15]を参考に計算
※4：川合の報告[1]を参考に計算
※5：Seidegårdの報告[17]を参考に計算
※6：Greenblattらの報告[29]からリトナビルのIC＝1.0と仮定し，Boydの報告[22]を参考に計算
（文献1～3，15，17，22，29をもとに作成）

文献

1) 川合眞一：日内分泌会誌. 1985;61(3):145-61.
2) Lebrun-Vignes B, et al:Br J Clin Pharmacol. 2001;51(5):443-50.
3) Varis T, et al:Clin Pharmacol Ther. 2000;68(5):487-94.
4) Varis T, et al:Pharmacol Toxicol. 1999;85(1):29-32.
5) Varis T, et al:Eur J Clin Pharmacol. 2000;56(1):57-60.
6) Ogu CC, et al:Proc(Bayl Univ Med Cent). 2000;13(4):421-3.
7) Michalets EL:Pharmacotherapy. 1998;18(1):84-112.
8) U.S. Food and Drug Administration:Drug Development and Drug Interactions. [https://www.fda.gov/drugs/developmentapprovalprocess/developmentresources/druginteractionslabeling/ucm093664.htm#inVivo]（2022年12月閲覧）
9) 篠田千恵，他：日呼吸会誌. 2001;39(12):955-60.
10) Lin FL:J Allergy Clin Immunol. 1996;98(6 Pt 1):1125.
11) Finch CK, et al:Arch Intern Med. 2002;162(9):985-92.
12) Imai H, et al:Expert Rev Clin Pharmacol. 2011;4(4):409-11.
13) 日本医療薬学会 医療薬学学術第一小委員会，編：医療現場における薬物相互作用へのかかわり方ガイド. [bhttps://jsphcs.jp/file/asc1.pdf]（2022年12月閲覧）
14) Preston CL, ed:Stockley's Drug Interactions. 12th ed. Pharmaceutical Press, 2019.
15) Bartoszek M, et al:Clin Pharmacol Ther. 1987;42(4):424-32.
16) Chalk JB, et al:J Neurol Neurosurg Psychiatry. 1984;47(10):1087-90.
17) Seidegård J:Clin Pharmacol Ther. 2000;68(1):13-7.
18) Jones W, et al:Pharmacotherapy. 2014;34(7):e116-9.
19) Raaska K, et al:Clin Pharmacol Ther. 2002;72(4):362-9.
20) Skov M, et al:Eur Respir J. 2002;20(1):127-33.
21) Foisy MM, et al:HIV Med. 2008;9(6):389-96.
22) Boyd SD:J Acquir Immune Defic Syndr. 2013;63(3):355-61.
23) Besemer F, et al:Int J Clin Pharm. 2020;42(2):347-50.
24) Duman AK, et al:J Pharm Pract. 2017;30(4):459-63.
25) Wiggins BS, et al:Circulation. 2016;134(21):e468-e495.
26) Lemahieu WP, et al:Am J Transplant. 2005;5(9):2236-43.
27) 竹内裕紀，他：痛風と核酸代謝. 2017;41(2):191-8.
28) 大塚製薬株式会社：サムスカ®OD錠 医薬品インタビューフォーム. 第24版（2022年5月改訂）.
29) Greenblatt DJ, et al:Br J Clin Pharmacol. 2009;68(6):920-7.

（榎本貴一，岩波慶一）

5. ワクチン接種はできるの？

ステロイド治療の要点

- ▶不活化ワクチン，COVID-19ワクチン（mRNAワクチン）は接種可能です。
- ▶弱毒生ワクチンは本邦の添付文書では禁忌になりますが，米国では一定の条件を満たせば接種が可能です。
- ▶ステロイドを含む免疫抑制薬はワクチンの効果を減弱させる可能性がありますが，接種のタイミングや免疫抑制薬の休薬については個別に判断を行います。

1 不活化ワクチン

- 不活化ワクチンではワクチン由来の感染症が出現する可能性はないため，免疫抑制療法中に不活化ワクチンを接種することは可能です。
- 症例によっては抗体の上昇が認められない例もあるものの，ステロイドを含む免疫抑制薬や生物学的製剤の投与下でも不活化ワクチンに対する免疫応答はおおむね適切であるとされています[1〜4]。

MEMO

- ▶リツキシマブはB細胞を除去する抗体なので，ワクチン接種後に抗体価が十分に上がらない可能性が最も高い生物学的製剤です。
- ▶関節リウマチ患者に肺炎球菌莢膜ポリサッカライドワクチンを接種した研究では，MTX群の82％の症例で抗体価が上昇しましたが，リツキシマブ＋MTX群では57％の症例にとどまりました。

2 COVID-19ワクチン(mRNAワクチン)

- mRNAワクチンではワクチン由来の感染症が出現する可能性はないため，免疫抑制療法中に不活化ワクチンを接種することは可能です。
- 免疫抑制療法中のリウマチ性疾患にCOVID-19ワクチン(コミナティ®)を投与しても副反応は増えず，疾患活動性にも影響がないことが示されています[5)]。
- 65歳以上，ステロイド，抗CD20抗体，アバタセプト(特にMTXを併用した場合)，MMFの使用はワクチン後の抗体陽性率を下げる因子として報告されています[5)]。
- リツキシマブはワクチン接種後の抗体陽性率を大きく下げますが，T細胞の反応は影響を受けないことが示されています[6)]。
- ワクチンにより抗体が陽性になった症例では，リツキシマブと1回目のワクチンの間隔が平均約9カ月(7〜11カ月)あいていたことが示されています[7)]。

3 弱毒生ワクチンに関する米国(CDC)のガイドライン

- (体重10kgを超え)PSL 20mg/日以上を2週間以上投与したときに弱毒生ワクチンに対する安全への懸念が生じるため，ACIP(CDCの予防接種に関する諮問委員会)ガイドラインではこの条件に合致する場合は弱毒生ワクチンの投与は控えるべきであるとしています。
- 一方でACIPガイドラインには，以下の場合は弱毒生ワクチンは禁忌にはならないとも明記されています[8)]。
  ①ステロイドの投与期間が14日未満
  ②PSL 20mg/日未満または幼い小児(young child)では2mg/kg未満
  ③長期でもPSL隔日投与
  ④ステロイドが生理的な用量である場合(補充療法)
  ⑤ステロイド局所投与(皮膚，眼)，吸入，関節内・滑液包・腱注射
- 免疫抑制薬，生物学的製剤に関しては，投与中および中止3カ月以内は弱毒生ワクチンの接種を避けるべきとしています。
- かつてのCDC推奨では弱毒生帯状疱疹ワクチンに関しては，免疫抑制薬が少量(PSL 20mg/日未満など細胞性免疫が保たれているレベル)またはHIV感染症でもCD4^{+}T細胞200個/μL以上であれば接種可能と記載されていました。しかし，2021年にACIPから19歳以上の免疫抑制状態にある人にも不活化帯状疱疹サブユニットワクチンの推奨がなされ，弱毒生帯状疱疹ワクチンを選択す

ることはなくなりました（50歳以上の免疫能が保たれている人に対しては，2017年に不活化帯状疱疹サブユニットワクチンの推奨がすでになされています。現在，米国では弱毒生帯状疱疹ワクチンは販売されていません）[9]。

4 弱毒生ワクチンに関する本邦の添付文書

- プレドニゾロン錠の添付文書には「本剤の長期あるいは大量投与中の患者，又は投与中止後6ヵ月以内の患者では，免疫機能が低下していることがあり，生ワクチンの接種により，ワクチン由来の感染を増強又は持続させるおそれがあるので，これらの患者には生ワクチンを接種しないこと」と記載されています。「長期」「大量投与」の定義が不明ですが，免疫疾患ではステロイドを「長期」に投与することが多いため，免疫疾患にステロイドを投与している場合には弱毒生ワクチン接種は本邦では禁忌と読み取れます。
- 主要な免疫抑制薬の添付文書にも「免疫機能が抑制された患者への生ワクチン接種により，ワクチン由来の感染を増強または持続させるおそれがあるので，本剤投与中に生ワクチンを接種しないこと」と明記されています。

5 免疫抑制療法中の弱毒生ワクチンは本当に危険なのか？

- 免疫抑制者に弱毒生ワクチンを投与した場合，重篤な副作用の発生が懸念されますが，その多くは原発性免疫不全症やHIV感染症の報告に基づいています。
- 現時点では十分なエビデンスが蓄積していませんが，少なくとも若年性特発性関節炎や小児SLEにおいて弱毒生ワクチンによる重篤な副作用の報告はないようです[1]。
- 成人を対象としたものでは，関節リウマチ，乾癬・乾癬性関節炎，強直性脊椎炎，炎症性腸疾患を有する60歳以上の患者に弱毒生帯状疱疹ワクチンを接種した研究があります。この研究では，MTXや生物学的製剤の投与下でもワクチンによる帯状疱疹の発症はなく，予防効果が得られたとされています[10]。
- 米国リウマチ学会のガイドラインでは，生物学的製剤投与中に弱毒生帯状疱疹ワクチンは接種すべきでないとされていますが，MTXを含むDMARDs投与中は接種可能とされています[11]。
- 欧州リウマチ学会からのrecommendationでは，MMRワクチンのブースター接種は免疫抑制下でも考慮してよいと記載されています[12]。

- 成人でも，医療系の学生や職員が病院実習前や入職前に抗体価のチェックを受けて，MMRワクチンや水痘ワクチンが必要となる場合があります。免疫抑制療法中に接種が必要となった場合，主治医が判断を求められることがあります。筆者は，免疫疾患の活動性，ステロイドを含む免疫抑制薬の用量，免疫抑制薬の休薬が可能か，ワクチンがブースター接種か（過去に接種歴や罹患歴があるか）を確認して，総合的に判断をするようにしています。

ピットフォール

➡ワクチン接種後に自己免疫疾患が発症したり増悪したりするという懸念が語られることがありますが，その根拠は一部の逸話的な症例報告に基づいており，異論が多いです[1]。

6 ワクチンを接種するタイミング

- 理想的には，免疫抑制療法を開始する前に季節性インフルエンザワクチンを除くすべての必要なワクチンを接種しておくことが，効果および安全性の面から望ましいとされます[8]。
- 免疫抑制治療は，不活化ワクチンの場合は接種してから2週間，生ワクチンの場合は4週間あけて開始すべきとされていますが，ワクチン接種を理由に免疫疾患（慢性炎症性疾患）の治療を遅らせるべきではありません。
- 免疫抑制療法中または免疫抑制治療開始前2週以内にワクチンを受けた場合は，免疫抑制療法の中止後3カ月後にワクチンの再接種が推奨されています[8]。
- リツキシマブの場合は最終投与から6カ月以上経過すればワクチンを接種できます。ただし，帯状疱疹ワクチンの場合は1カ月あければ接種可能とされます[8]。

7 免疫抑制療法中にワクチンを投与する場合は治療を中断したほうがよいか？

- 理論上，ステロイドを含む免疫抑制薬はワクチンの効果を減弱させる懸念がありますが，ワクチン接種を理由に治療を遅らせるのは現実的ではなく，実臨床では免疫抑制療法中にワクチンの接種を検討することが大半です。

- 少量の免疫抑制薬で疾患コントロールが得られており，一時的な休薬が考慮できる状態でワクチンを接種することが望ましいですが，ワクチンの効果を得るのに必要な休薬期間や休薬前の免疫抑制状態については十分なエビデンスがありません。
- 関節リウマチ患者を対象とした研究では，MTXをインフルエンザワクチンの前後2週（合計4週）休薬した群と休薬しない群で比較すると，十分な（ワクチン前後で4倍以上の）抗体価上昇を認めた割合が休薬群で有意に多かったとする報告があります[13)]。しかし，この研究では有意差はないものの，MTXをワクチン前後で休薬した群では関節炎の再燃が多かったことが示されています。
- COVID-19ワクチンでは，米国リウマチ学会から薬剤ごとの休薬期間の目安（**表1**）[14)]が示されていますが，エビデンスに基づいたものではありません。
- その他のワクチンに関しては2022年8月に米国リウマチ学会から薬剤の休薬期間の推奨が示されました（**表2～表5**）。十分なエビデンスに基づいていないため，大部分が「条件付き」の推奨であり，実臨床においてはリスクとベネフィットを勘案して個別に対応する必要があります[15)]。
- 実臨床では，疾患活動性，免疫抑制薬の種類・用量，ワクチン接種の逼迫度を考慮して総合的に判断します。主治医の判断で休薬期間を設けずにワクチン接種を行うことも許容されます。
- 破傷風ワクチンでは免疫抑制薬の休薬は必要ありませんが，24週以内にリツキサン® の投与を受けていて，感染のリスクが高い場合は破傷風グロブリンの投与を考慮します[12)]。

8 異なるワクチン接種の間隔（表6）

- 厚生労働省やCDCの推奨では，生ワクチン同士以外の同時接種は基本的に可能です（生ワクチンと不活化ワクチン，または不活化ワクチン同士の同時接種が可能）。
- 厚生労働省はCOVID-19ワクチンとインフルエンザワクチン以外のワクチンは2週間の間隔をあけるように指導していますが，CDCは他のワクチンと同時接種は可能としています。
- 生ワクチンと生ワクチンの間隔は28日あけます（厚生労働省とCDCの推奨）。免疫抑制者では，生ワクチンの接種はMMRワクチンのブースター接種に限られます。

表1　COVID-19ワクチンと各種薬剤のタイミング

投与中の薬剤	ワクチン接種のタイミング
アバタセプト（静注）	次回投与の1週前にワクチンを接種する
アバタセプト（皮下注）	ワクチン接種後，1～2週間は投与を行わない
アセトアミノフェン，NSAIDs	ワクチン接種24時間前は投与を行わない
ベリムマブ（皮下注）	ワクチン接種後，1～2週間は投与を行わない
サイトカイン阻害薬（TNF，IL-6R，IL-1R，IL-17，IL-12/23，IL-23など）	コンセンサスなし
シクロホスファミド（静注）	ワクチン投与1週間後に投与する
ヒドロキシクロロキン，IVIG	休薬は必要ない
リツキシマブなど抗CD20抗体	投与，接種のタイミング，抗CD20抗体の投与量についてリウマチ専門医と相談
上記以外の従来型の免疫調整薬や免疫抑制薬（JAK阻害薬やMMFなど）	ワクチン接種後，1～2週間は投与を行わない

免疫疾患のコントロールが得られていれば上記を考慮する

（文献14をもとに作成）

表2　非生ワクチンの接種のタイミング

	インフルエンザワクチン	その他の非生ワクチン
メトトレキサート	（疾患活動性が許せば）ワクチン接種後，2週間休薬	投与継続
リツキシマブ	投与継続（疾患活動性が許せば，2週間以上投与を遅らせる）	次回のリツキシマブ投与日にワクチンを接種し，2週間以上リツキシマブ投与を遅らせる
その他の免疫抑制薬	投与継続	投与継続

いずれも条件付き推奨

表3　ステロイド投与中の非生ワクチンの接種のタイミング

	インフルエンザワクチン	その他の非生ワクチン
PSL 10mg/日以下	接種	接種
PSL 10～20mg/日	接種	接種
PSL 20mg/日以上	接種	20mg/日未満に減量するまで接種を見送る

PSL 10mg/日以下のみ強い推奨。他は条件付き推奨

表4　生ワクチン

	接種前の休薬期間	接種後の休薬期間
ステロイド	4週間	4週間
メトトレキサート アザチオプリン	4週間	4週間
レフルノミド ミコフェノール酸モフェチル カルシニューリン阻害薬 経口シクロホスファミド	4週間	4週間
JAK阻害薬	1週間	4週間
TNF阻害薬 IL-17阻害薬 IL-12/23阻害薬 IL-23阻害薬 BAFF/BLyS阻害薬 IL-6阻害薬 IL-1阻害薬 アバタセプト アニフロルマブ 静注シクロホスファミド	1投与期間	4週間
リツキシマブ	6カ月	4週間
IVIG 0.3〜0.4g/kg 1g/kg 2g/kg	 8カ月 10カ月 11カ月	4週間

すべて条件付き推奨

注釈）

- PSL 20mg/日未満，体重10kg未満ではPSL 2mg/kg未満 隔日投与で，ワクチンの必要性が高く，ステロイド中止のリスクが高いときは，ステロイドは継続できる。
- メトトレキサート0.4mg/kg/週以下またはアザチオプリン3mg/kg/日以下で再燃リスクが高いときは，休薬期間を短くできる。
- 生物学的製剤の投与期間を短縮している場合は，承認された最も長い投与期間で休薬を行う。
- 自己炎症性症候群や全身性若年性特発性関節炎でIL-6阻害薬やIL-1阻害薬を投与していて，休薬による再燃リスクが高く，ワクチンの必要性が高い場合は休薬期間を短縮できる。
- IVIGの休薬はワクチンの効果を得るためであり，感染症が流行したときは休薬期間よりワクチン接種を優先する。

表5　ロタウイルス生ワクチン

妊娠第2〜3三半期の出生前曝露	出生6カ月以内	出生6カ月後
TNF阻害薬	ワクチン接種をする	−
リツキシマブ	ワクチン接種をしない	ワクチン接種をする

条件付き推奨

表6　異なるワクチンの同時接種

ワクチンの種類	CDCの推奨	厚生労働省の推奨
2種以上の不活化ワクチン（肺炎球菌ワクチン，無脾症の髄膜炎菌ワクチンと肺炎球菌ワクチンを除く）	可能	可能
生ワクチンと不活化ワクチン	可能	可能
2種以上の生ワクチン	28日の間隔をあける	28日の間隔をあける
COVID-19ワクチンと他のワクチン	可能	14日の間隔をあける

（CDCと厚生労働省の推奨をもとに作成）

表7　肺炎球菌ワクチンの投与間隔

肺炎球菌ワクチンの投与歴	接種スケジュール
PPSV23やPCV13の接種歴なし，または不明	PCV13を最初に接種し，8週後にPPSV23の1回目を接種する。 PPSV23接種1回目の5年後にPPSV23の2回目を接種する。
PPSV23を1回接種 PCV13の接種歴なし，または不明	PPSV23接種1回目から1年後にPCV13を接種する。 PPSV23の2回目接種は1回目から5年かつPCV13の接種から少なくとも8週の間隔をあける。
PCV13を1回接種 PPSV23の接種歴なし，または不明	PCV13の接種から少なくとも8週あけてPPSV23の1回目を接種する。 PPSV23接種1回目の5年後にPPSV23の2回目を接種する。
PPSV23を1回接種 PCV13を1回接種	PPSV23接種1回目から少なくとも5年，PCV13接種から少なくとも8週あけてPPSV23の2回目を接種する。
PPSV23を2回接種 PCV13の接種歴なし，または不明	PPSV23接種2回目から1年後にPCV13を接種する。

PCV13：13価肺炎球菌ワクチン，PPSV23：23価肺炎球菌ワクチン

（文献12をもとに作成）

- 無脾症や脾機能が低下した人では，髄膜炎菌ワクチン（メナクトラ®）と13価肺炎球菌ワクチン（プレベナー13®）は4週間の間隔をあけたほうがよいとされます（CDCの推奨）。
- 13価肺炎球菌ワクチン（プレベナー13®）と23価肺炎球菌ワクチン（ニューモバックス®）では，13価肺炎球菌ワクチンを最初に接種し，8週間の間隔をあけて23価肺炎球菌ワクチンを接種することが推奨されています（CDCの推奨）。
- 先に23価肺炎球菌ワクチンを接種した場合は，**表7**[12]のように対応します。

文献

1) Silva CA, et al:Nat Rev Rheumatol. 2013;9(9):532-43.
2) Spika JS, et al:Pediatrics. 1982;69(2):219-23.
3) Aikawa NE, et al:J Rheumatol. 2012;39(1):167-73.
4) Subesinghe S, et al:J Rheumatol. 2018;45(6):733-44.
5) Furer V, et al:Ann Rheum Dis. 2021;80(10):1330-8.
6) Bitoun S, et al:Arthritis Rheumatol. 2022;74(6):927-33.
7) Jyssum I, et al:Lancet Rheumatol. 2022;4(3):e177-e187.
8) Centers for Disease Control and Prevention(CDC):General Best Practice Guidelines for Immunization, Best Practices Guidance of the Advisory Committee on Immunization Practices(ACIP).
[https://www.cdc.gov/vaccines/hcp/acip-recs/general-recs/downloads/general-recs.pdf](2022年12月閲覧)
9) Anderson TC, et al:MMWR Morb Mortal Wkly Rep. 2022;71(3):80-4.
10) Zhang J, et al:JAMA. 2012;308(1):43-9.
11) Singh JA, et al:Arthritis Rheumatol. 2016;68(1):1-26.
12) Furer V, et al:Ann Rheum Dis. 2020;79(1):39-52.
13) Park JK, et al:Ann Rheum Dis. 2017;76(9):1559-65.
14) COVID-19 Vaccine Clinical Guidance Summary for Patients with Rheumatic and Musculoskeletal Diseases(Version 5).
[https://www.rheumatology.org/Portals/0/Files/COVID-19-Vaccine-Clinical-Guidance-Rheumatic-Diseases-Summary.pdf] (2022年12月閲覧)
15) 2022 American College of Rheumatology (ACR) Guideline for Vaccinations in Patients with Rheumatic and Musculoskeletal Diseases.
[https://www.rheumatology.org/Portals/0/Files/Vaccinations-Guidance-Summary.pdf] (2022年12月閲覧)

(岩波慶一)

索引

欧文

N

P

R

S

T

U

V

和文

あ

い

う

え

お

か

編者紹介

岩波慶一（いわなみ けいいち）

東京ベイ・浦安市川医療センター膠原病内科医長

［略歴］

2002年3月　筑波大学医学専門学群 卒業
2002年5月　筑波大学附属病院 レジデント
2005年4月　筑波大学大学院博士課程 入学
2008年4月　財団法人 日本予防医学協会 リサーチレジデント
2009年4月　La Jolla Institute for Allergy & Immunology postdoctoral fellow
2011年4月　日本学術振興会海外特別研究員（兼任）
2012年4月　練馬光が丘病院膠原病・リウマチ内科科長
2018年4月　東京ベイ・浦安市川医療センター膠原病内科医長
2020年4月　千葉大学医学部臨床教授（兼任）

［認定医・専門医 他］

- 医学博士
- 日本内科学会 総合内科専門医
- 日本リウマチ学会 指導医・専門医・評議員・専門医試験作成委員
- 日本臨床免疫学会 評議員 広報・教育・次世代育成委員

新装改訂版 アウトカムを改善する
ステロイド治療戦略

定価（本体4,800円＋税）
2023年1月10日　第1版

編　者　岩波慶一
発行者　梅澤俊彦
発行所　日本医事新報社　www.jmedj.co.jp
〒101-8718　東京都千代田区神田駿河台2-9
電話（販売）03-3292-1555　（編集）03-3292-1557
振替口座　00100-3-25171
印　刷　ラン印刷社

ISBN978-4-7849-5723-1 C3047 ¥4800E

電子版のご利用方法

巻末袋とじに記載されたシリアルナンバーを下記手順にしたがい登録することで，本書の電子版を利用することができます。

1 日本医事新報社Webサイトより会員登録（無料）をお願いいたします。

会員登録の手順は弊社Webサイトの
Web医事新報かんたん登録ガイドを
ご覧ください。

https://www.jmedj.co.jp/files/news/20191001_guide.pdf

（既に会員登録をしている方は**2**にお進みください）

2 ログインして「マイページ」に移動してください。
https://www.jmedj.co.jp/files/news/20191001_guide.pdf

3「未読タイトル（SN登録）」をクリック。

4 該当する書籍名を検索窓に入力し検索。

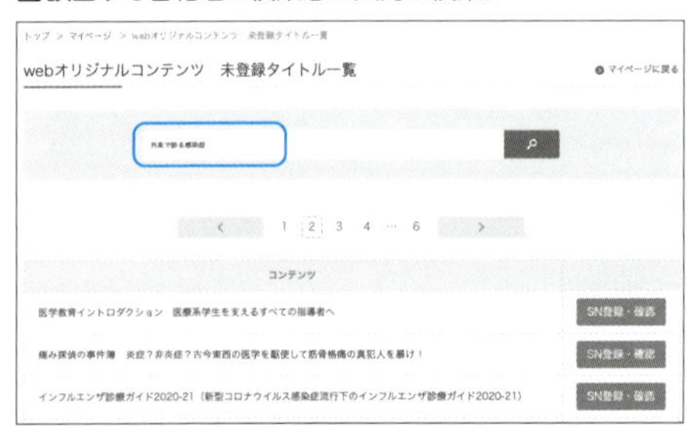

5 該当書籍名の右横にある「SN登録・確認」ボタンをクリック。

6 袋とじに記載されたシリアルナンバーを入力の上，送信。

7「閉じる」ボタンをクリック。

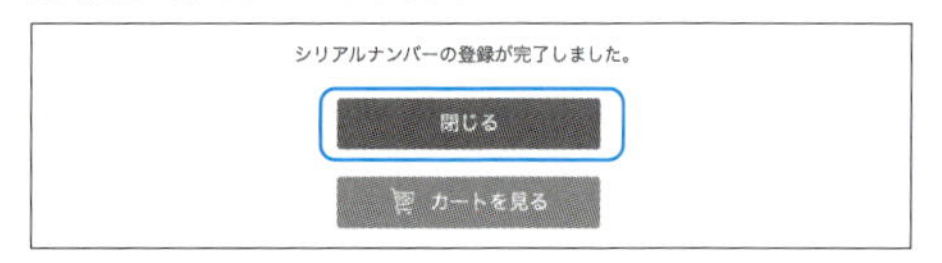

8 登録作業が完了し，**4**の検索画面に戻ります。

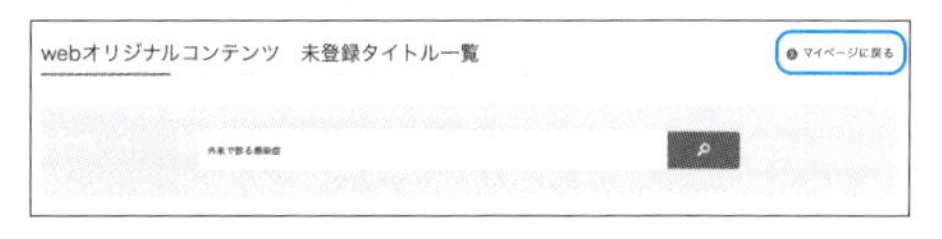

【該当書籍の閲覧画面への遷移方法】

①上記画面右上の「マイページに戻る」をクリック
➡**3**の画面で「登録済みタイトル（閲覧）」を選択
➡検索画面で書名検索➡該当書籍右横「閲覧する」ボタンをクリック
または

②「書籍連動電子版一覧・検索」*ページに移動して，
書名検索で該当書籍を検索➡書影下の
「電子版を読む」ボタンをクリック

https://www.jmedj.co.jp/premium/page6606/

＊「電子コンテンツ」Topページの「電子版付きの書籍を購入・利用される方はコチラ」からも遷移できます。

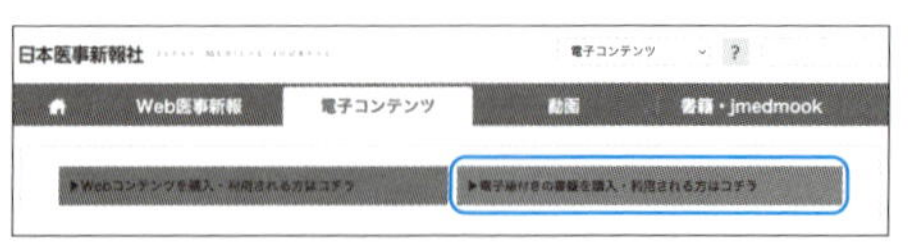